Dreamers – City of promises

MELINA LENHARDT

DREAMERS

CITY of PROMISES

FSC
www.fsc.org
MIX
Papier aus verantwortungsvollen Quellen
Paper from responsible sources
FSC® C105338

Bibliografische Information der Deutschen Nationalbibliothek
Die Deutsche Nationalbibliothek verzeichnet diese Publikation in der Deutschen Nationalbibliografie; detaillierte bibliografische Daten sind im Internet über http://dnb.d-nb.de abrufbar.

Satz, Umschlaggestaltung und Verlag: BoD · Books on Demand GmbH, Überseering 33, 22297 Hamburg, bod@bod.de
Druck: Libri Plureos GmbH, Friedensallee 273, 22763 Hamburg

ISBN: 978-3-8192-2049-4

Kapitel 1

Ich verließ das Haus und fuhr zum Hamburger Hauptbahnhof, um mich mit meiner besten Freundin April zum Shoppen zu treffen. Wir wollten heute unsere Abschlussballkleider kaufen. Endlich war es so weit!

Gemütlich schlenderten wir die Mönckebergstraße hinunter und schauten uns in den Geschäften um.

In einem der Schaufenster sahen wir schließlich ein paar hübsche Kleider, die uns gefielen, und probierten sie an.

»Du siehst mega aus, Taylor!«, sagte April begeistert, während ich aus der Umkleidekabine heraustrat.

Ich stand in einem langen, sehr pinken Tüllkleid mit mehreren Lagen vor dem Spiegel neben der Umkleide und betrachtete mich ausgiebig. Ich band mir meine langen blonden Haare hoch, um eine bessere Vorstellung vom fertigen Look zu bekommen.

Auf Anhieb hatte ich mich in dieses Kleid verliebt, da es meiner weiblichen Figur sehr schmeichelte.

»Das nehme ich!«, sagte ich entschlossen und drehte mich noch einmal um die eigene Achse.

April selbst trug ein etwa knielanges Kleid. Es war tiefblau und hatte wie meines einen Bustier-Schnitt, der das Dekolleté schön betonte. Sie sah umwerfend aus. Es betonte ihre rotgefärbten Haare und ihre dunkelgrünen Augen, sowie ihre Kurven.

»Du siehst mega aus!«, sagte ich ehrlich.

»Danke. Ich liebe es!«, antwortete sie. Sie freute sich sichtlich über das Kompliment.

Da wir nun fündig geworden waren, zogen wir uns um, gingen mit den Kleidern zur Kasse und zahlten sie, auch wenn der Preis ordentlich wehtat. Wir wussten ja, wie viele Stunden wir dafür arbeiten mussten. Aber es waren einfach unsere Traumkleider.

Wir gingen weiter in Schuh- und Accessoiresgeschäfte, um das Outfit zu vervollständigen, ehe wir es uns bei Starbucks an der Alster gemütlich machten.

Ich nahm einen großen Schluck von meinem *Caramel Iced Coffee* und ließ mich in den gemütlichen Sessel sinken.

April saß mir gegenüber und nahm ebenfalls einen großen Schluck von ihrem. Ich schaute aufs Handy, denn Georg wollte sich noch zu uns gesellen und verspätete sich mal wieder. Doch in dem Moment sah ich ihn auch schon durch die Tür kommen. Wir drei waren beste Freunde seit der Grundschule. Ich winkte ihn zu uns.

»Na, ihr Hübschen«, begrüßte er uns.

»Na du einer«, grüßten wir ihn zurück.

»Ich geh mir kurz etwas bestellen, dann komme ich zu euch. Bin schon gespannt, was ihr euch da tolles ausgesucht habt.«

Wir saßen gemeinsam lange fröhlich quatschend im Café, ehe Georg das Thema der Themen ansprach und der guten Laune einen Dämpfer versetzte.

»Wie sieht es eigentlich mit euren Plänen aus? Habt ihr schon eine Antwort von der UCLA?«

Geknickt sah ich ihn an und schüttelte den Kopf.

»Ach, die kommt noch«, versuchte er uns aufzumuntern. »Wer würde so talentierte Frauen wie euch nicht haben wollen?«

Ich lächelte traurig als Antwort, April tat es mir gleich. Er hatte den wunden Punkt bei uns getroffen. Seit Jahren hatten wir zwei keinen anderen Plan als diesen: Abi, Filmstudium an der University of California – kurz UCLA – und dann in Hollywood Karriere machen. Es mag noch so blöd für viele klingen, aber genau das war es, was wir wollten. Seither hatten wir uns den Arsch dafür aufgerissen, um diesen Traum wahr werden lassen zu können. Wir haben das Englischprofil an unserer Schule belegt, sind seit Jahren im Theaterkurs der Schule und nach der Schule haben wir so viel es geht gearbeitet, um Geld zu sparen und die Uni zumindest ansatzweise finanzieren zu können. Was uns selbstredend nicht davor bewahrte, einen Kredit aufnehmen und vor Ort arbeiten gehen zu müssen, falls es klappen sollte. Ich hatte eine riesige Angst davor, doch konnte ich gar nicht sagen, welche Angst größer war: die, nicht angenommen zu werden und keinen Plan B zu haben, oder die, angenommen zu werden und am anderen Ende der Welt auf einer anderen Sprache zu studieren und nebenbei noch arbeiten zu müssen.

»Erde an Tay«, riss mich Georg aus meinen Gedanken. »Die nächste Runde geht auf mich, was möchtest du haben?«

»Hmm, was?« Ich war noch nicht wieder gänzlich zurück in der Realität.

»Was du möchtest … Ich hole noch 'ne Runde«, wiederholte er.

»Ehm, das gleiche noch mal. Danke.«

Ich schaute stirnrunzelnd zu April, während Georg uns Nachschub besorgte.

»Hey, was denkst du?«, wollte ich wissen.

»Ich hab verdammt große Angst …«, murmelte sie. Wir kämpften beide gegen unsere Tränen an.

»Ich auch«, antwortete ich und ging zu ihr, um sie in den Arm zu nehmen. »Wir schaffen das! Es gibt ja schließlich auch keinen anderen Plan«, versuchte ich zu scherzen.

»Hey, nicht so ein Trübsal blasen!«, sagte Georg und drückte uns ebenfalls, nachdem er die Getränke und den Kuchen auf dem kleinen Tisch abgestellt hatte. »Ihr schafft das, das weiß ich. Und jetzt habt gefälligst nicht so eine schlechte Laune! Ihr habt euch so tolle Kleider ausgesucht. Jetzt wird erst mal gefeiert, was das Zeug hält, egal wie der Weg danach aussieht. Und da ihr es schafft, das weiß ich, werde ich euch auf alle Fälle mal in Kalifornien besuchen kommen! Ich will doch schließlich mit meinen Hollywood-Girls angeben.«

Es gelang ihm tatsächlich, uns zum Lachen zu bringen. Was würden wir nur ohne Georg und seinen Optimismus tun? Und das, obwohl er so einen ganz anderen Weg gewählt hatte als wir. Georg würde nach dem Abi bei seinem Onkel im Autohaus eine Ausbildung beginnen und doch war er der Einzige, der an uns glaubte und uns immer unterstützte.

Nach einer Weile verabschiedeten wir uns voneinander und ich machte mich mitsamt der Einkaufstüten auf den Rückweg nach

Hause, wo ich mich nur kurz umzog und dann gleich weiter zu meiner Schicht im Supermarkt fuhr.

Eine ganze Woche war nun verstrichen und wir hatten noch immer nichts von der UCLA gehört. Ich wurde langsam nervös.

Heute war der Tag unserer Zeugnisübergabe und ich zog mich gerade dafür um. Hinter mir hing das wunderschöne Ballkleid für die Feier, aber für die Zeugnisübergabe entschied ich mich für etwas Schlichteres. Ich zog ein einfaches kurzes Kleid an, dazu ein paar Vans. Die langen Haare band ich mir zu einem hohen Zopf zusammen. Meine Augen hatte ich zuvor bereits geschminkt, weshalb ich nur noch einmal das Make-up auffrischte. Ich warf einen letzten Blick in den Spiegel und war zufrieden. Anschließend packte ich meine wichtigsten Sachen zusammen in meine kleine Umhängetasche.

Ich lief die Treppe hinunter und zur Haustür hinaus. Meine Mom und meine Schwester Ella wollten direkt zur Schule kommen, wo ich auch April und Georg treffen würde.

Voller Hoffnung und Angst zugleich öffnete ich den Briefkasten, als ich zur Haustür raus war.

»Bitte, bitte, lass endlich eine Antwort da sein«, sagte ich zu mir selbst. Und tatsächlich lagen einige Umschläge und Werbeprospekte im Briefkasten. Hastig schaute ich sie durch und dazwischen fand ich ungläubig einen Briefumschlag aus den USA. Mein Herz raste, als ob es mir gleich aus der Brust springen wollte. Meine Hände zitterten so sehr, dass ich kaum den Brief nehmen und öffnen konnte. Zittrig zog ich das Schreiben hervor und entfaltete es. Ich schloss die Augen und atmete tief durch. *Du schaffst das!*

Ich überflog die Kopfzeile und Anrede und mir stockte der Atem, als ich fortfuhr. Ich konnte es nicht glauben. Wieder und wieder las ich die Worte und schüttelte dabei den Kopf. *Das* konnte unmöglich wahr sein, niemals! Ich kreischte vor Freude und dicke Tränen kullerten mir über die Wangen. Zwar verfluchte ich mich dafür, da ich mein Make-up gerade ruinierte, doch das war jetzt auch egal. Es war eine Zusage! Ich sprang von der Treppe auf und tanzte über glücklich durch den Vorgarten wie eine komplett Irre. Abrupt hörte ich auf. Ich musste an April denken. Was ist, wenn sie keine Antwort bekommen hatte oder noch schlimmer: eine Absage? Aber warum sollte ich eine Zusage haben und sie nicht? Das konnte und wollte ich mir beim besten Willen nicht vorstellen! Und als ob sie meine Gedanken lesen konnte, klingelte mein Handy in diesem Moment in meiner Tasche. Aprils Name und Foto leuchteten auf dem Display auf. Ich nahm den Anruf zittrig an und sah und hörte sie nur unter Tränen ins Smartphone schreien. Via FaceTime heulten und tanzten wir zusammen weiter, ohne auch nur ein Wort zu sagen. Ich wusste sofort, dass sie auch eine Zusage bekommen hatte.

Die Leute, die an unserem Grundstück vorbeigingen, schauten mich entweder kopfschüttelnd oder offensichtlich verwirrt an, doch das war mir egal. Ich war so unfassbar glücklich, wie ich es in meinem ganzen Leben noch nicht gewesen war. All die harte Arbeit schien sich auszuzahlen. April und ich telefonierten noch eine Weile, völlig fassungslos darüber, dass wir es geschafft hatten. Dann kramte ich in meiner Tasche nach meinen Taschentüchern und Puder, um mich wieder herzurichten.

Anschließend stöpselte ich meine Kopfhörer ein und fuhr zur Schule, wo die Zeugnisübergabe stattfand. Ich hatte ein breites Grinsen im Gesicht und musste mir immer wieder die Tränen wegwischen. Ich konnte es einfach nicht fassen, dass sich Aprils und mein Lebenstraum erfüllen würde. Wie lange hatten wir darauf gewartet!

In der Schule angekommen, fielen April und ich uns um den Hals und tanzten abermals wie zwei verrückte Hühner im Kreis. Wir kreischten, heulten und hüpften auf der Stelle. Die Zusage der UCLA sah mittlerweile ziemlich mitgenommen aus.

»Wir fliegen nach LA!«, schrie ich freudig und es klang immer noch surreal.

»Ich weiß! Kannst du es glauben?«, kreischte April. Ich schüttelte den Kopf und gab ihr einen fetten Kuss auf die Wange.

»Lalaland here we come!«

Als Georg dazu stieß, stieg er in unseren Freudentanz mit ein.

»Ich habs euch doch gesagt!«, rief er freudig. »Meine zwei

verrückten Hühner. Na kommt, machen wir ein Foto zusammen, bevor ich euch irgendwann nicht mehr für mich allein beanspruchen kann.«

Wir rückten an ihn heran, gaben ihm beide einen Kuss auf die Wange und hielten dann unsere Zusagen freudig und so breit grinsend, dass es schon wehtat, in die Kamera.

»Meine Mädels gehen nach Hollywood!«, rief Georg und die Kamera lief noch immer. Ich war ihm sehr dankbar, dass er diesen Moment für uns festhielt, denn ich war so überwältigt, dass ich überhaupt nicht daran gedacht hatte.

»Wir fliegen nach LA!«, riefen April und ich freudig.

Die Zeugnisübergabe verfolgten wir irgendwie nur anteilig, zu sehr waren wir mit unserer Aufregung und Freude beschäftigt.

Irgendwo zwischen allen anderen auf den Stuhlreihen hatte ich meine Mom und meine Schwester Ella ausfindig gemacht. Sie saßen neben den Eltern von April. Ich winkte ihnen zu. Da fiel mir auf, dass ich es ihnen noch gar nichts gesagt hatte. Es war mir auch ehrlich gesagt nicht so wichtig. Ich wusste schließlich, was meine Mutter von meinen Plänen hielt und das war nicht viel. Aber das war ich bereits gewöhnt, wenn man nicht in die Norm und die Vorstellungen der anderen passte … Ich hätte mir gewünscht, auch Dads Gesicht zu entdecken, doch vergeblich. Seit der Trennung meiner Eltern vor circa einem Jahr hatte ich ihn noch seltener gesehen, als zuvor schon. Ich hoffte, dass es sich irgendwann bessern würde, denn seit dem er den Job als CEO der Ingineursfirma für die er seit Jahren arbeitete angenommen hatte, hatten wir ihn kaum gesehen oder gehört …

Wir nahmen unsere Zeugnisse und die Blumen dankend entgegen, ehe wir die Bühne verließen und zu unseren Familien gingen.

»Ich hol euch nachher bei dir ab, Tay«, verabschiedete sich Georg von uns.

Damit gingen wir zu unseren Familien.

»Herzlichen Glückwunsch zum bestandenen Abi«, sagte meine Mom und drückte mich fest. Danach überreichte sie mir einen großen, wunderschönen Blumenstrauß. Ich bedankte mich, holte den Brief der UCLA aus meiner Tasche und reichte ihn ihr.

»Was ist das?«, fragte sie verwirrt.

»Lies selbst«, sagte ich und hatte etwas Sorge vor ihrer Reaktion.

»Tay!« Es war offensichtlich, dass sie mit ihren Gefühlen rang und nicht wusste, wie sie reagieren sollte. Das verpasste meiner unfassbaren Freude einen kleinen Dämpfer.

»Wann?«

»Vor ein paar Wochen haben April und ich uns beworben …« Ich schaute zu meiner besten Freundin herüber und nahm ihre Hand, denn auch sie erzählte ihren Eltern gerade von der Zusage. Wir drückten beide kurz die Hand der Anderen, um uns so gegenseitig etwas Mut zu machen.

»Wieso hast du nichts gesagt?«, wollte meine Mom wissen.

»Weil ich weiß, was du davon hältst«, erwiderte ich traurig. »Ich wollte nicht, dass du mich davon abhältst …«

»Aber … Tay … Ich …«

Ich sagte nichts mehr. Ich war so enttäuscht, konnte meine Tränen nicht länger zurückhalten.

»Ich werde mit April nach LA fliegen, ob es dir passt oder nicht. Das ist mein Leben und meine Entscheidung!«

»Ich weiß. Und du weißt, dass wir das Thema schon hatten … Ich glaube nicht, dass du dir über alles, was damit zusammenhängt im Klaren bist.«

»Wirklich? Willst du damit wieder anfangen? Kannst du mir nicht einfach mal vertrauen und dich für mich freuen? Ist das wirklich so viel verlangt?« Meine Stimme überschlug sich fast.

»Taylor Sommer. Das ist genug. Mäßige deinen Ton!«

»Herzlichen Dank auch. Ich weiß, ich bin eine große Enttäuschung für dich, tut mir leid, dass ich in deine kleine perfekte Welt nicht hineinpasse.«

Ich nahm den Brief wütend wieder an mich und ließ sie stehen. Ich konnte es nicht fassen, ich hatte gedacht, sie würde sich wenigstens ein bisschen für mich freuen. Aber nein, das wäre ja zu viel verlangt. Tränenüberströmt verließ ich die Schule und setzte mich in den Park, um mich ein wenig zu beruhigen. Ich atmete tief ein und aus. *Ich fliege nach LA!* Das wiederholte ich innerlich so lange, bis ich mich gefasst hatte und bereit war, nach Hause zu fahren. Nach Hause? Na ja, ich fühlte mich da gerade alles andere als zu Hause. Ich war sauer, verdammt sauer. Ich war vor ein paar Stunden noch der glücklichste Mensch auf der Welt und meine Mom hatte es geschafft, dies mit einem einzigen Satz zunichtezumachen.

Ich stapfte sauer hinauf in mein Zimmer und knallte die Tür. Kurze Zeit später klopfte es zaghaft an besagter Tür.

»Was?«, schnauzte ich durch die verschlossene Tür.

»Tay … ich …«, meine Mom streckte vorsichtig ihren Kopf zur Tür hinein. »Ich wollte dich nicht verletzen. Ich war …« Sie suchte nach den richtigen Worten »Überrascht … Du hattest nichts gesagt …«

»Und warum? Hast du gemerkt, wie du wieder einmal reagiert hast?«, fragte ich anklagend. Ich war es leid, das schwarze Schaf der Familie zu sein, nur weil ich keinen Nine-to-five-Job haben wollte, wie es nun mal sein sollte.

»Das ist nicht fair!«

»Du auch nicht«, schluchzte ich. »Ich habe mich so gefreut und du machst das alles mit nur einem Satz zunichte. April und ich haben uns den Arsch aufgerissen, um das zu erreichen. Wir haben viel gelernt, gearbeitet, so viel wir konnten.«

»Das weiß ich doch …«

»Und warum kannst du dich dann nicht wenigstens ein bisschen für mich freuen? Die UCLA ist eine der renommiertesten Unis der Welt. Sollte es dich nicht stolz machen, dass deine Tochter es dorthin geschafft hat?«, warf ich ihr vor.

»Doch …«

»Aber?!«, antwortete ich und wischte mir ein paar Tränen weg.

»Ich hab doch nur Angst …«

»*Wovor* zur Hölle?«, wollte ich wissen.

»Das ist keine einfache Branche … Du bist am anderen Ende der Welt. Mein kleines Mädchen …« Nun weinte auch meine Mom. Es tat mir irgendwie leid, dass ich sie zum Weinen gebracht hatte. »Ich will dich doch nur beschützen …«, schluchzte sie.

»Ich bin wirklich alt genug, um auf mich selbst aufzupassen. Und April ist schließlich auch noch da«, versuchte ich sie zu beruhigen.

»Ich weiß, dass du schon groß bist, aber …« Sie verstummte.

»Ich bin doch nicht von der Erde verschwunden, nur 9.070 Kilometer entfernt von Hamburg.«

Mom musste kurz lächeln, als sie hörte, dass ich die exakte Kilometerangabe kannte.

»Hast du dir das wirklich gut überlegt?«, wollte sie wissen. »Was ist mit dem Finanziellen?«

»Du weißt ja, wie viel ich gearbeitet habe. Ich habe inzwischen 16.500 Euro gespart, für den Rest werde ich mir einen Studentenkredit aufnehmen und vor Ort arbeiten.«

»Und Visa und das ganze Offizielle?«

»Wird alles nach dem Abiball erledigt. Dafür müssen wir nach Frankfurt fahren …«

»Du hast dich also schon bestens informiert«, stellte sie fest.

»Hast du wirklich etwas anderes von mir erwartet?«, fragte ich grinsend mit Tränen in den Augen. Ich würde bei meinem Lebenstraum doch nichts dem Zufall überlassen. Es gab einen exakten Plan.

»Ich werde dich nicht davon abhalten. Aber sag später nicht, ich hätte dich nicht gewarnt«, mahnte meine Mom mich.

»Ja, Mom«, erwidert ich genervt und drückte sie. Ich wollte nicht, dass mich die schlechte Laune länger im Griff hatte. Das war nicht fair. Ich hatte eine Zusage von einer der besten Universitäten der Welt und wollte mich verdammt noch mal darüber freuen!

»Wo ist eigentlich Ella?«, fragte ich, um das Thema zu wechseln.

»Beim Tanzen und danach bei einer Freundin«, antwortete Mom mir. »Ich wünsche euch heute Abend ganz viel Spaß, aber feiert nicht zu wild.«

»Wir doch nicht!«, antwortete ich unschuldig. Und ob wir feiern würden! Dreizehn Jahre Schule sind vorbei – und das mit einem hervorragenden Abizeugnis und einer Zusage für die UCLA!

Kapitel 2

Ich kam in meinem langen Abiballkleid die Treppe hinunter. Es fiel mir gar nicht so leicht, in dem Kleid die Treppe herunterzugehen. Meine Haare hatte ich mir vom Friseur hochstecken lassen und das Make-up wurde mir dort auch gemacht. Es passte hervorragend zu meinen blauen Augen und meinem hellen Hautton.

Ich weiß gar nicht, was mir schwerer fiel: mit dem langen Kleid nicht zu stolpern oder auf den hohen Absätzen mein Gleichgewicht auf der Treppe zu halten.

»Wow! Was willst du in Hollywood, du siehst doch jetzt schon atemberaubend aus!«, ertönte Georgs Stimme begeistert. Ich hatte gar nicht mitbekommen, dass er schon hergekommen war. Ich wurde rot und bedankte mich bei ihm.

»Du siehst aber auch nicht schlecht aus. Mr. James Bond.«

Georg trug einen schwarzen Smoking mit weißem Hemd und einer dunkelgrünen Fliege. Seine dunkelbraunen Haare trug er kurz geschnitten, nur oben waren sie noch etwas länger und gegelt.

»Stets zu Ihren Diensten.«

Ich musste lachen. Wie ich ihn vermissen würde! Meinen besten Freund.

»Dreh dich mal«, meinte er und hielt die Handykamera auf mich gerichtet. »Unsere Miss Hollywood.«

Ich drehte mich theatralisch für die Kamera und warf einen Luftkuss hinein, dann musste ich lachen.

Es klingelte.

»Ich mach schon auf«, rief meine Mom, während sie zur Tür ging und April hineinließ.

»Stellt euch mal nebeneinander, dann mache ich ein Foto von euch dreien.«

Wir rückten dicht aneinander und posierten wie die Profis.

»Ihr seht klasse aus«, sagte meine Mom und drückte mich einmal fest an sich, danach April und Georg.

»Mom …!«

»Wann seid ihr nur so groß geworden?«, fragte sie wehmütig und wischte sich eine Träne weg, denn auch sie kannte die zwei bereits seit der Grundschule. »Habt einen schönen Abend. Und treibt es nicht zu wild.«

Wir lachten unschuldig, dann griffen wir nach unseren Taschen und verließen das Haus.

Draußen angekommen, starrten April und ich Georg fassungslos an. Vor meiner Haustür stand ein schicker Jaguar.

»Ich habe mich schon gefragt, wem der gehört«, meinte April und staunte nicht schlecht. »Dachte, der wäre von einem Nachbarn.«

»Eine Leihgabe von meinem Onkel mit den besten Grüßen. Für meine Mädels nur das Beste!«, antwortete Georg zwinkernd.

»Du bist der Beste!«, rief ich und nahm hinten neben April Platz.

»Ich weiß«, entgegnete er selbstgefällig lachend und startete den Motor. »Was wollt ihr hören?«

»Party in the USA von Miley!«, erwiderten wir wie aus einem Munde. Das war unser Hollywood-Track!

»Euer Wunsch ist mir Befehl.«

Lautstark sangen April und ich mit und tanzten ausgelassen auf den Rücksitzen, so gut es angeschnallt in den Ballkleidern ging.

Nach einer kurzen Fahrt kamen wir am *Hotel Atlantic* an, wo wir unseren Abiball feierten. Georg ließ sein Auto parken und hakte sich bei uns beiden unter.

»Lasset die Party beginnen!«

»Partyyy!«, antworteten April und ich freudig und ich hielt den Moment noch schnell auf meinem Handy fest. Nicht, weil ich so ein Insta-Junky wäre, sondern, weil ich alles von diesem besonderen Abend festhalten wollte.

Ich staunte nicht schlecht, als wir den Ballsaal betraten: hohe weiße, stuckverzierte Decken, blaue Akzente an der Kassettendecke. Große Kronleuchter hingen von der Decke und ließen den Raum erstrahlen. Am Ende des Saals stand ein großer, alter Kamin, der mit

Kerzen geschmückt war. Die runden Tische standen um die Tanzfläche arrangiert. Es war ein herrliches Buffet gedeckt und ich konnte es gar nicht abwarten, mir den Teller zu füllen.

Wir mischten uns unter die anderen und standen brav in der Schlange an. Während wir warteten, dass es am Buffet voranging, hielten wir Smalltalk mit Klassenkameraden und beglückwünschten uns gegenseitig.

Endlich waren wir an der Reihe. Das Buffet ließ keine Wünsche offen. Von frisch und gesund über herzhaft bis süß war alles dabei. Sogar einen Schokobrunnen gab es! Wir packten uns die Teller voll und suchten unseren Platz. Wir drei saßen zum Glück an einem Tisch zusammen mit Luisa, Tim und Julian. Wir kannten uns aus unseren Physik- und Philosophiekursen.

Während wir ausgelassen aßen und tranken, wurden Reden gehalten, denen ich jedoch nur mit halber Aufmerksamkeit folgte, da wir an unserem Tisch einfach zu viel Spaß hatten. Luisa erzählte von ihren Plänen für ein Jahr nach Australien zu gehen. Tim und Julian hatten sich für ein Physikstudium eingeschrieben und freuten sich auf ihren zweiwöchigen Urlaub auf Ibiza. April und ich erzählten von unseren Zusagen für die UCLA und Georg freute sich auf die Ausbildung bei seinem Onkel im Autohaus.

Nachdem wir schließlich unser Dessert aufgegessen hatten, zog Georg April und mich auf die Tanzfläche.

»Ich will tanzen, na kommt schon!«, drängte er uns.

»Ja, lass mich nur den letzten Schluck noch schnell austrinken«, antwortete ich und stürzte den letzten Schluck Cola hinunter.

Ausgelassen gaben wir uns zusammen auf der vollen Tanzfläche den Takten der Musik hin. Für den Moment vergaß ich alles um mich herum und genoss es einfach, einen unvergesslichen Abend mit meinen beiden besten Freunden zu haben. Es war ja schließlich ungewiss, wann und ob wir den wieder zusammen haben würden, da April und ich ja bald erstmal nach Los Angeles fliegen würden. Bei dem Gedanken daran überkam mich ein klein wenig Wehmut, weil ich unser Dreiergespann vermissen würde, aber die Freude darüber, die Chance zu haben, meinen Traum zu leben, war größer.

»Ich brauch ’ne Pause«, seufzte ich außer Atem. »Wollt ihr auch was von der Bar?«

»Ja, ich komme mit«, rief April zurück, um die Musik zu übertönen.

»Ich auch«, meinte Georg.

Gemeinsam holten wir uns an der Bar Whisky-Cola und machten eine kleine Pause auf unseren Plätzen, ehe wir uns wieder auf die Tanzfläche begaben.

Wir tanzten bis spät in die Nacht und waren nach einigen Drinks mittlerweile gut angeheitert. Doch anstatt nach Hause zu fahren, entschlossen wir uns kurzerhand, mit einigen anderen aus dem Abschlussjahrgang weiter auf den Kiez zu ziehen.

»Was ist mit deinem Auto?«, wollte ich von Georg wissen.

»Das hole ich ab, wenn ich wieder nüchtern bin.«

»Gut.«

Wir liefen, bescheuert wie wir waren, den Weg zum Jungfernstieg runter zur Bahn, wo wir in die U-Bahn stiegen und auf St. Pauli wieder ausstiegen.

»Ich hab Hunger, lasst uns bitte noch was Essen, bevor wir weiter feiern gehen«, bettelte ich.

So kam es, dass wir mit zehn Mann bei *Burger King* landeten und uns Burger, Pommes und Milchshakes bestellten.

Man schaute uns dort nicht schlecht an, als wir da in unseren Ballkleidern und Smokings auftauchten. Das entsprach halt nicht dem gewöhnlichen Dresscode auf dem Kiez.

Georg nahm zwei von den Kronen, die eigentlich für die Kinder gedacht waren, und setzte sie April und mir auf.

»Für meine zwei Königinnen.«

»Dann brauchst du aber auch eine«, lachte ich und setzte ihm auch eine auf. April schoss ein Selfie von uns. #King&Queens<3

Nachdem wir nun alle satt und zufrieden waren, zogen wir weiter die Reeperbahn hinunter. Schließlich fanden wir einen Club, der uns zusagte und der uns hinein ließ. Dort feierten wir den Rest der Nacht durch, bis der Laden schloss.

Komplett erledigt und doch noch voller Energie fuhren wir schließlich mit der Bahn zu April nach Hause. Georg verabschiedete uns und machte sich auf den Weg zu sich nach Hause. Er hatte sichergehen wollen, dass wir auch heil bei April ankamen.

K. O. ließen wir uns lachend bei April aufs Bett fallen.

»Was für ein Abend!«, sagte ich und meine Krone, die ich noch immer trug, rutschte mir vom Kopf.

»Unglaublich. So viel Spaß hatte ich lange nicht mehr.«

Wir machten uns bettfertig und fielen extrem müde in die Federn, als die Uhr halb acht am Morgen zeigte.

Es war früher Nachmittag, als wir wieder aufwachten. Wir machten uns frisch und aßen etwas, ehe wir uns Pläne für die nächsten Wochen bezüglich Visa beantragen und dem ganzen anderen organisatorischen Kram machten. Danach packte ich meine Sachen zusammen.

Ich verabschiedete mich von April und fuhr nach Hause. Auf dem Weg schrieb ich Georg, ob er wieder fit war und ob er daran gedacht hatte, seinem Onkel das Auto wieder zurückzugeben.

Zuhause angekommen, begrüßte ich meine Familie und legte mich anschließend in die heiße Wanne. Ich drehte die Musik auf, entspannte mich und merkte, was ich für schmerzende Füße von den High Heels hatte.

Kapitel 3

Einige Wochen waren ins Land gegangen. April und ich waren zwischenzeitig in Frankfurt für unser Visum gewesen, hatten unsere Reisepässe verlängert und alles andere erledigt, was an Papierkram zu erledigen war.

Wir saßen bei strahlendem Sonnenschein bei mir im Garten an meinem MacBook und buchten unseren Flug nach Los Angeles.

»Ich kann es immer noch nicht glauben«, sagte ich ungläubig, während ich auf *bezahlen* klickte.

»Ich auch nicht.«

»Was hältst du davon, wenn wir noch eine letzte Abschiedsfeier schmeißen?«, fragte ich April. »Vielleicht ein Barbecue hier im Garten?«, schlug ich vor.

»Klingt super!«

Wir besprachen alles und ich bestellte direkt einiges an Partydeko, Hollywood-Girlanden, -Becher,

-Teller und etliches mehr.

Gemeinsam bastelten wir noch UCLA-Fähnchen für den Garten. Danach versendeten wir die Einladungen für das kommende Wochenende.

Unser letztes Wochenende in Hamburg!

Ich traf mich mit April zum Einkaufen für unser Abschieds-Hollywood-Barbecue. Wir packten die Einkaufswagen randvoll und brachten alles zu mir nach Hause, wo wir in der Küche mit der Zubereitung der kalten Speisen begannen.

Der Garten war dekoriert und das Thema kaum zu übersehen. Überall waren Lichter, Girlanden, Regieklappen, Popcornboxen und so viel mehr. Selbst einen roten Teppich hatten wir besorgt. Unser Abschied sollte in Erinnerung bleiben.

Nach und nach trudelten unsere Gäste ein: Freunde und Familie. Georg kümmerte sich um den Grill, während wir die Gäste mit Getränken versorgten.

Es herrschte schon bald eine ausgelassene Stimmung. Wir bekamen viele Komplimente für unsere coole und ausgefallene Deko.

»Hey, alle mal hergehört!«, rief Georg und schlug mit der Grillzange gegen den Grill, um die Aufmerksamkeit der Anwesenden zu bekommen.

»Wir sollten die Gelegenheit nutzen, uns angemessen von unseren Hollywoodsternchen zu verabschieden«, fuhr Georg fort. »Ich kann nur für mich sprechen, aber ich werde euch zwei verrückten Hühner so was von vermissen und hoffe aus tiefstem Herzen, dass ihr zwei mich nicht über all den ganzen Ruhm vergessen werdet!«

Ich musste eine Träne wegwischen. Ich würde ihn auch so sehr vermissen. Wir waren seit jeher nie länger als ein paar Wochen voneinander getrennt gewesen.

»Vergesst uns nicht und schickt uns Autogramme!«

»Dich könnten wir niemals vergessen!«, rief ich und formte ein Herz mit meinen Fingern. »Vergiss du uns auch nicht.«

»Autogramme bekommt ihr so viele ihr wollt«, meinte April lachend.

»Und um sicher zu stellen, dass ihr uns nicht vergesst, haben wir noch ein kleines Abschiedsgeschenk für euch«, fuhr Georg fort und ein paar unserer Freunde kamen zu uns mit je einer Geschenkbox für uns. Nun konnte ich meine Tränen nicht länger zurückhalten.

»Ihr seid die Besten«, schluchzte ich, während ich die Box durchstöberte. Sie hatten ein Notizbuch in Regieklappenform hineingepackt, einen Oscar mit unseren Namen, Erinnerungsfotos und vieles mehr.

Ich umarmte jeden Einzelnen und bedankte mich.

Auch unsere Eltern und Großeltern folgten unseren Freunden und überreichten uns Abschiedsgeschenke.

»Ich hoffe, dass ihr viel Spaß haben werdet«, sagte meine Mom, während sie mir eine kleine Geschenktüte reichte.

»Danke«, bedankte ich mich und nahm sie in den Arm.

»Ich dachte, ich überreiche es dir lieber jetzt, als morgen früh, wenn es stressig ist.«

Wir waren beide den Tränen nahe. Mom war immer noch nicht glücklich mit meiner Entscheidung, aber sie akzeptierte sie mittlerweile. Am Ende hatte sie auch keine andere Wahl, denn wenn ich mir etwas in den Kopf setzte, zog ich es auch durch.

»Da drinnen ist auch noch eine Kleinigkeit von deinem Dad. Es kam per Post.«

Ich war enttäuscht, dass er es auch nicht zu unserer Abschiedsfeier geschafft hatte, auch wenn es eigentlich nichts Neues für mich sein sollte.

Ich griff in die Geschenktüte und öffnete das Geschenk meiner Mom. Es waren neue Anhänger für mein Armband. Sie hatte ein vierblättriges Kleeblatt und einen Flugzeuganhänger ausgesucht.

»Die sind wunderschön, danke Mom!«, bedankte ich mich und umarmte sie erneut, ehe ich mir die Anhänger an meinem Armband befestigte.

Nun holte ich das von Dad heraus. Es war ein Umschlag mit zweihundert Euro drinnen. Es lag eine Karte bei, auf der stand:

Ich wünsche dir viel Erfolg für dein Studium.
In Liebe Papa

Es war etwas ernüchternd, ich hatte mir doch etwas persönlicheres erhofft, aber immerhin hatte er dran gedacht, etwas zu schicken.

Meine Kleine achtjährige Schwester überreichte mir ein selbstgemaltes Bild, das uns beide zeigte, was meine Augen erneut mit Tränen füllte. Ich drückte sie fest an mich und vermisste sie jetzt schon. Ich würde so viel verpassen, was mich traurig stimmte. Doch ich würde versuchen, sie so oft es ging anzurufen und ihr zu schreiben.

Meine Großeltern verabschiedeten sich ebenfalls von mir und überreichten mir einen Umschlag und meine Lieblingssüßigkeiten.

»Damit du mir auf dem langen Flug nicht verhungerst«, sagte

Oma schmunzelnd und ich musste lachen. »Und ein paar Notgroschen von Opa und mir.«

Auch die beiden drückte ich noch einmal fest an mich.

»Ich werde euch vermissen«, sagte ich.

Aus dem Augenwinkel nahm ich wahr, wie auch April sich nach und nach verabschiedete und es wurde einem so langsam bewusst, dass unser Abflug in eine ungewisse Zukunft nahte.

Wir saßen den ganzen Nachmittag mit allen zusammen im Garten, doch irgendwann hatte sich auch der letzte Gast verabschiedet – bis auf Georg.

Gemeinsam räumten wir auf und im Anschluss setzten wir uns an die Alster. Es war ungewohnter Weise noch herrlich warm.

»Gott, ich werde dich so vermissen!«, sagte ich mit Tränen in den Augen und nahm Georg fest in den Arm.

»Ich euch auch.«

Wir lagen uns zu dritt in den Armen und ich war wirklich traurig, dass wir Abschied von Georg nehmen mussten.

»Versprich mir, dich bei uns zu melden«, sagte ich zu ihm, während ich versuchte, meine Tränen zu trocknen. Doch sie kamen schneller nach, als ich sie wegwischen konnte.

»Na klar, so schnell werdet ihr mich nicht los!«

»Gut so.«

»Wir haben auch noch was für dich«, mischte sich nun auch April in die Unterhaltung ein. Sie kramte in ihrer Tasche und holte unser Geschenk heraus. Wir hatten ihm ein Fotoalbum mit einer Menge Erinnerungsfotos gemacht.

»Damit du uns nicht so schnell vergisst.«

Es waren Fotos von Ausflügen, Partys, Klassenreisen und dem Schulabschluss drinnen.

»Ihr seid süß. Danke!«

Wir saßen noch bis zum frühen Abend an der Alster, ehe wir alle getrennter Wege nach Hause fuhren.

Einerseits war ich wirklich mega aufgeregt, da es in wenigen

Stunden losging, andererseits war ich traurig, dass wir Georg und unsere Freunde zurücklassen mussten. Ich versuchte mich damit zu trösten, dass wir mit Sicherheit schnell neue Freunde finden würden und dass ich ja auch immer noch April bei mir hätte.

Nachdem ich zurückgekehrt war, setzte ich mich mit Mom und Ella in die Küche, wo wir gemeinsam einen letzten Spielabend veranstalteten. Mom hatte ein paar Spiele geholt, während Ella und ich Popcorn zubereitet und Chips in eine Schüssel gefüllt hatten.

Wir fingen mit Uno an, danach spielten wir noch eine Runde Monopoly, bei der ich dann auch endlich mal gewann.

Anschließend verabschiedete ich mich auf mein Zimmer, da ich noch packen musste, besser gesagt: Ich versuchte es. Ich konnte mich einfach nicht entscheiden, was ich mitnehmen wollte. Konnten die Airlines denn nicht andere Richtlinien für Leute haben, die ihr ganzes Leben mitnehmen mussten? Wie sollte man sein gesamtes Leben in nur fünfundzwanzig Kilogramm packen? Kann mir das mal jemand sagen? Ich flog schließlich nicht nur in einen kurzen Urlaub, nein, ich packte für die nächsten *Jahre*!

Allmählich verzweifelte ich. Ich konnte und wollte auf nichts verzichten, weder auf meine Schuhe noch auf meine Hüte, meine Shirts und Kleider oder Shorts … Meine Lieblingsbücher, meine Kamera und mein MacBook … Ich könnte die Liste wahrscheinlich ewig so fortführen, aber letztlich musste ich mich entscheiden. Wie ich es in diesem Moment hasste!

Bis spät in die Nacht hinein packte ich meinen Koffer und eine Reisetasche sowie einen Rucksack. Ich musste wirklich stopfen, quetschen und darauf herum hopsen, um alles hereinzubekommen. Schweiß gebadet machte ich den finalen Test: ab auf die Waage. Es waren genau fünfundzwanzig Kilogramm, zuzüglich dem Handgepäck. Ich hoffte, dass es am Flughafen nicht anders sein würde.

Ich war schon lange bevor der Wecker klingelte wach und ging noch einmal alles durch. Mein Gepäck, mein Flugticket, Visa, Perso, Reisepass, Portemonnaie, Handy, Ladekabel, Kopfhörer, MacBook, Kamera, Nackenkissen …

Ich war der Meinung, alles zu haben und trotzdem hatte ich Panik, irgendetwas vergessen zu haben.

Dann quälte mich die nächste Frage: Was sollte ich anziehen? Unser erster Tag in LA, ein Anfang von etwas ganz Großem! Da konnte ich doch nicht einfach irgendwas tragen. Was trug man da? Ich wurde wahnsinnig und versuchte mich zur Vernunft zu bringen. *Euch steht ein verdammt langer Flug bevor, du musst also was Bequemes anziehen! Wie ist das Wetter in LA?* Ich schaute nach. *Shit, klar, 10 Grad Unterschied!*

Am Ende entschied ich mich dann für eine Jeans und ein Tanktop mit Cardigan und Lederjacke. Ich würde einfach eine Shorts ins Handgepäck stopfen und mich am Flughafen notfalls noch einmal umziehen.

Mein Handy vibrierte.

April: Bist du schon wach?

*Ich: Na klar. Gleich gehts looooooos! *Flugzeug- und Herzaugen-Emoji**

Wir texteten noch eine Weile hin und her, ehe ich zum hundertsten Mal zur Toilette ging. Danach ging ich zu Mom und Ella in die Küche, wo sie gerade frühstückten. Ich war viel zu aufgeregt, weshalb ich mir nur schnell einen Latte Macchiato machte.

Ein Blick auf die Uhr verriet mir, dass wir los mussten. Mom räumte das Geschirr in den Geschirrspüler, ehe sie uns in den Flur folgte, wo Ella und ich uns bereits anzogen. Mein Gepäck stand bereits neben der Haustür und mir wurde bewusst, dass es jetzt ernst wurde. Mom griff hastig nach ihrer Jacke, ehe sie einen Teil meines Gepäcks nahm und zum Auto trug. Ich folgte ihr mit dem Rest.

»Sind alle angeschnallt?«, fragte Mom, während sie den Knopf fürs Garagentor betätigte. Wir nickten.

Ich war unfassbar müde, da ich vor Aufregung kaum geschlafen hatte und es noch nicht einmal fünf Uhr am Morgen war.

Mom konzentrierte sich auf die Straße und Ella saß müde an

ihrem Tablett. Ich versuchte noch eimal meine Augen zu schließen. Allerdings dauerte es nicht lange, bis wir auf den Flughafenparkplatz abbogen und Mom einen Parkplatz im Parkhaus fand.

Ich holte einen Gepäckwagen, auf dem wir mein Gepäck abluden. Ella nahm ebenfalls darauf Platz, da auch sie ordentlich mit der Müdigkeit zu kämpfen hatte.

Uns trennten nur wenige Schritte vom Flughafengebäude, wo wir mit April und ihrer Familie verabredet waren. Wir waren wie es aussah vor ihnen da, also warteten wir draußen, da der Flughafen seine Türen noch nicht geöffnet hatte. Nervös schaute ich auf die Uhr und lief auf und ab.

Ein paar Minuten später entdeckte ich April und ihre Eltern. Ich winkte ihnen zu. Zur Begrüßung nahmen wir uns in den Arm. Unsere Eltern unterhielten sich, während wir ungeduldig warteten, dass der Flughafen öffnete.

Als wir endlich ins Gebäude kamen, guckten wir zu erst, wo wir hin mussten, ehe wir unser Gepäck aufgaben und schon mal eincheckten. Im Anschluss holten wir uns allen einen Kaffee und für Ella einen Kakao. Sie hielt sich wirklich tapfer.

Ich war erschöpft von den letzten Wochen, in denen ich noch so viele Schichten wie möglich übernommen hatte, um so viel Geld wie es ging auf dem Konto zu haben, bevor ich einmal quer über die Erdkugel flog.

»Ich kann es immer noch nicht fassen, dass ihr am anderen Ende der Welt studieren werdet«, seufzte Aprils Dad Walter wehmütig.

»Wir sind ja nicht von der Welt«, sagte April und drückte ihn an sich. Sie versuchte ihre Tränen zu verbergen.

»Ich werde dich vermissen, passt auf euch auf!«, sagte ihr Dad.

»Ich dich auch und dich natürlich auch«, antwortete sie, an ihre Mom Maike gewandt. Diese wischte sich ebenfalls ein paar Tränen von den Wangen.

Ich ging zu meiner Mom und Ella herüber, wo ich sie in den Arm nahm und mich von ihnen verabschiedete.

»Melde dich zwischendurch, ob alles in Ordnung ist«, sagte Mom mit Tränen in den Augen.

»Mache ich.«

Ich kniete mich zu Ella und versprach ihr, mich so oft es ging, bei ihr zu melden, ehe ich ihr noch viel Spaß für ihren Kinobesuch am Nachmittag wünschte.

Nun war es für April und mich Zeit, zum Sicherheitscheck zu gehen. Wir drückten alle noch einmal unter Tränen, bevor April und ich uns mit unserem Handgepäck an der Schlange für die Kontrolle anstellten.

Unsere Familien warteten hinter den Scheiben. Wir winkten ihnen noch einmal, dann waren wir durch und sahen sie nicht mehr.

Der Abschied fiel uns dann doch schwerer als gedacht. Ich reichte April ein Taschentuch. Sie nahm es dankend entgegen und schnäuzte sich die Nase.

Wir hatten jetzt noch eine halbe Stunde, bevor unser Flug ging. Wir gingen also lieber noch mal auf die Toilette und schauten danach hinaus auf die Start- und Landebahnen. Ich mochte Flughäfen. Hier stellte ich mir immer die Geschichten der Reisenden vor, wohin es wohl ging oder woher sie kamen und ob jemand – und falls ja wer – auf sie auf der anderen Seite der Schiebetüren wartete.

Unser Flug wurde schließlich aufgerufen und wir gingen zum Boarding.

Ich war so aufgeregt, dass ich weiche Knie bekam, meine Hände zittrig und meine Augen unweigerlich feucht wurden. Mich trennten nur noch wenige Schritte und etliche Flugstunden von meinem Lebenstraum. Wer würde da denn nicht nervös werden?!

Wir suchten unsere Plätze und verstauten unser Handgepäck über unseren Köpfen. Der erste Flug würde nicht lange gehen. Wir flogen über Frankfurt am Main, wo wir in den Anschlussflug umsteigen mussten. Inständig betete ich dafür, dass unser Gepäck heil ankommen würde.

In Frankfurt hatten wir einen kurzen Aufenthalt und entschlossen uns dazu, uns eine Kleinigkeit zu essen und zu trinken zu besorgen.

Wir setzten uns in eines der Flughafenrestaurants und aßen. Danach ging es weiter zum Anschlussflug. Erneut suchten wir unsere

Plätze und verstauten unser Handgepäck. Ich holte mein Handy heraus und filmte.

»Heyyy, wir sind jetzt in Frankfurt im Flugzeug nach LA! April, willst du was sagen?«, fragte ich und drehte die Handykamera zu ihr herum.

«Hiii! LA – wir kommen!«

Ich filmte noch kurz aus dem Flugzeugfenster, ehe ich das Video beendete und auf Insta postete.

Die Stewardessen begannen mit ihren Sicherheitsinstruktionen und kamen kurz nach dem Start mit ihren Boardtrolleys durch die Gänge. Wir nahmen ein paar Snacks und Cola.

Irgendwann mussten mir die Augen zugefallen sein, denn als ich wieder aufwachte, gab es Essen.

Mir war bisher gar nicht aufgefallen, dass jemand neben April Platz genommen hatte.

»Hi, ich bin Emil«, stellte er sich vor, als er bemerkte, dass ich zu ihm herübersah.

»Taylor – und das ist meine beste Freundin April«, sagte ich.

»Freut mich. Was führt euch nach LA?«

»Wir studieren ab diesem Semester an der UCLA«, antwortete ich voller Stolz. »Und dich?«

»Ah, cool, welches Fach? Ich hab' ein Basketballstipendium bekommen.«. Auch er war sichtlich stolz.

»Film«, sagte April.

Erst jetzt sah ich mir Emil genauer an und fragte mich direkt, wie er genug Platz für seine langen Beine hatte, wenn ich es als Normalgroße schon recht eng fand. Um dem Problem Herr zu werden, hatte er sie leicht in den Gang ausgestreckt.

»Wie cool«, sagte ich.

»Ebenfalls. Wie kommt man denn auf Film?«

»Weil es einfach so unfassbar viel Spaß macht, immer wieder neue Welten zu entdecken und zu erschaffen und Leute damit zu begeistern«, erwiderte ich.

»Und wieso dann nicht in Deutschland?«, erkundigte sich Emil weiter.

»Na hör mal!«, protestierte April. »Kennst du einen passenderen Ort als Los Angeles – Hollywood –dafür?« Ihre Stimme überschlug sich fast. Ich musste lachen.

»Sorry«, entschuldigte sich Emil lachend mit erhobenen Händen.

»Du hast doch auch die USA als Studienziel genommen, weil Basketball da viel angesagter ist.« April war jetzt in ihrem Element.

Den restlichen Flug über unterhielten wir uns nett miteinander, machten lustige Fotos und tauschten unsere Nummern aus.

Ich schaute aus dem kleinen Fenster, als wir zur Landung ansetzten und ich LA unter mir erblicken konnte. April und Emil quetschten sich, soweit sie konnten, neben mich, um auch einen Blick zu erhaschen.

Die frühe Nachmittagssonne strahlte herrlich warm und die Palmen reckten sich dem Himmel empor. Mein Herz raste vor Aufregung und mein Bauch kribbelte.

Das Flugzeug landete und wir verließen es gemeinsam zum Gepäckband. Zu dritt warteten wir dort auf unser Gepäck. Danach verabschiedeten April und ich uns von Emil, nicht ohne uns zu versprechen, in Kontakt zu bleiben.

Es dauerte einen Moment, bis wir uns halbwegs orientiert hatten. April und ich machten natürlich erst einmal ein paar Fotos vor dem bekannten LAX-Schriftzug, ehe wir zum Bus gingen und uns auf den Weg zur UCLA und unserem Studentenwohnheim machten.

Wir fuhren fast eine Stunde mit dem Bus durch Los Angeles und mussten noch etwas Weg zu Fuß zurücklegen. Es war voll im Bus und wirklich heiß. Ich zog meine Jacke aus und band sie mir um die Hüfte. Wohnhäuser, Hotels und Palmen reihten sich an den Straßen aneinander, gefolgt von Geschäften und Parkplätzen.

»Wir sind in LA«, murmelte ich kopfschüttelnd und konnte es noch immer nicht fassen. Ich lehnte mich erschöpft von dem langen Flug und dem Jetlag an das Fenster, während ich meinen Blick immer noch über alles schweifen ließ.

»Ich kann es noch gar nicht begreifen«, meinte April gähnend. Es war komisch, quasi in der Zeit zurückzureisen und ich mochte gar nicht darüber nachdenken, wie lange wir brauchen würden, um uns an den Zeitunterschied zu gewöhnen.

»Ich hab unsere Schlüssel«, sagte April und wedelte stolz mit ihnen umher.

»Super!«, entgegnete ich. »Dann lass uns mal unser neues Zuhause finden.«

Wir gingen die Straße hinunter und standen vor einem der PLAZA-Komplexe. So hießen die Wohneinheiten, die für zwei bis drei Personen waren, über ein eigenes kleines Bad verfügten und schon mehr als teuer genug waren.

»Das muss es sein«, stellte ich fest. Wir gingen hinein und erkundigten uns bei zwei jungen Männern nach dem Stockwerk unseres Zimmers. Der eine von ihnen war in etwa einen Kopf größer als ich und hatte gebräunte Haut und dunkel braunes Haar, das ihm locker in die Stirn fiel. Mir fiel sein rockiger Look direkt auf, denn er war einer der Wenigen, der mit dunkeln Jeans, V-Neck Shirt und Lederjacke, sowie Boots hier stand. Der andere war ähnlich groß und hatte lockiges braunes Haar. Er sah ziemlich sportlich aus in seinen Sweatshorts, dem UCLA Muscleshirt und den Sneakern.

»Wir suchen auch noch«, antwortete der Typ, den April angesprochen hatte, auf Englisch. Der in dem rockigeren Outfit.

»Ich bin übrigens Jamie und das ist Paul.«

»Hi. April und das ist meine beste Freundin Taylor«, stellte uns April vor.

Ich winkte und sagte kurz: »Hi.«

Wir kamen ins Gespräch und suchten schließlich zusammen nach unseren Zimmern. Es stellte sich heraus, dass Jamie und Paul ebenfalls im Filmbereich studieren würden und dass sie sich am Flughafen kennengelernt hatten. Jamie kam aus San Francisco und Paul aus Seattle.

Irgendwann hatten wir unser Zimmer gefunden und verabredeten uns mit den Jungs für den Abend, denn sie mussten noch ein paar Gänge weiter.

Ich konnte es noch gar nicht glauben, dass wir in LA angekommen waren und nun unser Zimmer bezogen. Es war nicht sonderlich groß und haute einen nicht gerade um. Es standen zwei Betten drinnen, zwei Schreibtische, zwei Kleiderschränke und Kommoden. Ein kleines Bad grenzte an den Raum an. April und ich stellten unsere Koffer ab und ließen uns erst einmal erschöpft auf die Betten fallen.

»Angekommen«, sagte ich erleichtert und streckte alle Viere von mir.

»Angekommen«, wiederholte April und rollte sich zu mir herum. »Verrückt! Kannst du es glauben?«

Ich setzte mich wieder auf und schüttelte den Kopf. Es würde mit Sicherheit eine Weile dauern, ehe ich realisieren würde, was hier passierte.

Ich stand auf und suchte in der Tasche nach meinem Handy, um meiner Mom wie verabredet eine WhatsApp zu schicken, dass wir gut angekommen waren und gerade unser Zimmer bezogen hatten. Aufgrund der Zeitverschiebung rief ich nicht an.

Nachdem ich meine Nachricht und ein paar Fotos versendet hatte, schrieb ich Georg und packte danach mein Gepäck aus. April und ich räumten erst unsere ganzen Klamotten und Schuhe ein, ehe wir die Fotos und andere Andenken an unsere Familien und Freunde auspackten und zurechtstellten. Ich legte mein MacBook auf den Schreibtisch und stellte ein Foto vom Abiball von Georg, April und mir daneben. Auf die Kommode stellte ich den Fake-Oscar und legte meine Hüte dazu. Dann machten wir unsere Betten und zogen uns für den Abend noch einmal um. Es war komisch, Sommerkleidung anzuziehen, wo man vor wenigen Stunden noch lange Kleidung und eine Jacke getragen hatte.

Wir trafen uns unten vor dem Wohnhaus mit Paul und Jamie. Gemeinsam liehen wir uns Fahrräder aus und unternahmen eine etwa halbstündige Fahrt zum Santa Monica Pier, der brechend voll, in echt aber noch viel faszinierender war, als ich ihn aus Filmen kannte. Es war einfach so verrückt und surreal, hier zu sein.

Nachdem wir die Fahrräder abgeschlossen hatten, schlenderten wir gemeinsam über den Pier und kamen schließlich an dessen Ende zum Stehen und genossen die herrliche Aussicht. Die Sonne ging langsam unter und tauchte alles in ein herrliches dunkles Orange und Pink. Die bunten Lichter am Pier leuchteten. Ich wünschte mir, dass dieser Moment niemals enden würde. Jeder von uns schoss einige Erinnerungsfotos und nahm kurze Videos auf, allein und zusammen. Wir verstanden uns schon jetzt super. Wir holten uns an einem der Stände etwas zu essen und trinken und setzten uns.

»Ihr sprecht echt gut Englisch«, stellte Paul fest, der ja wusste, dass wir aus Hamburg kamen.

»Danke, wir bemühen uns«, erwiderte ich und fragte, wie sie beide auf die UCLA gekommen waren.

Nachdem wir uns gestärkt hatten, probierten wir einige der Fahrgeschäfte aus. Das Riesenrad gefiel mir am besten, da man von dort eine wirklich erstklassige Aussicht hatte. Man konnte über diesen unglaublichen Strand schauen, der sich schier endlos erstreckte. Die Palmen wogen sich leicht in der angenehmen Brise, die ab und zu wehte. Die Wellen zerschlugen schäumend am Ufer und einige Möwen kreisten kreischend über dem Pier. Die Sonne ließ alles goldfarben erscheinen, nicht eine einzige Wolke war am Himmel zu sehen. Die Menschenmassen tummelten sich unter uns auf dem Pier, während der Strand leerer war.

Nach circa zwei Stunden entschieden wir uns schließlich, zurück zu unserem Wohnkomplex zu fahren. Wir waren zwar alle mehr als überwältigt von unserem neuen Lebensabschnitt, aber die Müdigkeit holte uns allmählich ein.

Wir schwangen uns also wieder auf die Räder und radelten entspannt zurück. Am Wohnheim angekommen, gaben wir die Räder ab und verabschiedeten uns voneinander.

April und ich quatschten noch eine Weile, ehe wir uns bettfertig machten und in einen tiefen Schlaf fielen.

Kapitel 4

Es war unser erster Tag an der UCLA. Aufgeregt standen wir auf dem riesigen Campus und versuchten herauszufinden, wo unsere Kurse stattfinden sollten. Zum Glück hatten wir ziemlich die gleichen Kurse wie Paul und Jamie belegt, weshalb wir nicht ganz allein planlos dastanden. Wir fragten uns durch und fanden schließlich unseren ersten Kurs. Ich war verdammt nervös. *Film and Television.* Da saßen wir vier nun und mir raste das Herz. Würde ich es wirklich schaffen? Ich meine, es würde alles auf Englisch stattfinden. Mir ging der Arsch auf Grundeis, wenn ich das mal so sagen darf.

Aufgeregt klappte ich meinen Mac auf, machte mir ohne Ende Notizen und war am Ende der Vorlesung zugegebenermaßen fürs Erste völlig erschlagen.

»Holy shit«, entfuhr es mir und ich ließ mich erschöpft auf eine der Bänke draußen sinken. April nahm neben mir Platz. Jamie und Paul setzten sich auf den Boden neben uns.

»Krass, viel Input«, stöhnte Paul.

»Wow, ich bin erledigt«, seufzte April.

»Dito«, meinte Jamie.

Ich streckte die Beine von mir und nahm einen Schluck zu trinken. Ich hoffte, dass meine Mitschrift mich weiterbringen würde. Ich kam zum Großteil gut mit, aber vereinzelt hatte ich echt so meine Schwierigkeiten. Es hieß also büffeln ohne Ende und parallel trotzdem auf Jobsuche zu gehen.

»Ich bin gespannt auf die anderen Kurse«, seufzte Jamie und streckte sich ebenfalls.

»Nicht den Kopf hängen lassen! Das war erst der erste Tag und der erste Kurs, wir gewöhnen uns da schon noch daran«, versuchte April uns allen Mut zu machen.

Eine Weile saßen wir so noch da, ehe wir uns auf in unseren nächsten Kurs machten. Danach verabredeten wir uns zum Essen in einem der Campus-Restaurants.

Und so ging dann auch schon der erste Tag an der UCLA zu Ende. Erschöpft fiel ich in mein Bett und atmete einmal tief durch. Ich hatte schon vorher gewusst, dass es nicht einfach werden würde, aber der ganze fachliche Input auf Englisch war dann doch sehr anstrengend gewesen. Ich hoffte, dass mein Gehirn sich da schnell dran gewöhnen würde.

Mein Handy vibrierte.

Jamie: Hey, Lust auf ein Eis?

Ich: Gerne, wann?

Jamie: Jetzt? :-)

Ich: Bin in 2 min. unten. :-)

Ich zog meine Schuhe an und schnappte mir meine Tasche. April hatte sich mit jemandem aus unserem Kurs verabredet, also fühlte ich mich auch nicht schuldig, dass ich noch mal los ging.

Unten angekommen, wartete Jamie schon vor dem Eingang zum Wohnhaus auf mich. Er trug knielange Jeansshorts, die unten umgekrempelt waren, dazu ein schlichtes graues V-Neck T-Shirt und Sneaker. Seine braunen Haare trug er leicht verwuschelt, seine Seiten waren etwas kürzer als der Rest. Er winkte mir zu, als er mich entdeckte. Ich winkte zurück und war dankbar, dass er gefragt hatte, ob wir zusammen etwas unternehmen würden.

»Hi«, sagte ich und umarmte ihn zur Begrüßung. Er erwiderte beides.

»Wohin gehen wir?«, fragte ich. Bisher hatte ich mich noch nicht erkundigt, was es so in der Umgebung gab.

»Zwanzig Minuten von hier ist eine Eisdiele.«

»Na dann los!«

Also gingen wir gemütlich durch die Straßen, bis wir beim Eiscafé ankamen.

»Was möchtest du haben?«, erkundigte sich Jamie.

»Überrasch mich!«, sagte ich spontan und nahm schon mal an einem der Tische Platz.

Jamie kam kurze Zeit später mit zwei großen Eisbechern wieder.

»Das sieht ja lecker aus. Was hast du bestellt?«

»Ich habe keine Ahnung. Du sagtest *überrasch mich* – und das habe ich dem Verkäufer gesagt.«

Wir mussten lachen. Also zwei Überraschungsbecher. Warum auch nicht?

»Wie gefällt es dir hier bisher?«, erkundigte sich Jamie.

»Super. Aber ich hoffe, dass mein Gehirn sich schnell dran gewöhnt, dass alles auf Englisch ist.«

»Ja, verständlich. Das muss schwer sein. Wenn du Hilfe brauchst, sag jederzeit Bescheid.«

»Danke, ich werde bestimmt drauf zurückkommen.«

Nachdem wir unser Eis aufgegessen hatten, gingen wir zurück zum Campus, wo wir uns auf eine der Grünflächen setzten, es uns gemütlich machten und uns lange unterhielten.

Ich erkundigte mich über Jamies Pläne und Hobbys und er sich über meine.

Am späten Abend rief ich Georg an und erzählte ihm, wie es uns ging, was wir so unternommen hatten und wie die Uni bisher lief. April setzte sich dazu und wir facetimeten noch eine Weile.

Müde gingen wir gegen Mitternacht ins Bett, denn am nächsten Tag mussten wir wieder in den Vorlesungen erscheinen.

Wir hatten Kurse wie *Acting for the Camera* oder *Theater* belegt.

Zusammen mit April besuchte ich einen unserer Kurse, wo wir wieder auf Jamie und Paul trafen. So ergab es sich, dass wir eigentlich so gut wie jeden Tag Zeit zusammen verbrachten.

Als wir endlich Wochenende hatten, machten wir einen Ausflug zum Walk of Fame.

»Eines Tages will ich deinen Namen hier sehen!«, rief ich April zu, die gerade über die Sterne am Boden tanzte.

»Und ich deinen!«

Wir hatten viel Spaß und genossen die Zeit. Das Wetter war um einiges besser, als wir es aus Hamburg gewohnt waren.

Ich konnte es selbst nach einer Woche noch immer nicht realisieren, dass ich gerade dabei war, meinen Traum zu leben. Nie hätte ich es für möglich gehalten, dass ich es überhaupt bis hier herschaffen würde.

»Worüber denkst du nach?«, riss Jamie mich aus meinen Gedanken.

»Darüber, dass ich es immer noch nicht fassen kann, hier zu sein«, antwortete ich, während ich ehrfürchtig über den Stern von Steven Spielberg strich.

»Geht mir genauso.«

»Na kommt ihr Träumer! Wir haben Hunger«, rief Paul.

Wir gingen in einen Burger Laden und aßen dort zu Mittag. Anschließend fuhren wir zurück und gingen in einen der Lernräume, um den Lehrstoff der vergangenen Woche zu büffeln.

Ich setzte mich zu April an einen der freien Tische und klappte meinen Mac auf. Ich ging noch einmal die bisherigen Vorlesungen durch und legte Ordner für jeden einzelnen Kurs mit Unterordnern an. Dann suchte ich mir passende Bilder aus dem Internet, um das Geschriebene noch einmal bildlich darzustellen.

Paul kramte Twizzlers – lakritzartige Fruchtschnüre – aus seinem Rucksack und reichte sie uns herüber.

»Nervennahrung«, meinte ich dankbar und nahm einen heraus, bevor ich die Packung an April weitergab.

Wir lernten, bis uns die Köpfe rauchten und bereiteten uns auf die nächsten Vorlesungen vor.

Abends schickte ich dann ein paar Bewerbungen für einen Minijob oder Teilzeitjob als Verkäuferin oder Barista raus.

Mein Handy klingelte irgendwann: Es war meine Mom. Wir telefonierten eine Weile miteinander, bevor ich schlafen ging. Ich erzählte ihr von den Vorlesungen und unseren Ausflügen sowie von Jamie und Paul und erkundigte mich, wie es ihr und Ella ging.

Am Sonntag schliefen wir aus und fuhren zum Venice Beach. Die Sonne schien herrlich und wir wollten unbedingt im Meer baden gehen. Jamie, Paul und ein paar andere aus der Uni hatten sich uns angeschlossen. Während ein paar der anderen Volleyball spielten, genoss ich einfach nur den Strand und das Meer und bräunte mich etwas.

»Hey, kommst du mit, dich abkühlen?«, rief Jamie mir, durchgeschwitzt vom Volleyballspielen zu. Er stand bei den anderen und hatte mittlerweile sein Shirt ausgezogen. Mir war bisher gar nicht aufgefallen, wie trainiert er war. Seine Haare klebten nass an ihm und sein Körper war voll mit Sand.

»Ja, warum nicht?«, antwortete ich, stand auf und lief zu ihm hinüber. Gemeinsam gingen wir ins Wasser und schwammen eine Runde. Es war kälter, als ich gehofft hatte.

Den Rest des Tages verbrachten wir entspannt am Strand, ehe morgen wieder der Alltag losging.

Ich hatte meine Füße in den warmen Sand gesteckt und mich in mein Handtuch eingehüllt, während ich hinaus auf den Pazifik schaute. Der Strand erstreckte sich in beide Richtungen über mehrere Kilometer. Einige Surfer stürzten sich in die Wellen und ein paar Skater legten wahnsinnige Stunts in einiger Entfernung hin. April spielte derweil mit einigen Leuten aus unserem *Televison*-Kurs Beach Volleyball.

Ich hatte mir mein Buch gegriffen und las in Ruhe.

Genau so ein Leben hatte ich mir erträumt. Trotz des vielen Lernens und natürlich auch vielen Sorgen und Zweiflern war es perfekt, wie es war. Ich war mehr als glücklich und dankbar, diesen Moment genießen zu können.

Der Wecker klingelte viel zu früh. Ich zog mich an, ging in die Vorlesungen und am Nachmittag zu einem Bewerbungsgespräch bei Starbucks.

Es lief gut und sie stellten mich schon zum nächsten Monat ein. Nach dem Gespräch ging ich zurück zum Campus und lernte draußen. Versuchte mir all den Stoff zu merken und machte mir weitere Notizen.

April kam mit einem Salat aus dem Supermarkt vorbei und gesellte sich zu mir, um ebenfalls zu lernen.

»Wie lief dein Bewerbungsgespräch?«, erkundigte sie sich.

Ich berichtete ihr davon, wie positiv es verlaufen war und wünschte ihr für ihres im Campus Shop nächste Woche viel Glück.

April und ich lernten noch bis in den Abend hinein, ehe wir auf unser Zimmer gingen und noch einen Film schauten.

»Nicht mehr lange und wir können unseren eigenen ersten Film sehen«, träumte ich.

»Oh ja.«

»Kannst du dir das wirklich vorstellen?«, fragte ich.

»Nein, eigentlich nicht. Aber das ist es doch, wovon wir seit Jahren träumen.«

»Und wie!«

Wir schauten den Film zu ende, gingen Zähne putzen und zogen unsere Pyjamas an.

»Gute Nacht, Ap.«

»Schlaf gut, Tay.«

Ich schlief sofort ein und war trotzdem nicht ausgeschlafen, als der Wecker am nächsten Morgen klingelte.

Wie jeden Morgen machte ich mich fertig und ging mit April zu unseren Vorlesungen. Später räumte ich etwas das Zimmer auf und las mein Buch.

April wollte noch lernen und dann mit ihren Eltern telefonieren. Ich ging also zu den Jungs rüber.

Paul war nicht da, also ging ich mit Jamie raus und wir erkundeten die Gegend etwas. Während wir durch die Straßen gingen, schmiedeten wir Pläne fürs Wochenende. Es sollte etwas abkühlen und wir beschlossen, zum Hollywood Sign und dem Griffith Observatory zu fahren. Es würde ein Ganztagesausflug werden, da wir mit den Rädern fahren wollten.

Wir schlenderten noch eine Weile durch die Straßen, ehe wir uns auf einen Kaffee und einen Snack ins *Bruin* Café setzten. Es war gut besucht und ein paar der Gesichter kamen mir vom Campus bekannt vor. Ein Teil der Café-Besucher war am Lernen, ein anderer Teil, uns eingeschlossen, genoss hingegen einfach nur eine kleine Auszeit vom Lernen.

»Wie sehen eigentlich deine Pläne für nach der Uni aus?«, fragt mich Jamie.

»Ich will Regisseurin werden und später vielleicht auch Produzentin«, antwortete ich ihm. »Und du?«

»Drehbuchautor oder Kameramann.«

»Das klingt auch echt cool. Vielleicht arbeiten wir ja mal zusammen an einem Film.«

»Ich würde mich freuen.«

Nach unserem Kaffee gingen wir zurück, da wir beide noch ein paar Dinge zu erledigen hatten. Ich musste dringend Wäsche waschen und meine Mom sowie Georg auf dem Laufenden halten. Auch meinem Dad schrieb ich und schickte einige Fotos mit, in der Hoffnung, dass er sich die Zeit nahm, um sie sich anzuschauen. Ich liebte meinen Dad wirklich sehr, auch wenn ich ihn kaum sah. Nach der Scheidung meiner Eltern noch viel weniger als schon zuvor. Ich war wirklich enttäuscht, dass er es nicht mehr geschafft hatte, mich zu treffen, bevor ich nach LA geflogen war. Aber so war mein Dad. Er arbeitete gefühlt vierundzwanzig Stunden am Tag.

Und so verging eine weitere Woche und obwohl die Uni großen Spaß machte, fieberte ich dem Wochenende entgegen. Unsere Ausflüge machten mir großen Spaß und schließlich waren wir nicht nur zum Lernen hier. Außerdem wollte ich noch so viel wie möglich erleben, bevor ich bald mit meinem neuen Job anfing und weniger Zeit haben würde.

Direkt nach dem Frühstück fuhren wir vier mit den Rädern los.

Nach der ersten halben Stunde legten wir eine kurze Pause ein, nach einer weiteren halben Stunde die zweite. Den restlichen Weg fuhren wir ohne Pause weiter.

»Ich kann es schon sehen!«, rief ich aufgeregt und zeigte vor uns.

»Oh ja!«, freuten sich auch die anderen.

Wir stellten unsere Räder ab und posten vor dem Hollywood Sign. Ich schickte gleich eines der Bilder an Mom und an Georg, ein paar weitere postete ich online. #HOLLYWOODSIGN

Wir nutzten die Zeit für eine weitere Pause. Den Berg hinaufzuradeln, hatte uns aus der Puste gebracht. Ich schmiss April und den Jungs je eine Coke rüber, dann setzte ich mich auf einen großen Stein und ließ das Wahrzeichen Hollywoods auf mich wirken.

Jamie und Paul schmissen sich gegenseitig *M&M's* zu und versuchten sie mit dem Mund wieder aufzufangen, woran sie die meiste Zeit kläglich scheiterten. April und ich amüsierten uns köstlich darüber.

Wir packten unser Proviant wieder ein und cremten noch einmal Sonnencreme nach.

Im Anschluss fuhren wir zum Griffith Observatory. Die Aussicht von dort oben war einfach unbeschreiblich. Wir konnten über die gesamte Stadt blicken. Es war der Wahnsinn.

»Unglaublich diese Aussicht!«, staunte ich.

»Wie winzig die Stadt doch plötzlich ist, wenn sie unter einem liegt ...«, sagte Jamie.

»Und trotzdem so riesig.«

Wieder machten wir einige Erinnerungsfotos und Videos, dann gingen wir hinein und schauten uns die Ausstellung an.

Am Abend kamen wir alle vollkommen erschöpft wieder auf dem Campus an und gingen bloß noch duschen und schlafen.

Den Sonntag verbrachte ich ereignisarm mit Wäsche waschen und lernen.

Kapitel 5

Die Wochen vergingen wie im Flug. Ich lernte viel und arbeitete nach den Vorlesungen bei Starbucks. Die wenige freie Zeit, die ich hatte, verbrachte ich mit meiner neuen Clique. Zwischendurch telefonierte ich mit meiner Mom und Schwester oder mit Georg. Ab und an schaffte ich es für ein paar Minuten sogar, meinen Dad zu erreichen. Doch die meiste Zeit hatte er viel im Büro zu tun.

Umso glücklicher war ich, dass ich ihn wenigstens zwischendurch erreicht hatte, von der bisherigen Zeit berichten und ihn fragen konnte, ob er meine Fotos bekommen hatte. Ich wünschte mir, dass er irgendwann wieder mehr Zeit für meine Schwester und mich finden würde …

Einmal telefonierte ich auch eine Weile mit Emil, um mich zu erkundigen, wie sein Studium lief und ob das Basketballspielen hier anders war, als er es gewohnt war.

Er berichtete mir, dass es bei ihm gut lief, aber er sich tatsächlich erst einmal umgewöhnen musste.

Heute hatte Paul seinen 22.Geburtstag, was wir am Strand feierten. Einige seiner Unifreunde waren dabei und selbst ein Paar aus Seattle waren angereist. Er freute sich riesig über ihren Besuch.

Wir hatten ihm einen UCLA-Hoodie geschenkt – den wir übrigens für uns alle gekauft hatten – und luden ihn zum Essen ein.

Der Geburtstag war eine willkommene Abwechslung zu den stressigen letzten Wochen. Ich wusste nicht mehr, wo mir der Kopf stand. Die Tage waren lang. Zwischen Vorlesungen, Projekten, Klausuren, Arbeit und Lernen hatte ich kaum Zeit für irgendetwas anderes gefunden.

»Ist alles gut bei dir?«, erkundigte Jamie sich, während er sich neben mich setzte und mir eine Decke reichte.

»Ja, danke, ich bin einfach nur kaputt. Die letzten Wochen waren sehr anstrengend.«

»Ich hab' dich außerhalb der Uni kaum gesehen. Du solltest vielleicht nicht so viele Schichten bei Starbucks übernehmen.«

»Die Uni bezahlt sich nicht von selbst …«, meinte ich erschöpft.

»Ich weiß, aber denk auch mal an dich«, erwiderte Jamie mit warmer Stimme. Ich kuschelte mich in die Decke ein, die er mir gegeben hatte und lehnte mich bei ihm an.

»Danke.«

»Nicht dafür«, sagte er, während er einen Arm freundschaftlich um mich legte.

Wir saßen eine Weile so da, ehe er mich fragte, ob ich tanzen wollte. Es lief *Closer* von The Chainsmokers und Halsey.

Ich nahm Jamies Einladung dankend an und tanzte mit ihm. Aus dem Augenwinkel sah ich, wie April mit Paul tanzte. Es herrschte eine ausgelassene Stimmung und jeder von uns genoss die Auszeit vom Lernen und Arbeiten.

Wir stießen auf Pauls Geburtstag an und verlegten die Feier schließlich in einen Club.

Wir feierten und tanzten ausgelassen und kehrten erst spät in der Nacht zurück.

»Gute Nacht«, wünschte mir Jamie. »Und dir natürlich auch«, fügte er an April gewandt hinzu.

»Gute Nacht euch zweien«, antworteten wir und gingen in unser Zimmer.

»Der Abend tat gut«, sagte ich zufrieden, als ich mich umzog.

»Fand ich auch«, antwortete April. »Sag mal, was läuft denn da zwischen dir und Jamie?«, fragte sie neckend. »Ihr hingt ja den ganzen Abend aufeinander.«

»Nichts. Was sollte da laufen?«, fragte ich verwirrt und abwehrend zugleich.

»Ich mein ja nur …«, erwiderte April direkt.

»Nichts *ich mein ja nur*. Da läuft rein gar nichts. Wir sind bloß gute Freunde.«

»Sieht er das auch so?«

»Ja, warum auch nicht?«, entgegnete ich genervt und ging Zähne putzen. Damit war das Thema für mich beendet. Was sollte da schon zwischen Jamie und mir laufen? Wir waren bloß gute Freunde und kannten uns ja gerade mal ein paar Wochen. Ich unterstellte ihr ja auch schließlich nichts mit Paul.

Ich schlief unruhig und stand schon früh auf. Kurzentschlossen zog ich mir meine Laufsachen an und ging joggen. Ich war erstaunt darüber, wie viele schon unterwegs waren und ebenfalls Laufen gingen. Ich hatte meine Kopfhörer eingestöpselt und hörte meine Sport-Playlist.

Ich erschrak fast zu Tode, als plötzlich jemand auf meine Schulter tippte.

»Verdammte Scheiße!«, fuhr ich Jamie an, den ich nicht gehört hatte. »Du hast mich zu Tode erschreckt!«

»Sorry, das war nicht meine Absicht«, entschuldigte er sich mit betretener Miene. »Was machst du so früh draußen?«

»Das könnte ich dich auch fragen.«

»Joggen, so wie du«, entgegnete er lachend.

»Idiot, das sehe ich. Ich konnte nicht mehr schlafen und dachte, ich betätige mich etwas sportlich. Komme ich ja in letzter Zeit sonst nicht mehr zu.«

»Ich geh gern schon morgens joggen«, antwortete Jamie achselzuckend und lief weiter. »Kommst du, du lahme Ente?«

»Ich was? *Du* hast mich doch aufgehalten!«, protestierte ich. Und so liefen wir die Strecke zum Wohnheim gemeinsam zurück.

»Frühstück?«, erkundigte sich Jamie, als wir am PLAZA-Komplex ankamen.

»Klingt nicht schlecht«, erwiderte ich. Wir holten uns jeweils ein belegtes Brötchen und einen Kaffee und setzten uns draußen auf eine Bank.

»Wie läuft es mit deinem Kurzfilm-Projekt?«, erkundigte ich mich.

»Gut soweit und bei dir?«

»Ebenfalls. Bin fast fertig.«

»Das klingt doch super. Du kleines fleißiges Bienchen.«

»Ich will mir nicht umsonst den Arsch die letzten Jahre aufgerissen haben.«
»Verständlich.«
Mein Handy vibrierte.

April: Wo bist du?

Ich: Draußen, war joggen.

»Ist alles okay?«
»Ja, April fragt nur, wo ich bin.«
»Ich will dich nicht aufhalten …«, sagte Jamie entschuldigend.
»Quatsch, tust du nicht. Ich hab' heute ausnahmsweise mal nichts vor«, meinte ich lachend.
»Gut so. Dann lass uns einfach nur mal abhängen und zum Football gehen.«
»Bin dabei, aber ich muss vorher noch duschen.«
»Hast du Angst mehr zu stinken als die Footballer?«, zog er mich auf und ich verpasste ihm protestierend einen leichten Seitenhieb.
»Ich geh dann mal duschen. Wir sehen uns dann nachher?«, fragte ich schon auf halber Strecke.
»Ich hol dich oder euch ab, wenn April auch Lust hat, mitzukommen.«
»Supi, dann bis später«, verabschiedete ich mich.
»Bis später.«

Ich sprang unter die Dusche und zog mir eine frische Jeans und einen UCLA-Hoodie an. Es sollte ja klar zu sehen sein, für wen ich bei dem Spiel war.

Meine Haare band ich zu einem lockeren Zopf zusammen, nachdem ich sie trockengeföhnt hatte. Anschließend wühlte ich in meinen Schminksachen herum und legte ein leichtes Tagesmake-up auf.

»Jamie hat gefragt, ob wir später mit zum Spiel der Footballer kommen?«, rief ich April aus dem Bad zu.
»Ja, gern.«
»Klasse.«

Wie versprochen holte Jamie uns am frühen Nachmittag ab. Paul begleitete ihn.

»Seid ihr startklar?«

Wir nickten und hakten uns unter. Ich war aufgeregt: unser erstes American Football Game. Bisher hatte ich nur einige Spiele im Fernsehen gesehen.

Wir holten uns etwas zu trinken und gingen dann auf unsere Plätze, wo Paul vergeblich versuchte, April die Regeln zu erklären.

Die UCLA-Studenten, uns natürlich eingeschlossen, jubelten lautstark, als unser Team, die *UCLA Bruins*, einlief. Das gegnerische Team wurde selbstredend lautstark ausgebuht.

Der Kick-off lag bei den Bruins.

Das Spiel war super, wir fieberten bei jedem Spielzug mit und feuerten unsere Mannschaft an.

Am Ende war es ein knapper Sieg für die Bruins, der dennoch gebührend gefeiert wurde.

Wie ich bei dem Spiel erfuhr, war Jamie an seiner High School in San Francisco Quarterback des dortigen Teams gewesen.

Paul zog ihn daraufhin auf, warum er denn dann keine der Cheerleaderinnen abgeschleppt hätte.

Abends setzte ich mich dann doch noch mal an mein Kurzfilm-Projekt und stellte es fertig. Diese Woche war die Abgabefrist. Ich zeigte es April und schickte das Material auch an Jamie, um mir ihre Meinungen dazu einzuholen.

Nach ihrem Feedback überarbeitete ich noch ein paar Kleinigkeiten und klappte schließlich mein MacBook zu.

Anschließend facetimete ich noch kurz mit meiner Mom, bevor sie zur Arbeit ins Hotel musste.

»Wie geht es euch?«, erkundigte ich mich gähnend.

»Gut und euch? Du siehst müde aus«, stellte meine Mom fest.

»Gut. Es war ’ne lange Woche und hier ist es ja auch schon abends«, antwortete ich. »Wir waren heute beim Football-Spiel unserer Uni und dann hab ich noch an meinem Projekt gearbeitet.«

»Das klingt doch gut. Und sonst, wie laufen die Uni und der neue Job?«

»Läuft beides.«

»Das freut mich zu hören. Ich muss jetzt auflegen, muss los zur Arbeit«, sagte Mom.

»Okay, habt einen schönen Tag.«

»Danke, dir eine gute Nacht. Liebe Grüße an April«, verabschiedete meine Mom sich.

»Richte ich aus und du grüß Ella schön. Ich vermisse sie.«

Ich legte mein Handy neben mich und schloss die Augen.

Der Alltag hatte mich schneller zurück, als mir lieb war.

Am Montag hatte ich meine Vorlesungen und danach eine Schicht auf der Arbeit. Am Dienstag mussten wir unser Kurzfilm-Projekt präsentieren und bekamen auch gleich unsere Ergebnisse dafür. Wir bestanden zum Glück alle mit einer guten Note.

Am Mittwoch schrieben wir eine Klausur und die Arbeit rief. Donnerstag hatten wir wie gewöhnlich unsere Kurse und am Freitag auch.

Nach meiner Schicht holte ich April von ihrer Schicht ab und wir gingen ins Uni eigene Theater, um uns eine Aufführung anzusehen.

Abends kuschelten wir uns nur noch erschöpft ins Bett, schauten gemeinsam einen Film und aßen Chips.

Am Samstag putzen wir und gingen unsere Wäsche waschen, ehe wir wieder zur Arbeit mussten und den Sonntag verbrachten wir damit gemeinsam mit Leuten aus unseren Kursen für die Uni zu lernen.

Und so verging ein um die andere Woche, die ersten Monate waren inzwischen vorübergegangen und der Winter zog ein. Sofern man in Los Angeles von Winter sprechen konnte.

Ich vermisste es, mit meiner Familie Plätzchen zu backen und das Haus zu dekorieren. Es war das erste Jahr, das wir Weihnachten getrennt voneinander verbringen würden. Der Rückflug war finanziell einfach nicht drin, was mich ein wenig traurig stimmte.

Das gute Wetter hatte auch hier ein wenig nachgelassen und so saß ich in einem Hoodie und mit einer Tasse heißer Schokolade an meinem Schreibtisch und schaute etwas geknickt aus dem Fenster. Draußen tummelten sich etliche Studenten. April war in einem der Lernräume und bereitete sich auf eine Prüfung vor. Ich fühlte mich vorbereitet genug und ließ meinen Blick wieder schweifen.

Kurzentschlossen griff ich nach meinem Handy und schrieb Jamie eine Nachricht.

Ich: Hey …

Jamie: Selber Hey.

Ich: Kommst du mit mir Weihnachtsshopen? April muss lernen …

Jamie: Ok. Hole dich gleich ab.

Ich zog mir also meine Boots an und setzte eine Mütze auf, packte mein Handy und mein Portemonnaie in die Tasche und wartete auf Jamie, der kurze Zeit später an der Tür klopfte.

»Danke, fürs Mitkommen«, sagte ich, während wir runtergingen.

»Kein Problem.«

»Die Zeit ist so schnell vorbeigegangen. Ich hab' noch gar nichts für meine Familie zu Weihnachten gekauft und mir ist aufgefallen, dass April und ich noch gar keine Weihnachtsdeko haben«, meinte ich geknickt.

»Na, das lässt sich ja ändern«, erwiderte Jamie munter.

Er begleitete mich in einige Geschäfte in der Nähe und half mir beim Aussuchen der Geschenke.

Am Ende schleppte ich ihn in den Dollar-Store und besorgte tütenweise Weihnachtsdeko.

Jamie zog eine Augenbraue hoch. »Was hast du damit vor?«

»Ich wette, du und Paul habt auch noch keine Weihnachtsdeko.«

»Und wer sagt, dass wir welche wollen?«, ärgerte mich Jamie.

»Ich«, sagte ich entschlossen.

»Du hast so viel gekauft, damit könntest du das halbe Wohnheim dekorieren.«

»Du spinnst ja.«

»Okay, okay, du Weihnachtselfe. Dir scheint Weihnachten ja echt wichtig zu sein«, gab Jamie sich gespielt geschlagen.

»Dir denn nicht?«

»Doch, schon.«

»Aber?«, wollte ich wissen und schmollte.

»Nichts aber. Doch wie du habe ich da dieses Jahr auch einfach noch nicht dran gedacht.«

Mit der Antwort gab ich mich vorerst zufrieden.

»Hast du denn jetzt alles, was du wolltest?«

»Fast«, murmelte ich gedankenverloren.

»Fast?!«, Jamie zog erneut eine Augenbraue hoch.

»Ich hab' noch keinen Baum«, sagte ich.

»Meinst du denn, dass dafür Platz in eurem Zimmer ist?«

»Ohne Baum keine Weihnachten.«

»Okay, dann finden wir dafür auch noch eine Lösung«, meinte Jamie gelassen. »Aber jetzt gehen wir erstmal einen Kaffee trinken und was essen.«

»Gerne.«

»Soll ich dir vielleicht ein paar der Einkäufe abnehmen?«, bot er höflich an.

»Nur wenn es dir keine Umstände macht.«

»Nein, ganz und gar nicht.«

So trug er also einen Großteil meiner Einkäufe ins nächste Café, wo wir uns eine Weile aufwärmten und stärkten, ehe wir zurückgingen.

In unserem Zimmer angekommen, war April ebenfalls vom Lernen zurück und wir dekorierten zu zweit unser Zimmer. Ich hatte Lichterketten fürs Fenster gekauft, kleine Dekoobjekte und Kunstschnee, ein paar künstliche Tannenzweige und Baumkugeln. Vor der Tür lag eine Weihnachtsfußmatte und eine Girlande hing am Türrahmen.

»Na, da waren Jamie und du ja fleißig«, staunte April nicht schlecht.

Ich nickte: »Und jetzt ist das Jungs-Zimmer dran.«

»Na, die freuen sich sicherlich über ihr Glück«, scherzte April.

Ich packte den restlichen Kram in die Tüten und stiefelte mit April im Schlepptau zum Zimmer von Jamie und Paul.

Ich klopfte an und wartete darauf, dass sie uns hereinließen.

»Was hast du vor? Hast du den Weihnachtsmann ausgeraubt?«, fragte Paul, als er April und mich mit den Tüten sah.

»Quatsch, sehe ich so aus, als ob ich einen alten Mann ausrauben würde?«, antwortete ich gespielt empört.

Ich drückte ihm eine Tüte in die Hand und kramte eine Tannengirlande hervor.

»Die kommt ins Fenster!«, befahl ich, während ich weiter kramte. Ich fand schließlich, wonach ich suchte und drückte April ein paar Baumkugeln in die Hand, die für die Girlande waren. Ich fand noch eine Lichterkette, die ebenfalls in die Girlande kam. Es gab außerdem ebenfalls noch eine Fußmatte und eine Girlande für die Tür.

Mission *Weihnachten im Wohnheim* war damit erfüllt und ich schwöre, ich habe es wirklich nicht übertrieben.

Den Abend ließen wir dann bei den Jungs ausklingen. Paul suchte einen Film aus und Jamie bereitete Popcorn in der Mikrowelle zu.

Ich bekam nur den Anfang vom Film mit, denn ich war irgendwann eingeschlafen und wurde erst von April geweckt, als der Film vorbei war und sie zurück in unser Zimmer wollte. Noch verschlafen und etwas orientierungslos verabschiedete ich mich von den Jungs. April erzählte vom Film, während wir zurückgingen. Doch ich war noch halb am Schlafen und legte mich deshalb sofort ins Bett, als wir in unserem Zimmer angekommen waren.

Am nächsten Vormittag klopfte es an unsere Tür. Es war Jamie mit einem großen Weihnachtsbaum. Ich staunte nicht schlecht, als ich ihn sah.

»Wo hast du den denn aufgetrieben?«, fragte ich mit großen Augen.

»Ich hab' da so meine Kontakte«, entgegnete er lachend und schob das Ungetüm durch die Tür. »Ist der dir groß genug?«

»Ist das dein Ernst? Wo bist du überhaupt? Ich sehe nur Grün.«

»Hier«, meinte er und kam um den Baum herum.

»Und ich soll es übertreiben, ja?«, fragte ich sarkastisch.

»Ich kann ihn auch wieder mitnehmen.«

»Nein!«

Wir lachten beide und schmückten den Baum. Nur fragte ich mich wirklich, ob der nicht ein wenig zu groß für das kleine Zimmer war.

»Du?«, fragte Jamie.

»Ja?«

»Ich habe mich gefragt, ob du und April mich über die Feiertage zu meiner Familie begleiten wollt?«

»Ist das denn für deine Familie in Ordnung?«, wollte ich erstaunt wissen.

»Klar, sie würden sich freuen, euch kennenzulernen. Ich hab schließlich schon viel von euch erzählt.«

»Danke, das ist superlieb. Ich frage April später, wenn ich sie sehe und gebe dir dann Bescheid, okay?«

»Klar.«

Kapitel 6

Allmählich war ich wirklich im Weihnachtsstress. Ich packte eilig vor meiner Schicht die Weihnachtspakete für all meine Lieben in der Heimat, damit ich sie noch rechtzeitig zur Post bringen konnte.

Nach meiner Schicht war ich noch mit April zum Weihnachtsshopping für Jamies Familie sowie für Paul verabredet und am Abend musste ich dringend für die letzten Klausuren üben.

Unglaublich, dass inzwischen schon Dezember war …

Ich hastete also zur Post und weiter zu meiner Schicht. Ausgerechnet heute war super viel los, wo ich doch pünktlich Feierabend machen wollte. Ich beeilte mich also, so gut es ging, um pünktlich bei April zu sein.

Wir gingen zu Macys, wo wir eine schöne Blumen Halskette für Jamies Mom fanden und für Jamies Vater kauften wir Grillzubehör, weil Jamie uns erzählt hatte, dass sein Vater Barbecue liebt. Nun ja: Welcher Amerikaner tat das nicht?

Für Jamie hatte ich vor einiger Zeit einen SD-Kartenhalter bestellt sowie ein T-Shirt und eine Tasse auf der stand: *Look at you making films and shit*. Etsy sei Dank!

Zusammen packten wir die Geschenke ein und verstauten sie unter meinem Schreibtisch. Danach gingen wir in einen der Lernräume und lernten, bis uns die Köpfe qualmten. Es war unglaublich, was man alles an Wissen für einen Film brauchte. Calvin-Einheiten, die Sekunden der Bildabfolge, Komplementärfarben und so viel mehr.

Mir rauchte der Kopf, während ich verzweifelt versuchte, mir die ISO-Werte, Frameraten und Licht-Gestaltungsmerkmale einzuprägen. Hauptlicht, Aufhelllicht, Spitzlicht, Vorderlicht, Oberlicht und, und, und. Was assoziiert man mit welchen Farben? Welche

Objektive gibt es und für was nutzt man sie? Welche Kameras und Mikros gibt es und was wird wofür eingesetzt?

Ich ließ meinen Kopf geschlagen auf meine Unterlagen fallen und seufzte: »Wie soll ich mir das nur alles merken? Ahhhh!«

»Wenn ich das nur wüsste«, seufzte April ebenfalls.

»Ich brauche 'ne Kaffeepause.«

»Kaffee klingt gut.«

Ich wollte gerade aufstehen, um Kaffee holen zu gehen, als mir Jamie und Paul mit ihren Macs unter den Armen und Kaffee in den Händen entgegenkamen.

»Wir dachten uns, dass ihr etwas Koffein und Unterstützung gebrauchen könntet«, meinte Jamie lachend und machte es sich an unserem Tisch bequem.

»Ihr kommt wie gerufen!«, seufzte ich und nahm den Kaffee dankend entgegen. »Man, tut der gut. Ich bin am Verzweifeln!«

»Warum, wo liegt das Problem?«, erkundigte sich Jamie hilfsbereit.

»Überall. Wer soll sich das bloß alles merken?!«

»Du«, lachte er und rutschte etwas dichter zu mir. »Zeig mal her.«

Ich drehte den Mac etwas zu ihm herum.

»Soll ich dich abfragen?«, bot Jamie an.

»Gerne.«

Und so lernten wir zu viert bis spät in den Abend hinein. Gegenseitig fragten wir uns ab und zwischenzeitlich hatten wir Pizza bestellt. Beim Lernen vergisst man ständig, ans Essen zu denken, da man so sehr in seine Aufzeichnungen vertieft ist.

»Welchen Wert des elektromagnetischen Spektrums kann das menschliche Auge sehen?«, fragte Jamie.

»Ehm, das war zwischen 380 Nanometer bis 720 Nanometer beziehungsweise 780 Nanometer«, antwortete ich.

»Richtig.«

»Und wie viel Lumen hat eine 100-Watt-Glühlampe?«, fragte ich in die Runde.

»1500!«, rief Paul.

»Jap.«

»Okay, ich bin wieder dran. Welche Brennweite hat ein Superweitwinkel-Objektiv?«

»21 bis 24 Millimeter«, antwortete April.

»Super, nächste Frage. Was ist ein Motionbleur?«

»Die Bewegungsunschärfe«, antwortete ich prompt.

»Na siehst du, du kannst dir die Sachen ja doch merken«, ermutigte Jamie mich.

»Hoffentlich auch in den Prüfungen«, meinte ich seufzend. »Ich kann es mir nicht erlauben, durchzufallen. Vor allem nicht finanziell.«

»Das wirst du auch nicht.«

»Okay, genug für heute. Morgen ist auch noch ein Tag«, sagte Paul entschlossen und packte seine Sachen zusammen. Wir taten es ihm gleich.

»Danke, dass ihr noch zum Lernen vorbeigekommen seid«, bedankte ich mich aufrichtig.

»Aber klar doch«, antwortete Jamie und stieß mich freundschaftlich mit der Schulter an.

»Treffen wir uns morgen nach den Vorlesungen wieder hier?«, fragte Paul. Wir stimmten zu. Es konnte nicht schaden, zusammen zu lernen, so blieb die Motivation länger erhalten.

»Perfekt, dann bis morgen.«

»Bis morgen«, verabschiedeten wir uns und gingen auf unser Zimmer, wo wir uns nacheinander fürs Bett fertig machten und schlafen gingen.

Der Wecker klingelte und ich stand müde auf. Ich schlüpfte in meine Jeans und ein Tanktop, darüber zog ich ein rot-schwarz-kariertes Flanellhemd an und setzte eine Mütze auf. Ich packte den Mac in meine Tasche, packte mir eine Flasche Wasser und ein paar Snacks ein. Dann ging es los zu den Vorlesungen.

April kramte währenddessen in ihren Schubladen und suchte irgendeinen Pullover.

»Wir müssen los«, mahnte ich sie.

»Ja, ja. Hab' ihn schon«, antwortete April gestresst und wedelte stolz mit ihrem Pulli herum.

»Na dann los, zieh ihn an!«, lachte ich und ging zur Tür.

Wir nahmen Platz im Hörsaal und klappten die Macs auf. Ich öffnete *pages* und schrieb fleißig mit.

Plötzlich ploppte eine Nachricht auf meinem Bildschirm auf.

Jamie: Hey.

Ich: Hey zurück.

Jamie schreibt …

Jamie: Freue mich schon auf die Semesterferien!

Ich: Ich mich auch. Danke nochmal für die Einladung. :-)

Jamie: Sehr gerne! ;-)

Ich versuchte weiter aufzupassen, aber irgendwie war die Konzentration langsam hin.

Ich: Was macht ihr am Wochenende? Lust auf Kino?

Jamie: Läuft denn was?

Ich: Keine Ahnung … Bestimmt …

Jamie: Egal, ich bin dabei. Frage Paul später.

Ich schloss den Chat und riss mich für die letzten zehn Minuten noch zusammen.

Nach einer kurzen Pause ging es in den Theaterkurs – endlich etwas Abwechslung zum trockenen Theoriestoff.

Wir arbeiteten gerade an einer kleinen Aufführung. Ich suchte meine Sachen aus den Requisiten heraus und zog sie mir über. Ich spielte nur eine kleine Nebenrolle der Cousine, damit fühlte ich mich aufgrund der Fremdsprache und der wenigen freien Zeit wohler.

Dann ging ich meinen Text mit meinem Schauspielpartner durch und notierte mir noch ein paar Dinge. Anschließend probten wir weiter. Ich war eigentlich ganz zufrieden mit meiner Leistung und ich erhielt Lob vom Dozenten.

Der Kurs ging schnell vorüber und wir aßen gemeinsam zu Mittag. Im Anschluss brach ich auf und ging wie verabredet zum Lernen mit April, Jamie und Paul.

Morgen und übermorgen standen die ersten Klausuren an, also hieß es, dass wir uns ranhalten mussten, wenn wir bestehen und gut sein wollten.

Ich schrieb mir alles noch einmal auf Karteikarten und ging es wieder und wieder durch.

Wir wiederholten jede Vorlesung, bis sie uns zu den Ohren hinaushingen und wir uns ausreichend vorbereitet fühlten.

Es gibt keinen Plan B, Tay!, rief ich mir in Erinnerung. *Nicht einmal Plan A 2.0.*

Nachdem wir mit dem Lernen fertig waren, überarbeitete ich noch meine Mitschrift von heute.

Aufgeregt begab ich mich zum Klausurenraum. Heute stand die Klausur zum Thema Beleuchtung und Kameraeinstellungen an. Ich wusste, dass wir genug gelernt hatten, aber ich hatte große Angst, dass irgendetwas drankam, was ich nicht berücksichtigt hatte, dass es an meinen Englischkenntnissen scheitern würde oder an blöden Fragen, wo sich die Antworten nur um Nachkommastellen unterschieden.

Du schaffst das!

Ich las mir die Aufgaben in Ruhe durch und beantwortete erst einmal alles, was ich auf Anhieb beantworten konnte. Es waren teils gemeine Fragen, wie befürchtet, wo sich die Antwortmöglichkeiten nur um Nachkommastellen unterschieden. Als ich damit fertig war, las ich mir noch einmal die Fragen durch, deren Antworten mir nicht sofort eingefallen waren und beantwortete sie so gut ich konnte. Ich schaute gestresst auf und sah, dass die anderen ebenfalls noch am Grübeln waren. Ein letztes Mal las ich mir alles durch, dann beendete ich schließlich die Klausur.

»Und?«, wollte ich von April wissen, als auch sie den Hörsaal verließ.

»Ich denke, so schlecht lief es nicht«, meint sie. »Und bei dir?«

»Das Gleiche.«

»Dann drücken wir mal die Daumen und warten auf die Ergebnisse.«

»Ja, ich muss jetzt aber erstmal weiter zu meiner nächsten Schicht«, sagte ich erschlagen und verabschiedete mich.

Ich ging zu Fuß zur Arbeit und arbeitete meine Schicht ab. Sie kam mir heute quälend lang vor. Ich war gerade dabei, die Milch im Kühlschrank aufzufüllen, als der nächste Kunde hineinkam.

»Hi, zwei Karamell-Latte und zwei Tomaten-Bagel zum Mitnehmen bitte«, ertönte eine mir nur allzu bekannte Stimme.

»Was machst du denn hier?«, fragte ich überrascht, nachdem ich mich umgedreht hatte.

»Dich von deiner Schicht abholen«, antwortete Jamie breit grinsend.

»Aber ich hab' doch noch eine ganze Weile vor mir …«, widersprach ich.

»Nein, ist alles abgesprochen, du kannst Feierabend machen.«

Und als ob mein Chef nur auf sein Stichwort gewartet hatte, kam er aus dem Büro und ließ mich grinsend Feierabend machen.

»Was ist mit deiner Bestellung?«, wollte ich überrumpelt wissen.

»Die nehme ich noch mit«, lachte Jamie.

Ich machte also noch zwei Karamell-Latte und nahm zwei Bagel aus der Frischetheke heraus und reichte sie ihm rüber. Er bezahlte und ich ging mein Zeug aus der Umkleide holen.

»Fertig?«, fragte Jamie.

»Ja?«

»Super, dann komm mit.«

»Wohin?«, wollte ich neugierig wissen.

»Lass dich überraschen«, antwortete er. Dabei lag ein vielsagendes Grinsen auf seinen Lippen.

Ich hatte beim besten Willen keine Ahnung, wohin er wollte.

Jamie ging zielstrebig auf ein Auto zu und hielt mir die Beifahrertür auf. Ich schaute ihn fragend an.

»Mein Dad hat es mir vorbeigebracht. Ich brauche es ja eh, um über die Feiertage nach Hause zu fahren.«

»Dein Vater hat dir extra dein Auto hergebracht? Was hast du vor?«

»Ja, er war geschäftlich ohnehin gerade in der Nähe und konnte somit mit einem Kollegen zurückfahren.«

»Das ist aber wirklich sehr nett von ihm.«

»Jap, aber jetzt steig schon ein!«, drängte Jamie mich. Ich folgte seiner Anweisung und schnallte mich an. Er nahm neben mir auf der Fahrerseite Platz und reichte mir die zwei Kaffeebecher und die Tüte mit den Bageln. Dann schaltete er die Musik ein und fuhr los. Ich hatte wirklich absolut keine Ahnung, was er vorhatte.

»Weiß April Bescheid?«, fragte ich irgendwann.

»Ja, keine Sorge. Sie weiß, dass ich dich für heute entführe.«

»Entführung also?«, fragte ich mit hochgezogener Augenbraue.

»Nenn es wie du willst und hör auf, so viele Fragen zu stellen.«

»Okay, okay«, ergab ich mich gespielt und aß meinen Bagel.

Ich schaute aus dem Fenster und genoss die Aussicht. Für einen Moment dachte ich, wir würden zum Strand fahren, dann bog Jamie aber wieder ins Stadtinnere ab. Wir fuhren in der Nähe des National History Museums und *Citadel Outlets* vorbei.

Wo zur Hölle wollte Jamie hin?

»Verbinde dir die Augen«, sagte er schließlich nach einer Weile. »Da müsste irgendwo mein Schal liegen.«

»Ich soll *was*?« Ich schaute ihn fragend an. Langsam wurde ich doch wirklich nervös …

»Na komm schon, sei keine Spielverderberin.«

Ich suchte nach seinem Schal, den er in das Fach in der Beifahrertür gestopft hatte.

»Wirklich?«, fragte ich skeptisch.

»Jetzt mach schon. Ich muss auf die Straße schauen und kann nicht nonstop im Blick haben, ob du nicht doch schummelst.«

Was hatte er nur vor?! Ich band mir also seinen Schal um die Augen und versuchte, ihm mein ganzes Vertrauen zu schenken.

Wir fuhren und fuhren und allmählich wurde ich ungeduldig und war gestresst.

»Fahren wir noch lange?«, frage ich schließlich nach. Mir wurde warm mit dem Schal im Gesicht.

»Nein, sind gleich da.«

Ich merkte, dass wir abbogen und der Wagen kurze Zeit später zum Stehen kam.

»Verrätst du mir jetzt endlich mal, wo wir sind?«

»Jetzt sei doch nicht so ungeduldig!«

Jamie stieg aus und die Tür fiel ins Schloss. Kurze Zeit später öffnete sich die Beifahrertür und er half mir heraus.

»Achtung, pass auf deinen Kopf auf.«

Ich schaffte es aus dem Auto, ohne mir den Kopf zu stoßen oder hinzufallen.

»Warte, ich helfe dir mit deiner Jacke«, sagte Jamie und zog mir meine Jacke an, ehe er mich an der Hand nahm. »Ich führe dich. Geh nicht zu schnell, ja?«

»Okay, du machst mir langsam wirklich Angst«, erwiderte ich gestresst.

Ich folgte ihm mit gemischten Gefühlen. Es war laut und eine frische Brise wehte. Wir waren irgendwo inmitten von Menschen und ich hatte die Augen verbunden. Ich kam mir echt merkwürdig vor und hielt automatisch seine Hand fester.

»Wir sind gleich da. Dann musst du nur noch einen kurzen Moment Geduld haben.«

»Hatte ich nicht schon genug Geduld?«, fragte ich klagend.

»Nur noch ein kleines Bisschen. Versprochen.«

Ich willigte ein und folgte ihm weiter. Irgendwann blieben wir stehen. Eine ganze Weile standen wir einfach nur da, ehe wir weiter gingen. So ging es noch eine Weile.

»Nur noch ein paar Schritte, dann erlöse ich dich von deiner Augenbinde«, hörte ich Jamies Stimme. Er ließ mich schließlich los und wir blieben wieder stehen. »Bist du bereit?«

»Ja, mach mir den Schal endlich ab!«, sagte ich gestresst.

»Mach es selbst. Ich hab' die Kamera laufen.«

»Wie lange schon?«, fragte ich nervös.

»Kurz bevor wir angekommen sind«, antwortete Jamie und ich glaubte, die Aufregung in seiner Stimme hören zu können.

»Was um alles in der Welt hast du vor?«

»Siehst du, sobald du den Schal abgenommen hast«, antwortete Jamie selbstsicher.

Meine Hände zitterten und ich war verdammt nervös. Ich hatte wirklich keine Ahnung, wo wir waren. Das Einzige, was ich mitbekam, war die Temperatur. Wir waren also draußen. Zudem vernahm ich um uns herum Menschenstimmen und Musik, die ich in diesem Moment allerdings nicht recht zuordnen konnte.

»Kann ich?«, fragte ich und hatte die Hände bereits am Schal, der mir die Augen verband.

»Wenn du bereit bist: jederzeit.«

Ich zog den Schal herunter und blinzelte ein paar Mal. Erst einmal musste ich mich an die neuen Lichtverhältnisse gewöhnen. Langsam hatten sich meine Augen daran gewöhnt und ich schaute in Jamies aufgeregtes Gesicht. Seine Augen strahlten und er sah mich erwartungsvoll an. Ich musste mich nicht weiter umschauen, um zu wissen, wo wir waren. Ich fiel ihm vor Freude um den Hals und er wirbelte mich herum. Wir standen direkt auf der Main Street, die gesamte Straße war in einen weihnachtlichen Lichterglanz getaucht. Die Laternen waren mit Weihnachtskränzen dekoriert und Kunstschnee rieselte auf uns herab. Hinter Jamie, ragte ein riesiger Weihnachtsbaum in die Höhe. Noch nie in meinem Leben hatte ich so einen schönen Baum gesehen.

Mit Tränen in den Augen rang ich um Worte. Ich umarmte Jamie noch mal und bedankte mich dann gefühlt eine Million mal. Die Überraschung war ihm mehr als gelungen!

»Du bist doch verrückt«, lachte ich und wischte mir die Freudentränen weg.

»Ist die Überraschung gelungen?«

»Und wie. Du bist wirklich irre!«

»Na komm schon, die Parade geht gleich los und wir brauchen noch Ohren.«

Ich schüttelte noch immer den Kopf und konnte es nicht fassen, dass Jamie mich ins Disneyland in Anaheim gebracht hatte. Er zog an meiner Hand, damit wir uns noch schnell Mickey- und Minnie-Mouse-Ohren aussuchen konnten. Ich entschied mich für ein Paar in glitzerndem Gold mit ebenfalls glitzernder roter Schleife und Rentiergeweih. Jamie nahm sich Mickey-Ohren mit einer Weihnachtsmütze. Wir zahlten und gingen zurück in die völlig überfüllte Main Street. Er zog mich hinter sich her, damit wir noch einen Platz erhaschen konnten, von dem aus wir eine gute Sicht hatten. Wir drängten uns zwischen unzähligen Leuten hindurch, ehe Jamie mit unserem Aussichtsplatz zufrieden war. Durch die Lautsprecher ertönte mehrfach die Durchsage für die bevorstehende Parade, die Musik wechselte und riesige Nussknacker kamen die Main Street entlang, gefolgt von tanzenden Lebkuchenmännchen. Es folgten weihnachtlich geschmückte Festwagen mit etlichen Disney-Charakteren und schließlich zogen Santa, Mickey und Minnie Mouse noch persönlich ein. Ich heulte Rotz und Wasser. Wenn man Disney eines lassen muss, dann dass sie unfassbare Emotionen bei einem auslösen können. Ich war mit Disney groß geworden. Angefangen mit den Klassikern wie *Ariel, Cinderella* und Co., später dann *Toy Story, Monster AG, Hannah Montana, Cars* und so vielen mehr. *Marvel*. Es würde Stunden dauern, hier alles aufzuzählen. Ich hielt mein Handy in der Hand und filmte die Parade, gab Jamie einen Kuss auf die Wange und bedankte mich noch einmal. Er gab den Kuss auf die Wange zurück und wischte mir die Freudentränen von den Wangen.

»Es freut mich, dass du dich so sehr freust.« Jamie strahlte bis über beide Ohren und ich schämte mich für das ganze Geheule. Aber mit Disney verband ich einfach so viele Emotionen und wenn Disney mich eines gelehrt hatte, dann dass man immer an seine Träume glauben und für sie kämpfen sollte. *A dream is a wish your heart makes* aus Cinderella oder *If you can dream it you can do it* von Walt Disney himself spiegelten das perfekt wider.

»Du hast keine Ahnung, was mir das bedeutet«, sagte ich und

wischte erneut meine nicht enden wollenden Freudentränen weg. »Du bist wirklich total verrückt!«

»Du hattest da mal was erwähnt …«, meinte Jamie grinsend.

»Dass ich der größte Disney Fan bin?«, lachte ich.

Wir lachten gemeinsam und gingen die Main Street hinunter zum *Castle*. Ich drehte innerlich vor Freude beinahe durch. Auch das Schloss war weihnachtlich geschmückt und erleuchtet. Ich konnte mich gar nicht satt sehen an all diesen liebevollen Details, die sie im Disneyland verwendeten. Wir machten Fotos vor Walt und Mickey und vorm Schloss, ehe wir uns für eine Route entschieden. Wir gingen ein paar Schritte zurück und kamen ins *Adventureland*, wo wir ein paar der Fahrgeschäfte ausprobierten, ehe wir weiter zum *New Orleans Square* gingen. Dort betraten wir nach einer gar nicht allzu langen Wartezeit den Mississippi-Dampfer und fuhren eine Runde auf dem River of America.

Anschließend gingen wir weiter nach *Critter Country* und zu Winnie the Pooh, den wir sogar für ein Erinnerungsfoto erwischten. Anschließend wollte Jamie unbedingt in die *Star Wars Galaxy*. Wir standen eine halbe Ewigkeit an, um den *Millennium Falcon* zu »fliegen«.

Über das *Frontierland* kamen wir ins *Fantasyland*. Ich wollte, nachdem wir noch einmal durchs Schloss gegangen waren, unbedingt in *Dumbo the flying elephant*. Ungeduldig wartete ich mit Jamie in der Schlange, die schier endlos schien. Als wir endlich dran waren, wurden wir gebeten, die Ohren abzunehmen, damit wir sie während der Fahrt nicht verlieren würden. Danach gingen wir weiter zu *Peter Pan's flight* und natürlich in die *Mad Tea Party*. Das endlose Warten trieb mich schier in den Wahnsinn, ansonsten wäre ich noch ein paar Runden in den drehenden Tassen geblieben. Wir gingen weiter durch *Alice's Wonderland*. Danach machten wir eine entspannte Fahrt mit den *Storybook Land Canal Boats*. Wir kamen an unzähligen Geschichten vorbei. Es war alles bis ins noch so kleinste Detail mit Liebe gefüllt.

Wir machten noch einen kurzen Abstecher in *Mickey's Toontown* und ins *Tomorrowland*.

Zurück auf der Main Street angekommen, holten wir uns etwas zu Essen und eine Coke.

»Das war mega. Danke!«, bedankte ich mich erneut bei Jamie und wünschte ihm einen guten Appetit.

»Das freut mich. Ich dachte, nach der ganzen Arbeit und dem vielen Lernen könnte eine Auszeit nicht schaden.«

»Das war die beste Auszeit meines Lebens!«

»Das Beste kommt doch erst noch«, grinste Jamie.

»Was denn?«

»Na die Lichtershow findet noch statt. Wenn wir gegessen haben, sollten wir uns einen Platz sichern, wenn du nicht in der letzten Reihe stehen möchtest.«

»Oh mein Gott, an die hab' ich gar nicht mehr gedacht! Bleiben wir echt noch dafür?«

»Natürlich!«

Wir aßen auf und schlenderten gemütlich zum Castle zurück. Ich begann ein wenig zu frieren und hoffte, dass es nicht noch kälter wurde.

»Ist dir kalt?«, fragte Jamie. War es mir so sehr anzusehen?

»Es geht. Ein wenig vielleicht.«

»Willst du meinen Schal oder Jacke? Soll ich dir noch einen Pullover oder so besorgen?«

»Nein, das geht schon«, antwortete ich.

»Nein quatsch, komm ich hol dir noch schnell was Warmes.« Und ehe ich protestieren konnte, war Jamie schon los. Ich schüttelte den Kopf über ihn und genoss dann die Atmosphäre, die hier überall verbreitet wurde. So viel Weihnachtsstimmung hatte ich in diesem Jahr noch nicht empfunden. Es war gänzlich überfüllt und doch herrschte eine ausgelassene und glückliche Stimmung in all dem Gedränge. Der Duft von Popcorn lag in der Luft und die Musik der Lautsprecher hallte im Hintergrund durch den Park. Ich war immer wieder aufs Neue erstaunt, wie Disney diese unfassbaren Welten und Gefühle erschaffen konnte. Sobald man den Park betrat, war man in einer komplett anderen Welt und vergaß alles andere während seiner Zeit hier. Die Welt da draußen gab es hier drinnen nicht und auch keine Zeit. Ein einziger Zauber lag in der Luft, als ob Walt Disney persönlich seinen Geist verbreitete. Die Straße füllte sich immer mehr. Ich schaute verträumt zum Schloss hinüber und freute mich wie ein kleines Kind auf die spektakuläre Lichtershow. Ich kannte sie bisher nur von Videos aus dem Internet. Es war gerade einfach ein unbeschreibliches Gefühl. Einfach nur hier zu sein, im Disneyland, nachdem ich die letzten Wochen schon einen so großen Teil meines Traumes gelebt hatte. Genau das war es, wofür sich all die harte Arbeit und die schlaflosen Nächte ausgezahlt hatten.

»Hier, ich hoffe, das wärmt dich und passt einigermaßen«, sagte Jamie und reichte mir eine Tüte.

»Was bekommst du dafür von mir?«, fragte ich.

»Nichts. Zieh es an, bevor du erfrierst!«

»Aber …«

»Nichts aber.«

»Dann wenigstens Danke!«, sagte ich, zog den perfekt passenden Pullover über und setzte die Mütze auf.

»Sehr gerne. Sieh es als Weihnachtsgeschenk, dann muss ich nicht nochmal extra los.«

Ich lachte: »Mit dem Geschenk hast du für die nächsten Jahre ausgesorgt.«

Bis die Lichtershow begann, standen wir einfach nur da und genossen den Abend. Wir unterhielten uns und machten noch ein paar Erinnerungsfotos wie schon den ganzen Tag über. #Disneyland #Christmas #LA #aDreamComeTrue

Endlich hallte die lang ersehnte Durchsage aus den Lautsprechern, gefolgt von einem Raunen in der Menge. Die Aufregung und Vorfreude aller lag förmlich in der Luft.

Eine Erzählerstimme erfüllte die Luft, während das Schloss allmählich beleuchtet wurde und das Animationsspektakel losging. Musik ertönte und wir wurden durch die Geschichte der Lichtershow geführt. Feuerwerk wurde entzündet und Wasserfontänen schossen gen Himmel empor. Die Menschenmasse klatsche und jubelte. Ich schielte kurz zu Jamie hinüber, der neben mir stand und der Show gebannt folgte. Es war einfach unglaublich, dass er diesen unfassbaren Tag so spontan möglich gemacht hatte. Er schien meinen Blick auf sich zu spüren und schaute glücklich zu mir hinüber. Ich folgte wieder dieser einzigartigen Show, die mir abermals Tränen in die Augen trieb und eine Gänsehaut verpasste. *Das* ist Kunst, Talent, einfach einzigartig!

Ich spürte, wie Jamie seinen Arm um mich legte und schaute zu ihm hoch. Er lächelte mich an, verfolgte dann aber weiter die Animation. Ohne darüber nachzudenken, lehnte ich meinen Kopf an seine breite Schulter und genoss den Moment. Ich spürte, dass sein Blick für einen Moment wieder zu mir wanderte, ehe die Lichtershow und das Feuerwerk ihren Höhepunkt nahmen. Gegen Ende der Show wurde ein großer Santa Claus auf das Schloss projiziert und nachfolgend wurde dieses in eine Weihnachtskulisse verwandelt. Unmengen an Feuerwerk schoss in den dunklen Himmel und erleuchtete alles, ehe es dunkel wurde. Eine letzte Animation wurde auf das Schloss projiziert und die Parkbesucher wurden verabschiedet. Tosender Applaus durchbrach die Stille des Abends – und das Gedränge ging los. Wir blieben noch eine Weile, bis die meisten Leute gegangen waren und folgten dann den anderen Parkbesuchern nach draußen zu den Parkplätzen.

Wir stiegen in Jamies Auto ein und er schaltete die Heizung ein.

»Danke noch mal für den perfekten Tag«, sagte ich zu ihm.

»Sehr gerne, es freut mich, dass die Überraschung gelungen ist.«

»Und wie! Du bist echt wahnsinnig. Ich schulde dir was.« Ich wusste, dass es keine preiswerte Überraschung war, aber er hatte mir mehrfach zu verstehen gegeben, dass er kein Geld dafür haben wollte.

»Nein, tust du nicht.«

Ich schaute ihn einen Moment lang an, seine Wangen waren leicht gerötet, da die Autoheizung langsam warm wurde. Er trug noch immer seine Mickey-Ohren, schaute konzentriert auf die Straße vor uns und versuchte, sich in all die davonfahrenden Autos einzureihen. Jamie schaute ebenfalls einen Moment zu mir hinüber.

»Ist dir warm genug?«, erkundigte er sich.

»Ja, danke«, erwiderte ich, lehnte meinen Kopf gegen die Scheibe und schaute gedankenverloren in die Nacht.

Ich liebte diese Stadt bei Nacht, all diese Lichter, die im Dunkeln vor einem lagen. Wie tausende winzig kleine Sterne funkelten sie und erleuchteten das Dunkel der Nacht.

»Tay, wir sind da«, weckte mich Jamies Stimme. Verschlafen blinzelte ich und musste mich erstmal zurechtfinden.

»Wo sind wir?«, murmelte ich verschlafen.

»Wir sind zurück beim Wohnheim. Du bist auf der Rückfahrt eingeschlafen.«

»Oh Gott, tut mir leid!«, entschuldigte ich mich, während ich langsam wach wurde.

»Kein Problem, ich wusste nur nicht, ob ich Ärger bekommen hätte, wenn ich dich reintrage.«

»Nein, nein, das schaffe ich noch allein«, meinte ich und schnallte mich ab. Dann stieg ich aus. Ich nahm meine Tasche und gemeinsam gingen wir hinein.

»Gute Nacht, schlaf gut«, sagte Jamie noch zum Abschied und gab mir einen Kuss auf die Wange.

»Danke, du auch«, antwortete ich und umarmte ihn, ehe ich zu Aprils und meinem Zimmer ging. Leise schlich ich hinein, um sie nicht zu wecken, falls sie schon schlief.

Ich zog meine Sachen leise im Bad aus und zog meine Schlafsachen an. Danach putzte ich noch rasch meine Zähne, bevor ich mich leise ins Bett begab, wo ich sofort zufrieden einschlief.

»Guten Morgen. Erzähl schon, wie war's?!«, drängte mich April. Müde öffnete ich die Augen und richtete mich auf.

»Was?«, murmelte ich.

»Wie war es?! Wann warst du zurück? Ich hab' schon geschlafen …«

»Du bist ja gar nicht neugierig«, neckte ich sie und rieb mir noch verschlafen die Augen. Wie spät war es überhaupt? Ich tastete nach meinem Handy. Sie hatte Glück, dass der Wecker ohnehin jeden Moment geklingelt hätte.

»Nun erzähl schon! Was habt ihr gemacht? Was lief da?«

»Erstmal lief da gar nichts! Zweitens: Jamie hat mich auf der Arbeit überrascht und ist mit mir ins Disneyland gefahren.«

»Er ist mit dir ins Disneyland gefahren? Und du willst mir weismachen, da lief rein gar nichts? Ihr müsst nach Mitternacht zurück gewesen sein!« Ihre Stimme überschlug sich fast vor Neugierde.

»Deshalb muss da doch nichts gelaufen sein! Kannst du es mal gut sein lassen?«, schnaubte ich sie genervt an und selbst wenn, wäre es immer noch unsere Sache gewesen.

Ich stand auf und machte mich fertig. Anschließend packte ich meine Sachen zusammen.

»Kümmer dich mal lieber darum, dass du deine Klausur bestehst«, meinte ich genervt, ehe wir gemeinsam das Zimmer verließen und zur Uni rüber gingen.

Die letzte Klausur stand heute an und ich war verdammt müde. April hatte Recht. Wir waren erst irgendwann nach Mitternacht zurück gewesen und das ganze Lernen und die vielen Schichten raubten mir ganz schön die Energie.

»Guten Morgen. Gut geschlafen?«, begrüßte uns Jamie, der uns mit Paul auf dem Weg eingeholt hatte.

»Guten Morgen. Ja und selbst?«, antwortete ich müde.

»Auch.«

»Gut, da wir das ja jetzt geklärt haben: Wie lief's denn gestern Abend?«, fragte Paul schelmisch grinsend.

»Gut, wir hatten Spaß«, sagte ich. »Freut mich, dass wir scheinbar so spannend sind.« Ich verdrehte die Augen.

»Warum so abweisend?«, fragte Paul gespielt verärgert.

»Weil ihr eure Nase nicht immer in alles reinstecken müsst. Jamie hat mich auf der Arbeit überrascht und wir hatten einen tollen Abend. Mehr gibt es da nicht zu berichten!«

Ich schaute kurz zu Jamie. Er wirkte ein wenig abwesend. Ich wollte ihn fragen, ob alles okay sei, aber er schaute nicht zu mir rüber, weshalb ich es sein ließ. Den Rest des Weges gingen wir schweigend nebeneinanderher. Irgendwie wirkte es etwas angestrengt, aber darüber konnte ich mir jetzt keine Gedanken machen. Ich musste mich auf die Klausur konzentrieren. Es war die letzte vor den Semesterferien.

Die Klausur war zum Glück einfacher als gedacht und ich hatte ein wirklich gutes Gefühl.

Im Anschluss hatte ich für heute nichts mehr vor, also nutzte ich die freie Zeit, um unser Zimmer aufzuräumen, sauber zu machen und Wäsche zu waschen. Danach setzte ich mich einfach nur mit einem Buch in einen der Lernräume, um meine Ruhe zu haben. Ich wollte gerade einfach nur ungestört sein und lesen.

Am nächsten Tag bekamen wir einige der Klausuren zurück und mir fiel ein Stein vom Herzen, dass ich sie mit *gut* oder *sehr gut* bestanden hatte. Ich erkundigte mich auf dem Weg nach draußen bei April, Jamie und Paul, wie ihre Klausuren ausgefallen waren. Sie hatten ebenfalls mit *gut* oder *sehr gut* bestanden.

Als auch die restlichen Klausuren ein paar Tage später fertig benotet waren, bekamen wir auch diese zurück. Ein, zwei Fehler hatten sich eingeschlichen, aber sie waren trotzdem mit *gut* bestanden. Ich hatte mir schon gedacht, dass ich die Zahlen bei der Calvin-Aufgabe nicht ganz korrekt hatte. Aber bestanden war bestanden und wir freuten uns riesig darüber. So konnten wir guten Gewissens in die Semesterferien starten.

Es war endlich so weit: Wir hatten Semesterferien. April und ich hatten unsere Taschen gepackt und ich versicherte mich noch einmal, dass wir auch an alle Geschenke für Jamies Eltern gedacht hatten. Da klopfte es auch schon an der Tür.

»Seid ihr startklar?«, fragte Jamie, nachdem April ihm die Tür geöffnet hatte.

»Ich denke schon«, erwiderte sie und schaute fragend zu mir rüber. Ich nickte und nahm mein Gepäck.

»Super, dann können wir ja los. Soll ich euch was abnehmen?«

Wir schüttelten den Kopf und folgten Jamie zum Auto, wo wir unser Gepäck im Kofferraum verstauten.

April setzte sich nach hinten und ich zögerte, ob ich mich zu ihr oder nach vorne setzen sollte. Ich entschied mich dann, doch vorne auf dem Beifahrersitz Platz zu nehmen.

»Na dann: Lasst uns los!«, sagte Jamie und fuhr vom Parkplatz.

»Ist es okay, wenn ich kurz versuche, meine Mom zu erreichen? Es ist ja schon Heiligabend in Hamburg …«, fragte ich.

»Klar«, antwortete Jamie und drehte die Lautstärke der Musik ein wenig herunter.

Ich nahm mein Handy aus der Tasche und öffnete FaceTime. Es klingelte und ich wartete ungeduldig.

»Hi Taylor, frohe Weihnachten!«, begrüßte meine Mom mich.

»Hi Mom, hi Ella«, begrüßte ich meine Mom und meine Schwester, die dazugekommen war »Bei uns ist erst morgen Weihnachten.«

»Ach ja, in Amerika ist das ja am Fünfundzwanzigsten«, sagte Mom.

»Wie geht's euch? Liegen die Geschenke schon unterm Baum?«, erkundigte ich mich.

»Gut und euch? Ja, die liegen bereit. Und wo seid ihr? Seid ihr unterwegs?«, erkundigte sie sich.

»Ja. April und ich fahren doch mit Jamie über die Ferien zu seinen Eltern nach San Francisco.«

»Ach ja, das hattest du erzählt. Ich wünsche euch ganz viel Spaß. Und benimm dich!«

»Danke. Na klar, mache ich doch immer!«

»Ich vermiss dich, Tay«, sagte Ella plötzlich.

»Ich dich auch kleine Maus«, antwortete ich und versuchte, die Tränen zu unterdrücken. »Ist mein Weihnachtspaket angekommen?«

Sie nickte freudestrahlend »Mama hat aber alles unter den Baum getan. Ich soll geduldig sein.«

Ich musste lachen, typisch Mom.

»Wo wir gerade telefonieren …«, druckste meine Mom herum.

»Ja?«, sie machte mir Angst.

»Mama hat einen neuen Freund!«, posaunte Ella es gleich heraus. Ich sah, wie Mom sie unterbrechen wollte.

»Ella!«

»Was denn, das wolltest du ihr doch sagen, oder nicht?«, fragte Ella frech, wie sie war.

»Ja, du sagst es. *Ich* wollte es ihr sagen«, erwiderte meine Mom leicht gereizt. »Sei es drum. Jetzt ist es ja raus. Ich wollte es dir eigentlich selbst sagen … Er heißt Daniel, ich habe ihn vor einer Weile in seinem Restaurant kennengelernt … Er ist auch gerade da … Wir verbringen Weihnachten zusammen …« Es war offensichtlich, dass es meiner Mom schwerfiel, das Thema anzusprechen.

»Das freut mich für dich«, sagte ich ehrlich. »Kann ich mal *Hallo* sagen?«

Sie rief ihm zu, ob er mal *Hallo* sagen wollte. Kurz darauf erschien er sichtlich verlegen neben ihr.

»Darf ich vorstellen: meine Tochter am anderen Ende der Welt«, sagte sie zu ihm.

»Hi, freut mich«, sagte ich ebenfalls etwas zögerlich.

»Hallo, ich bin Daniel … freut mich ebenfalls.«

Es herrschte eine peinliche Stille.

»Na ja, ich wünsche euch dreien schöne Weihnachten. Hat mich gefreut, dich kennenzulernen, Daniel«, sagte ich.

»Danke, euch auch. Liebe Grüße«, antwortete Mom und ich legte auf.

Ich fühlte mich gerade etwas überfallen. Aber gut, wie hätte sie es mir auch anders sagen sollen?

»Alles in Ordnung?«, fragte April von hinten und lehnte sich vor. Ich nickte. Ich freute mich für meine Mom, aber es war trotzdem komisch, dass sie Dad doch recht schnell ersetzt hatte – und das dann übers Telefon zu erfahren, war erst recht seltsam.

»Er scheint doch ganz nett zu sein …«, versuchte April es.

»Ja …«, murmelte ich und schaute gedankenverloren hinaus.

»Was ist los?«, wollte Jamie wissen. Ich hatte ganz vergessen, dass der Arme ja gar kein Wort verstanden hatte. Schließlich hatten wir auf Deutsch miteinander gesprochen.

»Nichts, alles gut«, sagte ich schnell.

Er schaute mich kurz prüfend an, ehe er wieder auf die Straße schaute.

»Sicher?«

»Ja, meine Mom hat bloß einen neuen Freund …«, antwortete ich.

»Und ist das nicht was Gutes?«, fragte er etwas verwirrt.

Ich schwieg, drehte die Musik lauter und schaute aus dem Fenster. Ich hatte keine Lust, darüber zu reden.

Wir fuhren eine ganze Weile, ehe Jamie fragte, ob wir ebenfalls Hunger hätten. Den hatten wir, also fuhren wir bei der nächsten Möglichkeit von der Straße ab und gingen etwas essen und zur Toilette. Danach hatte sich meine Laune bereits gebessert.

Wir bestellten noch einen Kaffee für die Fahrt und gingen zurück zum Auto.

»Soll ich weiterfahren?«, fragte ich Jamie.

»Darfst du denn?«, fragte er zurück.

»Vorausschauend habe ich damals den internationalen Führerschein gemacht«, erwiderte ich grinsend. »Also, was ist?«

»Noch gehts, später vielleicht«, meinte er.

»Gut, dann bin ich dafür der DJ!«, sagte ich entschlossen und stieg ein.

»Wer sagt, dass ich dich die Musik aussuchen lasse?«, grinste Jamie.

»Ich – und im Zweifel wird April auf meiner Seite sein«, entgegnete ich ebenfalls grinsend und ging auf Spotify.

Dort wählte ich meine Lieblingsplaylist aus und ließ sie laufen. Einige der Songs sangen April und ich lauthals mit. Dabei war es uns völlig egal, ob wir singen konnten oder nicht. Jamie hingegen stimmte nur ab und zu bei einigen Songs mit ein. Das Ganze schien ihm ein wenig peinlich zu sein.

Nach einer ganzen Weile kam schließlich einer meiner absoluten Lieblingssongs: *City of Angels* von 30 Seconds to Mars. Das originale Video berührte mich seit jeher und ich bekam jedes Mal eine Gänsehaut, weil es meinen Traum so sehr verkörperte und mir zeigte, dass ich nicht die Einzige war, die für ihren Traum alles auf LA setzte. Die Stadt der Engel, die Stadt der Träume und die Stadt der gescheiterten Träume. Alles oder nichts. Ruhm war Segen und Fluch zugleich. Die Stadt konnte dir alles geben und trotzdem so viel nehmen! Du kannst deine Träume leben und trotzdem wird es Leute geben, die es dir nicht gönnen und du wirst dich allein fühlen, obwohl du unter Menschen bist. Es gab einfach Songs wie diesen, mit denen ich so viel verband und immer verbinden werde, genauso wie mit der Band. Dieser Traum von LA, er bedeutete mir einfach unbeschreiblich viel.

»Normale« Leute können es nicht nachvollziehen, denn dieses Verlangen und diese Sehnsucht nach etwas, was man nicht hat, ist wirklich unfassbar groß! Einen kreativen Menschen kann man nicht in ein »normales« Leben sperren. Dieses Leben, wie es für den Großteil der Leute völlig zufriedenstellend ist, das funktioniert für Leute wie mich einfach nicht. Ein *Nine-to-five-Job* ist nun mal nichts für uns. Die Nebenjobs machte ich jeher einzig und allein deshalb, um mir meinen Traum zu ermöglichen. Wäre das mein normaler Alltag, würde ich wahnsinnig werden. Die Arbeit unterfordert einen viel zu sehr und gibt einem das Gefühl von Leere und Unausgeglichenheit. Irgendetwas fehlt einfach. Das soll nicht verurteilend klingen, jeder soll das machen, was ihn oder sie glücklich macht und für mich war es eben das Kreative. Ich musste etwas Schaffen, meinem Geist freien Lauf lassen und mich ausprobieren. Ich erinnerte mich daran zurück, dass ich ein Motivationsschreiben für die Bank schreiben musste, damit sie entscheiden konnten, ob sie mir den Kredit für die Uni genehmigen würden oder nicht. Ich wusste direkt, was mich motivierte, aber es fiel mir schwer, es in Worte zu fassen für Leute, die damit überhaupt nichts anfangen können. Aber ich schrieb einfach los und hoffte, dass sie es verstehen würden. Denn dieses Feuer, das in mir lodert, wenn ich von meinen Träumen erzähle, ist alles, was mich antreibt. Ich liebe es, neue Welten zu erschaffen oder Charakteren Leben einzuhauchen. Kein Tag ist in dieser Branche wie der andere. Das Leben hier ist voller Herausforderungen, die einen bis an die eigenen Grenzen bringen, aber einen am Ende des Tages weiterbringen und fordern. Man lernt die unterschiedlichsten Menschen kennen und wächst zu einer, wenn vielleicht auch nur vorübergehenden, Familie zusammen. Wie man aus einer langweiligen grünen Wand eine komplett explodierende Stadt erschaffen oder wie man in einem 3D-Programm Gegenstände und Figuren erschaffen konnte, faszinierte mich absolut. Ich selbst habe dahingehend zwar kein Talent, dafür aber umso größeren Respekt vor denen, die diese Kunst beherrschen. Man konnte mit den Geschichten, Bildern und Charakteren den Lesern und Zuschauern so viel geben … Dieses unbeschreibliche Gefühl ist das, was immer bleibt.

»Hey, bist du noch anwesend?«, riss mich Jamies Stimme aus den Gedanken. Ich war durch das Lied völlig abgedriftet.

»Ehm ja, sorry. Das Lied hat mich gedanklich abschweifen lassen«, sagte ich peinlich berührt.

»Alles gut, wir wollten bloß noch mal eine Pause machen.«

»Ja, klar, gerne«, antwortete ich.

»Kleine Träumerin«, meinte er lachend und zwinkerte mir zu.

Er fuhr auf den Parkplatz des Fastfood-Restaurants und wir vertraten uns ein wenig die Beine. Wir hatten über die Hälfte der Strecke hinter uns und waren langsam ziemlich erledigt.

»So, auf gehts. Letzte Etappe«, sagte Jamie.

»Soll ich dich wirklich nicht ablösen?«, fragte ich noch einmal.

»Nein, es geht noch, danke. Wir brauchen doch außerdem unseren DJ«, meinte er grinsend.

»Na gut.«

Wir stiegen wieder ins Auto und fuhren das letzte Stück der Strecke.

»Ist Maschine Gun Kelly okay?«, fragte ich.

»Klar«, sagte April und Jamie nickte. »Was immer du willst.«

Ich drehte die Playlist auf und sang wieder lauthals mit.

»Du bist verrückt, du Träumerin«, meinte Jamie kopfschüttelnd.

»Du wolltest, dass ich weiter DJ spiele!«, erwiderte ich lachend.

»Ich sag ja nichts. Ich finde es nur erstaunlich, dass du echt jeden Song mitsingen kannst.«

»Jap, jeden«, entgegnete ich lachend, »frag April.«

»Tay hat Recht, sie kennt wirklich jeden Song auswendig«, stimmte April mir zu.

»Na komm, sei nicht so ein Schisser. Was willst du hören? Wo singst du mit?«, wollte ich wissen.

»Hmm. *Numb* von Linkin Park ist nicht schlecht«, antwortete Jamie.

»Perfekt, kenne ich auswendig«, lachte ich und wählte den Song aus.

Zu dritt gaben wir den Song zu unserem Besten.

Wir grölten aus vollem Halse mit.

Wir waren fast bei der Oakland Bay Bridge angekommen und waren nicht mehr allzu weit von Jamies Elternhaus entfernt.

Ich war langsam wirklich froh, wenn wir endlich ankommen würden. Wir waren jetzt gute sechs Stunden unterwegs.

Ich schrieb kurz Georg, wünschte ihm frohe Weihnachten und teilte ihm mit, dass wir jetzt fast bei Jamies Eltern waren. Außerdem schickte ich eine kurze Nachricht an Emil. Ab und an schrieben oder telefonierten wir kurz. Dann packte ich das Handy aber auch wieder beiseite.

Langsam war ich wirklich aufgeregt. Ich hatte Jamies Eltern vorher noch nicht kennengelernt und hoffte, einen guten Eindruck zu hinterlassen.

Ich bat Jamie, noch kurz bei einem Geschäft zu halten, damit wir seiner Mom noch ein paar schöne Weihnachtsblumen mitbringen konnten.

Wir ließen von der Verkäuferin etwas Schönes in den Farben rot, grün und weiß zusammenstellen und fuhren dann wirklich das letzte Stück zu Jamies Eltern.

Er fuhr die Auffahrt hinauf, wo seine Mutter auch direkt freudig aus der Tür und zum Auto gelaufen kam.

Jamie war kaum ausgestiegen, da drückte sie ihn schon fest an sich, was ihm sichtlich unangenehm war. April und ich stiegen ebenfalls aus und stellten uns vor, ehe wir den Blumenstrauß übergaben und uns höflich für die nette Einladung bedankten.

»Danke für die wunderschönen Blumen«, bedankte sich Jamies Mom Rose. Ihr Mann Dan war mittlerweile ebenfalls dazu gekommen und hieß uns herzlich willkommen. Jamie und er trugen unser Gepäck herein.

»Ich hoffe, euch gefällt das Gästezimmer«, meinte Rose und ließ uns hinein.

Es war ein schönes Gästezimmer im maritimen Stil. Es beherbergte zwei Queensize-Betten mit je einem kleinen Nachtschrank. Unter dem Fenster stand ein alter, dennoch schicker Schreibtisch mit einem Sessel in Blau und Beige. Hinter der Tür lag ein kleiner begehbarer Kleiderschrank mit genügend Platz für unsere Sachen. Daneben war ein kleines Bad.

»Vielen Dank noch einmal für die liebe Einladung«, bedankte ich mich, »Ich hoffe, es macht wirklich keine allzu großen Umstände.«

»Sehr gerne! Jamies Freunde sind bei uns immer herzlich willkommen«, erwiderte Rose freundlich. »Ich lasse euch dann mal in Ruhe auspacken. Wenn ihr fertig seid, könnt ihr gerne ins Esszimmer kommen. Ich habe Kuchen vorbereitet. Ich hoffe, ihr mögt Käsekuchen?«

»Und wie!«, sagten April und ich wie aus einem Munde.

»Habt ihr alles, was ihr braucht?«, fragte Jamie, der gerade seinen Kopf zur Tür hereinsteckte.

Wir nickten und packten aus. Danach folgten wir der Einladung von Rose.

Ich bot meine Hilfe an, doch sie hatte schon alles eingedeckt. Es roch herrlich nach warmer Schokolade und frisch gebackenem Käsekuchen. Rose hatte einen Käsekuchen mit Vanillekipferln gebacken, der wirklich äußert lecker aussah.

Jamie nahm als Erster Platz und der Rest folgte ihm.

»Der Kuchen schmeckt wirklich ausgezeichnet«, meinte ich, nachdem ich ihn probiert hatte.

»Danke, das freut mich«, bedankte sich Rose.

»Jamie hat erzählt, dass ihr zwei aus Deutschland kommt?«, begann Jamies Dad Dan ein Gespräch.

»Ja, aus Hamburg«, sagte April.

»Wie kommt man denn dann zum Studieren nach Los Angeles?«, erkundigte er sich interessiert, aber nicht aushorchend weiter.

»Weil die UCLA eine der besten Universitäten und weil Los Angeles die Stadt der Filme ist«, antwortete ich.

»Echt mutig, so weit weg in einem anderen Land, auf einer anderen Sprache zu studieren«, sagte Rose anerkennend.

»Mutig oder wahnsinnig, das wird sich noch herausstellen«, entgegnete April.

»Wie läuft es denn so? Jamie hat erzählt, ihr hattet bereits ein paar Klausuren?«, fragte Rose.

»Die liefen gut, wir haben sie alle bestanden«, antwortete Jamie seiner Mom und nahm noch Nachschlag. Manchmal fragte ich mich, wie er so viel ungesundes Zeug essen und trotzdem derart durchtrainiert sein konnte.

»Dann Gratulation. Ihr müsst erschöpft von der langen Fahrt sein. Wenn ihr etwas Ruhe wollt, könnt ihr euch gerne jederzeit zurückziehen.«

»Danke, das ist wirklich sehr lieb«, bedankte ich mich, aber wir wollten nicht unhöflich sein.

»Können wir heute Abend noch zu Kyle?«, erkundigte sich Jamie bei seinen Eltern.

»Klar, solange ihr morgen da seid«, antwortete Dan.

»Danke und natürlich.«

Nachdem alle aufgegessen hatten, halfen April und ich Rose beim Abräumen. Jamie war mit seinem Dad irgendwo verschwunden. Ich nutzte die Chance, um seine Mom ein bisschen besser kennenzulernen und unterhielt mich währenddessen mit ihr.

»Das Haus ist echt schön«, versuchte ich ein Gespräch aufzubauen. »Mir gefällt, wie es dekoriert wurde.«

Rose hatte tatsächlich ein Händchen für geschmackvolle Weihnachtsdekoration. Es war dezent und trotzdem nicht zu wenig. Sie hatte Tannengirlanden mit Lichtern und roten Schleifen aufgehängt. In der Küche standen Blumen in einer großen Vase und eine Etagere war mit weihnachtlichen Objekten dekoriert. Im Wohnzimmer hatte ich einen großen Weihnachtsbaum ausgemacht, der voll behängt war mit Kugeln, Ornamenten, Girlanden und Lichtern. Oben auf der Spitze strahlte ein großer Weihnachtsstern.

»Vielen Dank. Jamie hat viel von euch erzählt und auch von Paul. Es freut mich, dass er so schnell Anschluss gefunden hat.«

Ich lächelte sie an. Jamie schien wirklich tolle Eltern zu haben, die ihn unterstützten.

»Seid ihr fertig?«, fragte Jamie, der gerade in die Küche kam.

»Ja«, erwiderte seine Mom. »Geht nur. Viel Spaß und richte Kyle und seinen Eltern Grüße aus.«

»Mache ich, Mom«, meinte Jamie und verschwand wieder aus der Küche. April und ich folgten ihm in den Flur, wo wir uns unsere Jacken und Stiefel anzogen.

Kyle wohnte nur ein paar Häuser weiter und war Jamies bester Freund seit Kindertagen, wie er uns auf dem Weg dorthin berichtete.

Jamie klingelte an der Tür und wartete ungeduldig.

»Hey, wie geht's, Bro? Lange nicht gesehen«, fragte ein Typ in unserem Alter, der in der Tür erschien. Ich nahm an, dass das Kyle war. Sein Look war sehr speziell. Er trug einen ärmellosen schwarzen Rollkragenpullover, mit einer weiten schwarzen Stoffhose. Um seinen Hals trug er eine Perlenkette und an den Fingern einige Ringe. Seine dunklen Haare trug er sehr kurz. Einige Tattoos blitzten unter seiner Kleidung hervor.

»Gut und selbst?«, antwortete Jamie »Das sind April und Tay, von denen hab' ich dir ja erzählt.«

»Hi!«, sagten wir und hoben die Hand.

»Kommt rein, ist kalt hier draußen«, bat uns Kyle herein.

Wir gingen in sein Zimmer, das ziemlich groß war. Es war ordentlich, aber auf dem Schreibtisch lagen etliche Entwürfe und Stoffmuster herum. Daneben standen eine Schneiderpuppe und eine Nähmaschine.

»Designst du?«, fragte ich neugierig.

»Ja, ich studiere Modedesign in New York«, erwiderte er.

»Darf ich?«, fragte ich und deutete auf seinen Schreibtisch mit den Entwürfen.

»Klar.«

Ich ging bedächtig auf den Schreibtisch zu, denn ich wusste, dass er ihm heilig sein musste, so wie auch mir mein Arbeitsplatz heilig war. Eigentlich zeigte man niemandem etwas Unfertiges. Umso mehr schätze ich es, dass er es mir erlaubt hatte. Seine Entwürfe waren unfassbar gut und sein Stil äußerst interessant.

»Die sehen umwerfend aus!«, sagte ich staunend, während ich mir weitere Entwürfe anschaute.

»Danke sehr«, bedankte Kyle sich verlegen. »Ich gebe mein Bestes.«

»Wenn ich mal ein Kleid brauche, wende ich mich wohl an dich«, sagte ich.

»Sehr gerne.«

»Du musst dir die Entwürfe mal anschauen, Ap, die sind der Wahnsinn!«, sagte ich und wollte sie April zeigen. Sie fuhr mit ihrer Hand gerade über einen der Stoffe und schaute sie sich an.

»Die sind wirklich mega gut! Ich reserviere mir auch schon mal eins!«, sagte sie.

»Ist notiert.«

»Wollten wir einen entspannten Abend haben oder shoppen?«, scherzte Jamie und ließ sich auf einen Sitzsack fallen.

Wir machten es uns gemütlich und schauten einen Marvel-Film. Kyle hatte Pizza bestellt, eine mit Käse im Rand.

Es war ein wirklich entspannter und netter Abend, der besonders nach der langen Autofahrt sehr guttat.

Nachdem der Film zu Ende war, verabschiedeten wir uns allerdings und gingen zurück zu Jamies Elternhaus.

»Gute Nacht, Mädels«, wünschte Jamie uns.

»Danke, dir auch«, erwiderten wir.

Er schloss die Tür hinter sich und nachdem wir wieder in unserem Gästezimmer angekommen waren, ließ ich mich müde aufs Bett fallen.

»Du meine Güte, ist Kyle hot!«, platzte es sofort aus April heraus.

»Da hat es wohl jemanden erwischt!«, meinte ich lachend.

»Hast du gesehen, wie trainiert er ist?! Und seine Augen!«

»Sabber nicht«, ärgerte ich sie. »Ja, schon.«

»*Ja schon*?! Hast du Augen im Kopf?«

»Dich hat es ja echt mega erwischt«, grinste ich und zog mir meinen Pyjama an.

»Meinst du, der hat 'ne Freundin?«, begann April zu fantasieren.

»Ich kann Jamie ja mal fragen …«, bot ich an.

»Untersteh dich!«

»Oh, er darf es also nicht wissen«, zog ich sie auf.

»Du bist so doof!«, schmollte sie.

»Das sagt die Richtige.«

»Sei still!«, raunte sie mich an.

»Okay, okay! Gute Nacht, träum was *Schönes*.« Ich konnte die Andeutung einfach nicht sein lassen.

»Werde ich!«, antwortete April entschlossen.
Ich löschte das Licht und fand schnell ins Land der Träume.

»Merry Christmas!«, begrüßte ich April, als sie aufwachte.
»Wünsche ich dir auch. Merry Christmas!«
»Gut geträumt?«, grinste ich.
April warf ein Kissen nach mir. Ich lachte und schmiss es zurück.
»Meinst du, wir können schon aufstehen?«, fragte ich sie und fühlte mich etwas unwohl. Wir waren schließlich nur zu Gast.
»Ich denke schon. Schreib doch sonst mal Jamie«, schlug April vor.
»Keine schlechte Idee.«

Ich: Merry Christmas! Bist du schon wach?

Jamie: Dir auch. Ja

Ich: Dann komm her.

Jamie: Ok.

Kurze Zeit später klopfte es an der Tür.
»Ho, ho, ho!«, ertönte es von draußen und ich musste lachen.
»Komm rein, du Spinner!«
Jamie öffnete die Tür und kam herein.
»Weihnachtspyjamas?«, fragte ich lachend und schaute ihn mit hochgezogener Augenbraue an.
»Aber selbst!«
»Tradition ist Tradition«, meinte ich ernst.
»Dir auch einen guten Morgen«, brummte April.
»Was ist denn mit dir los? War der Grinch etwa da?«, zog Jamie sie auf.
»Sehnsüchte …«, witzelte ich.
Jamie schaute mich fragend an und April schmiss mich erneut mit ihrem Kissen ab.

»Selbst schuld, wer seine Nase überall reinsteckt«, ärgerte ich sie weiter.

»Jaja, ist ja gut.«

»Okay, ich hinterfrage das jetzt mal nicht«, beschloss Jamie.

»Kluge Entscheidung«, sagte ich und machte Platz für ihn. »Setz dich.«

Er machte es sich neben mir auf dem Bett gemütlich.

»Wie sehen die Pläne für heute aus? Wie läuft Weihnachten bei euch ab?«, erkundigte ich mich.

»Entspannt frühstücken, Geschenke auspacken ... abends ein Festessen ...«

»Klingt gut. Hilfst du uns dann mit den Geschenktüten?«

»Stets zu Ihren Diensten, Miss Clause«, erwiderte er grinsend und zog mich mit meiner Freude an Weihnachten auf. »Wo sind sie versteckt?«

»Im Schrank. Ich hole sie raus, wenn ich im Bad war«, antwortete ich und verschwand mit April im Badezimmer.

»So, da sind wir wieder«, sagte April, als wir uns fertiggemacht hatten und holte mit mir die Geschenktüten aus dem Schrank.

»Ich hoffe, die Geschenke gefallen euch«, sagte ich etwas gestresst. Es war ziemlich schwierig, Geschenke für Leute zu kaufen, die man erst kurz oder gar nicht kannte und über die man nur wenige Infos hatte.

»Ich bin mir sicher, dass sie allen gefallen werden.«

Zu dritt gingen wir ins Wohnzimmer, wo wir sie zu den anderen Geschenken unter den Baum legten.

»Sollen wir schon mal Frühstück vorbereiten?«, fragte ich. »Was esst ihr an Weihnachten zum Frühstück?«

»Können wir denke ich machen. Pancakes, Bacon ...«

»Gut, nichts leichter als das, wenn du mir sagst, wo ich was finde«, entgegnete ich voller Tatendrang. Jamie holte alles, was benötigt wurde, aus den Schränken und deckte anschließend mit April den Tisch.

Ich bereitete derweil den Teig vor. Während ich ihn kurz ruhen lies, schob ich den Bacon in den Ofen.

Jamie musste mir kurz mit dem Gasherd helfen, da wir zuhause einen Elektroherd hatten. Normalerweise kochte ich auch gar nicht, seit wir in den USA waren. Entweder aßen wir in der Uni, holten uns etwas unterwegs oder schoben Fertiggerichte in die Mikrowelle, wovon ich eigentlich kein Fan war.

Ich briet also Pancake um Pancake und stapelte sie auf einem großen Teller.

»Das riecht aber herrlich«, ertönte Roses Stimme.

»Guten Morgen und frohe Weihnachten«, wünschte ich. »Ich hoffe, es ist okay, dass wir schon mal das Frühstück vorbereiten?«

»Aber sicher. Euch auch frohe Weihnachten«, erwiderte sie und drückte uns alle nacheinander einmal.

»Na, da können wir ja öfter Gäste haben, wenn das Frühstück schon fertig ist, wenn man aufsteht«, freute sich Dan.

Ich holte den Bacon aus dem Ofen und ließ ihn abtropfen, ehe ich ihn zu den Pancakes auf den Teller legte.

»Hoffentlich schmeckt es allen«, sagte ich unsicher, während ich den Teller zum Esstisch trug, wo wir alle in unseren Weihnachtspyjamas Platz nahmen.

»Guten Appetit«, wünschten wir uns. »Und frohe Weihnachten«, fügte Rose hinzu.

»Sehr lecker!«, sagte Jamie. »Kochen kannst du also auch.«

»Kochen würde ich das nicht nennen. Aber ja, ich kann kochen und backen.«

Nach dem Frühstück und dem Tischabräumen gingen wir ins angrenzende Wohnzimmer, wo der große Weihnachtsbaum herrlich leuchtete und unter sich all die Geschenke bereithielt. Nun kam mein Lieblingsmoment an Weihnachten.

Wir setzten uns alle auf das große Sofa und neben den Weihnachtsbaum. Jamie nahm zuerst ein Geschenk für seine Mom und reichte es ihr mit einer Umarmung.

»Frohe Weihnachten, Mom.«

Sie packte es gespannt aus. Zum Vorschein kam ein teures Parfum.

»Ich liebe diesen Duft! Danke«, bedankte sie sich.

»Dad, das ist für dich«, sagte Jamie und überreichte seinem Vater

Dan sein Geschenk. Dan schaute ihn fragend an. Es war dünn und flach.

»Ist das die Rechnung für dein Semester?«, scherzte er und klopfte Jamie auf die Schulter. Jamie und wir lachten ebenfalls.

»Nun pack schon aus. Es ist keine Rechnung, versprochen.«

Dan riss das Papier auf und ein breites Grinsen machte sich auf seinem Gesicht breit, als er sah, was Jamie ihm schenkte.

»Nun lass schon sehen … Was ist es?«, fragte Rose neugierig.

Dan nahm Jamie in den Arm und bedankte sich. »Der Junge hat Tickets für das 1. Saisonspiel der 49ers besorgt.«

So überreichten wir uns alle nacheinander unsere Weihnachtsgeschenke und jeder freute sich über das, was er bekam.

Den Vormittag verbrachten wir gemeinsam mit Jamies Eltern. Nach dem Mittagessen gingen wir raus und Jamie zeigte uns seine Heimat. Es war eine schöne und nette sowie ruhige Familiengegend. Die Vorgärten und Häuser erstrahlten allesamt in weihnachtlichem Glanz. Kinder spielten auf den Straßen und in den Gärten.

Kapitel 7

Und so zogen die Tage vorüber, bis schließlich der Silvestertag angebrochen war. April und ich saßen auf unseren Betten im Gästezimmer und überlegten, was wir heute Abend zur Silvesterparty bei Kyle anziehen sollten. Wir hatten einige Optionen auf den Betten verteilt und konnten uns nicht entscheiden. Es sollte schon sexy sein, aber auch nicht zu übertrieben. Andererseits … Jamies Eltern waren ja nicht da, denn auch sie waren bei Freunden eingeladen.

Ich entschied mich für ein dunkelgrünes, kurzes Kleid, das rückenfrei war, aber mit Schnüren am Rücken gebunden wurde. Vorne hatte es einen kleinen Ausschnitt.

April entschied sich für ein fast knielanges Paillettenkleid mit Beinschlitz und tiefem Ausschnitt im Dekolleté.

»Zu sexy?«, fragte ich sie, denn ich hatte keinerlei Ahnung, was für eine Art Silvesterparty Kyle geplant hatte.

»Genau richtig«, erwiderte April und betrachtete sich zufrieden im Spiegel. Ich war mir nicht ganz sicher, ob ihre Antwort mir oder ihr selbst galt.

Ich legte mein Make-up auf und steckte mir meine langen blonden Haare auf der einen Seite zurück. Passend zum Kleid hatte ich einen Eyeliner dabei. April lieh ich einen in Flieder aus. Sie trug ihre rotgefärbten Haare zu einem strengen Zopf zusammen gebunden.

»Perfekt«, sagte April und machte einen Kussmund vorm Spiegel.

Wir verließen mit den High Heels in den Händen unser Zimmer und klopften bei Jamie an der Tür.

»Wir sind soweit«, sagte ich, während wir vor der Tür warteten.

Es dauerte nicht lange, bis Jamie in einer schwarzen Jeans und Hemd herauskam, die oberen Knöpfe hatte er lässig offengelassen.

Er wirkte überrascht, als er uns sah und ich glaubte, ein kurzes, zufriedenes Lächeln auf seinen Lippen gesehen zu haben.

Ich drehte mich und fragte, ob das Outfit okay sei.

Jamie grinste und nickte. »Absolut perfekt!«

Wir zogen unsere Mäntel über und gingen zu Kyle. Bereits im Garten war schon einiges los. Wir schoben uns durch und gingen ins Haus hinein. Ich sah, wie April nach Kyle Ausschau hielt und musste grinsen. Sie hatte es offenbar echt erwischt.

In der Küche war ein Buffet aufgebaut, auch hier war es nicht weniger voll. Jamie reichte mir und April einen Drink.

»Danke.«

Nachdem wir angestoßen und die Becher geleert hatten, zog ich April auf die Tanzfläche.

Wir tanzten ausgelassen und sangen einige der Songs mit, dennoch ertappte ich sie immer wieder dabei, wie sie sich suchend umsah.

»Nun geh schon, such ihn!«, rief ich ihr über die laute Musik zu. Sie stieß mich an. »Ich sehe doch, dass du dich immer wieder nach ihm umschaust«, meinte ich grinsend.

Ich ging in die Küche und holte uns noch einen Drink.

»Für den Mut«, grinste ich und stieß mit April an. »Trau dich. Deine letzte Chance, bevor wir morgen wieder abreisen.«

Sie kippte den Drink runter und ging los. Ich hoffte wirklich sehr, dass sie Kyle finden und sie einen schönen Abend haben würden. Ich nahm mir einen Snack, dann setzte ich mich aufs Sofa. Wo war eigentlich Jamie? Ich hatte so viel Spaß mit April beim Tanzen gehabt, dass ich ihn ganz vergessen hatte. Weiter hinten im Wohnzimmer entdeckte ich ihn endlich, wo er sich mit einigen Leuten unterhielt.

Ich hatte ganz vergessen, dass es in Hamburg ja schon neun Stunden später war, also textete ich Georg, Mom und Dad und wünschte ihnen ein frohes neues Jahr, was sich komisch anfühlte, da sie schon seit ein paar Stunden im neuen Jahr waren und wir noch ein paar Stunden warten mussten. Ich packte mein Handy zurück in meine kleine Umhängetasche und als ich wieder aufsah, stand Jamie vor mir und reichte mir seine Hand.

»Tanzt du mit mir?«, fragte er mit einem Lächeln auf den Lippen. Ich nahm seine Hand und begleitet ihn auf die Tanzfläche. Der Song wechselte gerade auf *Heart Strings* von Bingx. Ich hob ausgelassen die Arme und ließ die Hüften zum Sound kreisen.

Beim Refrain stimmte ich gut gelaunt mit ein.

»Jeden Song …«, lachte Jamie.

»Jeden Song«, lachte ich und tanzte weiter.

Ich entdeckte April, die mit Kyle tanzte und hob den Daumen, als unsere Blicke sich trafen. Sie verdrehte die Augen, ehe sie mir vielsagend zuzwinkerte. Ich hatte keine Ahnung, was sie mir damit sagen wollte.

Jamie und ich tanzten noch eine Weile, ehe wir uns einen Platz zum Sitzen suchten. Wir setzten uns draußen auf die Terrasse, wo Jamie mir eine Decke reichte, die ich dankend annahm. Mittlerweile war es frisch geworden.

»Danke noch mal für die Einladung«, sagte ich und nahm einen Schluck von meinem Drink.

»Gern. Ich hoffe, ihr habt Spaß.«

»Klar«, antwortete ich.

»Wo hast du eigentlich April gelassen?«, erkundigte sich Jamie.

»Bei Kyle«, grinste ich. Jamie dämmerte es auch langsam und er grinste ebenfalls. Schweigen breitete sich zwischen uns aus, aber kein Unangenehmes. Es war eine sternenklare Nacht und ich genoss den Moment in vollen Zügen. Das letzte Jahr war einfach überwältigend gewesen und wenn ich jetzt daran dachte, was noch im neuen Jahr vor mir lag … Ein Gefühl von Zufriedenheit und Vorfreude breitete sich in mir aus und erfüllte mich mit einer wohligen Wärme. Noch vor einem Jahr hätte ich mir niemals träumen lassen, wirklich mal in Los Angeles zu leben und zu studieren und dort tolle neue Leute kennengelernt zu haben. Und doch saß ich jetzt hier. Wie cool war das bitte?

Jamie schaute zu mir rüber und fragte, woran ich dachte.

»Ich habe einfach nur über das letzte Jahr nachgedacht und darüber, was kommendes Jahr wohl noch alles auf mich wartet«, antwortete ich.

»Und bist du zufrieden?«

Ich nickte.

»Das ist gut.«

»Und du?«, wollte ich wissen und sah ihn an. Er schaute mich ebenfalls einen Moment lang an, ehe er sein Gesicht abwandte. Ich konnte seinen Blick nicht deuten.

»Ja«, sagte er schließlich, aber irgendwas an seinem Ton, in dem er antwortete, passte nicht.

»Ist alles okay?«, erkundigte ich mich.

Jamie nickte. Gut, wenn er nicht drüber reden wollte, wollte ich ihn auch nicht dazu drängen. Ich nahm noch einen Schluck und lehnte mich zurück. *Was für ein verrücktes Jahr*, dachte ich nur.

»Drei … zwei …eins …«, hörte ich es unerwartet von drinnen herausschallen. »Happy New Year!«

Feuerwerk erhellte den Nachthimmel. Zischend jagte eine Rakete nach der anderen in die Luft. Glitzernd rieselten sie nieder. Hatten wir tatsächlich derart die Zeit vergessen?

Ich stand auf und ging zu Jamie, um ihm ein frohes neues Jahr zu wünschen.

»Happy New Year«, sagte ich und drückte ihn kurz.

»Happy New Year, Tay«, erwiderte er und drückte mich ebenfalls an sich. Seine Hände ruhten warm auf meinem unteren Rücken. Ich konnte seinen Herzschlag spüren, so nah waren wir uns in diesem Moment. Er schaute mich an und unsere Blicke trafen sich. Er lächelte, aber er sah auch irgendwie nachdenklich und gedankenverloren aus. Etwas trauriges lag in seinen Augen. Ich wollte gerade fragen, was ihn beschäftigte, als April mit Kyle im Schlepptau herauskam. Sie hatten Drinks in ihren Händen. Kyle hatte Lippenstift im Gesicht. Ich grinste und bedeutete ihm, sich den bei Gelegenheit mal wegzuwischen.

»Da seid ihr ja! Wir suchen euch schon überall!«, rief April und reichte uns zwei der Becher. »Happy New Year!«

»Das wünsche ich euch auch«, sagte ich und drückte sie. Dann stießen wir zusammen an. Ich schaute noch einmal zu Jamie. Sein Blick wirkte etwas frustriert, fast schon enttäuscht …

»Auf ein gutes neues Jahr«, versuchte ich ihn aufzumuntern und stieß noch einmal mit allen an. Jamie kippte den Rest direkt runter und verschwand dann ohne ein weiteres Wort im Haus.

April und Kyle sahen mich fragend an. Ich zuckte mit den Schultern, schließlich war ich genauso verwirrt wie sie. Kurzerhand ging ich ebenfalls hinein und suchte nach Jamie. Ich fand ihn schließlich in der Küche, wo er bereits den nächsten Becher leerte und sich erneut nachfüllte.

»Hey, was ist los?«, wollte ich wissen und nahm ihm den Becher aus der Hand.

»Nichts.«

»Das sieht mir nicht nach *nichts* aus«, erwiderte ich. »Sieh mich an. Was ist los?«

»Nichts, sagte ich doch bereits«, fuhr er mich an und nahm sich grob seinen Becher zurück.

»Okay, ist ja gut. Beruhig dich mal.« Ich war sauer. Ich wollte doch bloß nett sein und wissen, warum er plötzlich schlechte Laune hatte. Da brauchte er mich nicht direkt so anzumachen.

Also ließ ich ihn stehen und ging tanzen. Sollte er sich mal abreagieren. Ich hatte keine Lust, mir den Abend wegen seiner plötzlichen schlechten Laune verderben zu lassen.

Ich tanzte allein, was mir in dem Moment egal war. April war wahrscheinlich immer noch bei Kyle und Jamie konnte mich gerade mal.

Mit einem Mal spürte ich zwei Hände an meiner Hüfte, die mich zu der Person herumdrehen wollten, zu der sie gehörten. Ich war kurz davor zuzuhauen, weil ich das doch ein bisschen sehr aufdringlich fand, aber da schaute ich direkt in Jamies Gesicht. Ehe ich wusste, wie mir geschah, hatte er mich zu sich herumgedreht und küsste mich. Er hielt mein Gesicht in seinen Händen und drückte sehnsüchtig, drängend seine Lippen auf meine. Sein Atem war warm und der Kuss schmeckte nach Alkohol. Ich war so perplex, dass ich ihn einfach nur anstarrte, ehe ich ihn von mir stieß. Ich schaute ihn verwirrt an und war ziemlich überrumpelt.

»Was zur …!«, schrie ich ihn an »Was sollte das?«, verlangte ich nach einer Erklärung.

»Tay, ich …« Er brach ab und wischte sich mit dem Handrücken über die Lippen.

»Was ist los mit dir?«, schrie ich noch immer. Mir war es egal, dass uns wahrscheinlich eine ganze Menge Leute gerade anstarrten »Ach weißt du was, mir auch egal. Ich gehe jetzt!«

Ich ließ ihn stehen und schnappte mir meine Jacke, ehe ich das Haus verließ. Ich stapfte die Straße hinab und versuchte verzweifelt, meine Gedanken zu ordnen. Was hatte er sich bloß dabei gedacht? Die Wut kochte gerade in mir über und zu allem Überfluss taten mir auch noch saumäßig die Füße weh. Ich zog mir fluchend die verdammten High Heels aus und ging barfuß weiter über die kalte Straße.

»Tay! Warte!«, rief Jamie mir nach. Was dachte er sich eigentlich dabei, mir jetzt auch noch hinterher zu laufen?! Ich dachte überhaupt nicht daran, stehenzubleiben.

»Tay!«

Ich drehte mich doch herum. »Was *Tay*? Was hast du dir dabei gedacht?«, schrie ich ihn an. Tränen vor Wut in den Augen.

»Ich …« Er verstummte. Die Traurigkeit in seinem Blick war selbst in der Dunkelheit kaum zu übersehen.

»Was sollte das?« Meine Stimme war so geladen und abweisend, dass ich selbst erschrak.

»Tay …«

»Nein!« Ich kämpfte selbst mit mir und meinen Gefühlen, konnte ein Schluchzen in der Stimme nicht unterdrücken. »Lass mich!«

»Aber … Ich …« Jamie schien nach den passenden Worten zu suchen. Er streckte seine Hand nach mir aus.

»Lass mich!«, schrie ich ihn noch immer an und schmiss meine Schuhe nach ihm. »Lass mich einfach in Ruhe!«

Er wich aus und ich stapfte sauer weiter. Er sollte mich einfach in Ruhe lassen. Warum hatte er alles kaputt machen müssen? Hätte er es nicht einfach bei unserer Freundschaft belassen können? Ich war noch nicht mal so sauer wegen dem Kuss, sondern weil er scheinbar überhaupt nicht darüber nachgedacht hatte, dass er damit unsere Freundschaft aufs Spiel setzte. Ich wollte ihn nicht als meinen besten

Freund – hinter April natürlich – hier in LA verlieren! Das war es, was mich so furchtbar sauer machte. Wie sollten wir jetzt weiterhin befreundet sein? Es würde nie wieder so sein, wie es vor dem Kuss war! Ich wischte mir die Tränen weg. Während ich die Straße weiter hinabging, wurde mir klar, dass ich aufgeschmissen war. Jamie war der Einzige von uns, der einen Schlüssel für sein Elternhaus hatte. Dadurch wurde ich nur noch wütender. War das sein Plan? Scheiße, ich war gerade so sauer, obwohl ich es nicht sein wollte, aber er hatte mich komplett überrumpelt und der Alkohol tat den Rest. Die Tränen ließen meine Sicht verschwimmen. Es überkam mich gerade einfach. Mir wurde schwindelig und mein Kopf dröhnte gehörig. Jamie kam auf mich zu. Er schien zu zögern, ehe er seinen Arm um mich legte. In der anderen Hand hielt er meine Schuhe, die ich nach ihm geschmissen hatte. Ich wollte seinen Arm wegschlagen, ließ es aber sein.

»Warum?«, wollte ich wissen und schluchzte.

»Es tut mir wirklich leid, Tay … Ich hab' nicht nachgedacht …«

»Du hättest aber nachdenken müssen!«, klagte ich ihn an.

»Ich weiß … Ich … Du …«. Seine Stimme brach.

»Ich will dich nicht als meinen besten Freund verlieren!«, schluchze ich und schlug ihm gegen die Schulter, doch er blieb unverändert stehen.

»Lass mich dich wenigstens zurückbringen, okay?«, sagte Jamie mit warmer und doch verletzter Stimme. »Ich weiß, du bist sauer auf mich, aber bitte sei jetzt nicht stur. Du erkältest dich, wenn du länger barfuß hier draußen herumläufst.«

»Na und?!«

»Tay, sei doch vernünftig«, bat Jamie mich.

»Ich komme allein klar.«

»Und wie kommst du rein?«

»Scheiß drauf!«

Ich sah in seinem Blick, wie enttäuscht er war, was mich noch mehr verletzte. Aber ich hatte mir schlicht und ergreifend nie Gedanken über mehr gemacht. Nicht mal für eine Millisekunde. Ich mochte Jamie. Ich mochte ihn wirklich sehr.

Er stand wie ein Häufchen Elend da und das tat mir weh. Ich hatte ihn nicht derart verletzen wollen, aber … keine Ahnung … Er hätte mich nicht einfach küssen sollen.

»Warum musstest du mich küssen?«. Meine Stimme brach. »Du hast alles kaputt gemacht!« Ich sank zu Boden und musste mich setzen. Der Alkohol erwischte mich unter all den verwirrenden Gefühlen gerade richtig.

»Tay!«, entfuhr es Jamie und er stütze mich. »Ist alles okay?«

»Nichts ist okay. Wegen dir!«

»Ich bringe dich nach Hause. Du brauchst Ruhe.« Und als ob ich nichts wiegen würde, hob er mich hoch und schulterte mich. Er hielt mich an meiner Hüfte.

»Dann lass mich doch einfach in Ruhe!«, flehte ich ihn an und schlug auf seinen Rücken ein. »Lass mich runter …«

Er ignorierte es und trug mich die letzten Meter zu sich nach Hause, wo er die Haustür aufschloss und mich in mein Bett trug.

»Ich lass dich jetzt in Ruhe«, sagte er beschwichtigend, als er mich absetzte »Es tut mir leid, wirklich. Ich hätte dich nicht so überrumpeln sollen …« Er ging zur Tür, wo er sich noch einmal umdrehte. »Ich bin in meinem Zimmer, wenn etwas sein sollte …«

Dann verließ er das Zimmer und schloss die Tür hinter sich. Ich hörte, wie er fluchte und gegen die Wand schlug. Kurz darauf knallte eine Tür ins Schloss. Ich vergrub mein Gesicht im Kissen und heulte so lange, bis der Kissenbezug durchnässt war.

Ich schrieb Ap eine Nachricht, dass ich bereits zurück sei und ihr noch viel Spaß wünschte. Sie sollte sich keine Sorgen machen.

Im Bett rollte ich mich unter der Decke zusammen und weinte mich in den Schlaf.

Kapitel 8

Ich stand mit Kopfschmerzen und schlechter Laune auf. So hatte ich mir den Start ins neue Jahr definitiv nicht vorgestellt. Ich holte meine Tasche aus dem Schrank und packte sie. Anschließend ging ich duschen und zog mich an.

»Hey, alles okay?«, begrüßte Ap mich, als ich aus dem Bad kam. »Warum warst du so plötzlich weg und Jamie auch?«

»Wir hatten einen Streit.«

»Wieso das? Es war doch alles in Ordnung oder nicht?«, fragte April völlig verwirrt.

»Ist doch egal«, wollte ich das Gespräch beenden.

»Ist es nicht. Nun sag schon.«

»Ich will nicht, okay!«, fuhr ich sie an. »Lass einfach gut sein.«

»Okay, sorry«, antwortete April beschwichtigend und packte ebenfalls ihre Tasche.

»Tut mir leid, ich hab' verdammt miese Laune und Kopfschmerzen«, entschuldigte ich mich bei ihr und ließ mich aufs Bett sinken. »Ich hoffe, du hattest einen schönen Abend mit Kyle?«

Sie grinste vielsagend.

»Ja.«

»Das freut mich.«

Es klopfte an der Tür, bevor April noch etwas sagen konnte. Rose kam herein.

»Hey, ihr zwei«, sagte sie freundlich. »Ich wollte mich noch eben von euch verabschieden und euch eine gute Rückreise wünschen.«

»Danke«, antwortete April.

»Danke noch mal für die Einladung und die Gastfreundschaft«, bedankte ich mich auch. Ich kämpfte gegen meine Gefühle an und versuchte, ein Lächeln hinzubekommen.

»Sehr gerne. Na ja, ich soll euch von Dan liebe Grüße ausrichten. Der musste nochmal los.«

»Danke, liebe Grüße zurück«, sagten wir und nahmen unsere Taschen. Ich hatte absolut keine Lust, jetzt über sechs Stunden mit Jamie in einem Auto zu sitzen.

Wir trugen unser Gepäck raus zum Auto und verabschiedeten uns ein letztes Mal von Rose. Kyle stand bei Jamie und lehnte am Auto. Er grinste, als er April sah und unterbrach das Gespräch mit Jamie. Er verabschiedete sich von April und gab ihr einen langen Abschiedskuss. Ich wandte den Blick ab und tat so, als sei ich mit dem Handy beschäftigt. Jamie lud unser aller Gepäck ein. Wir würdigten uns keines Blickes. Es war eine beschissene Situation. Ich öffnete die hintere Autotür und setzte mich hinter den Beifahrersitz. Ich legte den Sicherheitsgurt an und schob mir meine Sonnenbrille auf die Nase. Dann suchte ich meine Kopfhörer, stöpselte sie ein und startete die Musik. Ich war nicht in der Stimmung für irgendwelche Gespräche.

Jamie setzte sich hinters Steuer und ich sah, dass er durch den Rückspiegel zu mir schaute. Ich wandte mich ab und starrte aus dem Fenster.

Kurz darauf stieg April ein und seufzte. Es tat mir leid, dass sie sich gerade erst Hals über Kopf verliebt hatte und sich schon wieder direkt auf unbestimmte Zeit trennen musste.

Jamie startete den Motor und jeder von uns schwieg. Das konnte ja eine tolle Rückfahrt werden.

Ich war am Handy und vertrieb mir die Zeit im Internet, wo ich irgendwann auf einen Castingaufruf stieß und es nicht glauben konnte, dass sie für die Verfilmung meines Lieblingsromans *Only forever* war. Ich klickte drauf und las es mir durch. Das Casting sollte Ende des Monats in LA in einem Hotel stattfinden. Ich las mir durch, für welche Besetzung sie überhaupt suchten oder ob nur Statisten benötigt wurden. Tatsächlich schienen sie noch für alle Rollen zu suchen. Ich überlegte, ob ich es probieren sollte. Klar, ich war keine professionelle Schauspielerin, hatte aber über die letzten Jahre zumindest Erfahrungen am Theater sammeln können. Ich überlegte, ob ich überhaupt Chancen hatte, so ganz ohne Agentur und

Setcard. Es stand aber auch nicht explizit drinnen, dass dies eine Voraussetzung wäre. Ich wäre dumm, wenn ich es nicht wenigstens probieren würde. Den Roman hatte ich innerhalb weniger Tage verschlungen – und kurz darauf erneut. Ich speicherte mir die Seite und wollte mich in Ruhe damit auseinandersetzen, wenn ich zurück in LA war. Ich schickte April den Link. Sie drehte sich zu mir um und sagte: »Nutz die Chance.« Ich wusste nicht, ob sie es aus Versehen oder mit Absicht auf Deutsch sagte.

»Meinst du?«

»Na klar, sobald wir zurück sind, schauen wir uns das in Ruhe an und dann bewirbst du dich. Das Casting findet ja nicht weit von uns entfernt statt.« Da hatte sie recht. Was konnte schon großartig passieren, außer dass ich mich komplett zum Idioten machte?

»Weißt du schon, wann du Kyle wieder siehst?«, fragte ich.

Ap schüttelte den Kopf.

»Habt ihr wenigstens eure Nummern ausgetauscht?«, wollte ich wissen.

»Für wie blöd hältst du mich eigentlich? Natürlich!«

»Es freut mich, dass ihr einen schönen Abend hattet«, sagte ich.

»Ja. Aber was war denn bei euch beiden los?«, raunte April mir zu. Keine Ahnung warum, er dürfte ohnehin kein Wort verstehen.

»Erzähl ich dir, wenn wir zurück sind. Falscher Zeitpunkt.« Ich deutete mit den Augen zu Jamie.

»Okay, verstehe.«

Wir schwiegen wieder und ich kam mir blöd vor, dass wir auf Deutsch geredet hatten, um ihn bewusst auszugrenzen.

»Ich hab' Hunger und müsste mal zum Klo, könnten wir demnächst anhalten?«, fragte April nach fast drei Stunden.

»Ja«, antwortete Jamie knapp und fuhr bei der nächsten Gelegenheit vom Highway ab. Er hielt vor einer Tankstelle mit Rastplatz.

»Möchtet ihr auch was?«, fragte April und hoffte wahrscheinlich, die angespannte Situation aufzulockern.

»Ja, ich würde ein belegtes Brötchen nehmen«, sagte Jamie.

»Okay, irgendwas bestimmtes?«

»Nein, danke.«

April verschwand und ich schaute ihr böse nach. War das ihr Ernst, dass sie mich jetzt mit Jamie allein ließ?

»Können wir reden?«, fragte Jamie mit flehendem Blick. Er wartete ab, ob ich widersprechen würde, aber ich tat es nicht. Ich war sauer, ja, aber war ich es ihm nicht wenigstens schuldig, ihn anzuhören?

»Ich weiß, du bist sauer auf mich, Tay. Das verstehe ich auch irgendwie ... Ich hätte dich nicht so überfallen dürfen ... aber irgendwie hatte ich den richtigen Moment immer verpasst ... Und ich dachte, wenn ich es jetzt nicht mache, dann wahrscheinlich nie ... Der Moment war einfach unpassend ... Bitte entschuldige.«

Ich schaute ihn traurig an und schaute in seine mindestens ebenso traurigen und enttäuschten Augen.

»Hass mich bitte nicht«, flehte er mich an. »Ich gebe dir deinen Freiraum, wenn wir zurück sind, aber bitte sei mir nicht ewig böse ...«

Eine Träne kullerte mir die Wange runter und ich wandte den Blick ab, wischte sie weg und atmete tief durch. Was für eine scheiß Situation, verdammt noch mal!

»Ich ...« Ich wusste nicht, was ich hätte sagen sollen.

»Alles gut. Ich komme damit schon klar, auch wenn es weh tut. Hass mich nur einfach nicht. Bitte.«

Ich schüttelte den Kopf, dafür war er mir viel zu wichtig. Ich war nur so verdammt sauer, weil ich nicht wusste, wie wir wieder zu unserer Freundschaft zurückkehren konnten. Ich hatte ihm nie falsche Hoffnungen machen wollen und war sauer, dass ich all seine Bemühungen einfach als wirklich supernette freundschaftliche Gesten abgetan hatte. Ich dachte, Jamie, Paul, April und ich wären einfach nur sehr, sehr gute Freunde geworden und ein unschlagbares Team. Aber da hatte ich mich wohl getäuscht.

»Danke«, sagte er leise.

Ich schaute ihn traurig an und wollte dringend etwas sagen. Aber *was* zur Hölle? *Kein Problem, dass du dich in mich verliebt hast*? Doch, verdammt, das war ein Problem. Wie sollte ich mich denn in

Zukunft ihm gegenüber verhalten? Ich wollte einfach nur noch zurück nach LA und etwas Abstand zwischen uns bringen. Sofern das überhaupt möglich war, wenn man im gleichen Gebäude wohnte und fast jeden Kurs gemeinsam belegt hatte. Scheiße verdammt!

Ich warf ihm einen letzten, um Verzeihung bittenden Blick zu, ehe April zurückkam und sich wieder zu uns ins Auto setze. Sie schaute uns beide prüfend an, beschloss aber wohl, dass es besser sei, nichts zu sagen und reichte Jamie ein belegtes Brötchen und einen Kaffee.

»Ich dachte, Koffein kann nicht schaden.«

Sie drehte sich zu mir und reichte mir einen großen Karamell-Latte und ein paar Süßigkeiten. Ich lächelte sie dankbar an. Sie war einfach die Beste und ich schuldete ihr etwas dafür, dass sie die ganze Autofahrt mit uns in dieser angespannten Atmosphäre verbringen musste.

Ich war mehr als dankbar, als wir endlich in LA ankamen und ausstiegen. Eilig nahm ich meine Tasche und verabschiedete mich knapp. April folgte mir.

»Nun warte doch mal!«, rief sie mir keuchend hinterher.

»Was?«, fragte ich gereizt. Gerade wollte ich einfach nur eine Weile meine Ruhe haben.

»Verrätst du mir endlich mal, was da zwischen euch vorgefallen ist? Selbst ein Blinder sieht ja, dass da was nicht stimmt!«

»Was willst du hören?«, fuhr ich sie an. »Dass der Abend verdammt beschissen war? Dass ich bescheuert bin?« Es tat mir leid, dass ich sie so anging, aber ich war geladen.

»Wieso? Was zur Hölle war denn los? Vorher war doch alles gut.«

»Das dachte ich auch! Ich dachte, es sei alles gut!« Ich fing an, in Tränen auszubrechen. »Verdammt, wieso war ich die ganze Zeit so verdammt dumm?«

»Wieso dumm?«, fragte April verwirrt.

»Weil ich all die Zeit dachte, dass wir nur Freunde sind! Als Jamie gestern Abend so sauer in die Küche ist, bin ich ihm hinterher. Ich wollte wissen, was los ist. Er wollte nicht reden, also habe ich ihn stehen gelassen und bin tanzen gegangen, weil ich keine Lust hatte, mir den Abend von seiner schlechten Laune verderben zu lassen.«

»Na das ist ja wohl trotzdem passiert. Aber ich sehe immer noch keinen Grund für euer Verhalten.«

»Ich war also am Tanzen und mit einem Mal kam Jamie an und küsst mich!«

»Er hat was? Einfach so?« April fielen fast die Augen aus dem Kopf und ihre Stimme überschlug sich.

»Ohne jegliche Vorwarnung.«

»Okay …« April brauchte einen Moment, um sich zu fassen. Wir waren mittlerweile in unserem Zimmer angekommen und sie setzte sich. »Aber, Tay, mal ehrlich … Das war abzusehen, oder nicht?«

Sie schaute mich fragend an. »Ich meine, ihr zwei habt fast ununterbrochen Zeit miteinander verbracht, er lädt dich ins Disneyland ein …«

»Ich weiß, Ap. Ich … Was soll ich sagen? Ich hab' mir da nie Gedanken drüber gemacht! Wir waren einfach gute Freunde in meinen Augen und vielleicht wollte ich es auch einfach nicht sehen. Keine Ahnung.«

»Und nun?«

»Weiß ich auch nicht. Was soll ich denn deiner Meinung nach machen? Ich kann ja schlecht so tun, als sei nie etwas vorgefallen.«

»Scheiße man!«, schimpfte April.

»Du sagst es!«

Ich ging zu meinem Kleiderschrank und holte mir meine Sportklamotten heraus.

»Bin joggen. Ich brauche jetzt einen freien Kopf«, sagte ich und verschwand im Bad, wo ich mich umzog und mir die Haare zu einem Zopf zusammenband.

»Wenn ich irgendwas tun kann: Du weißt, wo du mich findest«, meinte April.

»Danke, das weiß ich. Ich brauche erstmal einfach nur frische Luft.«

Ich griff nach meinem Handy und meinen Kopfhörern, dann ging ich hinaus. Ich drehte die Musik voll auf und lief los. Ich lief einfach nur los, ohne überhaupt zu wissen, wo ich hin lief. Hauptsache weg! Ich lief, bis ich außer Atem war und eine Pause brauchte. Mein Kopf war trotzdem kein bisschen freier. Ich war genauso überfordert wie vorher.

Ich joggte also wieder zurück, ging duschen und dann ins Bett.

Am nächsten Tag beschloss ich, eine Fotoagentur zu kontaktieren, um ein paar professionelle Fotos für das Casting machen zu lassen. Ich hatte Glück und sie hatten bereits ein paar Tage später einen freien Termin. Bis dahin ging ich wieder ganz normal in die Vorlesungen und versuchte so gut es ging, Jamie zu meiden. Zumindest bis ich mir klar war, wie es mit uns weitergehen konnte. Es fiel mir nicht leicht und auch Paul und April litten unter der Situation. Ich versuchte mich weitestgehend aus allen außerschulischen Aktivitäten herauszuhalten, damit sie sich nicht verpflichtet fühlten, für eine Seite Partei zu ergreifen.

Und so vergingen die nächsten Tage, in denen ich zwar physisch, aber nicht wirklich psychisch anwesend war. Nach der Uni hatte ich so viele Schichten übernommen wie ich konnte, um möglichst allen aus dem Weg zu gehen. Ich war nicht bereit, Gespräche bezüglich Jamie und mir zu führen.

Dann war es endlich so weit und das Fotoshooting stand an. Ich packte einige Outfits zusammen und fuhr mit dem Bus zum Fotostudio.

Dort angekommen wurde ich herzlich empfangen und wir legten auch direkt los. Die Fotografin schlug später vor, dass wir auch noch draußen ein paar Aufnahmen machen sollten.

Das Fotoshooting machte super viel Spaß. Vor allem lenkte es mich von meinen Gedanken bezüglich Jamie ab.

Nach zwei Stunden war die Fotografin zufrieden und sicherte mir zu, mir die Fotos in den kommenden Tagen zukommen zu lassen.

Ich war schon unfassbar aufgeregt, wie die fertigen Fotos aussehen würden und ob sie meine Chancen beim Casting erhöhen würden. Aber wahrscheinlich nicht …

Zurück in unserem Wohnheimzimmer holte ich den besagten Roman aus dem Regal und überlegte, welche Szene ich lernen wollte. Sollte ich mich für eine meiner Lieblingsszenen entscheiden oder lieber für eine anspruchsvolle? Würden sie mich überhaupt entscheiden lassen oder mir kurz vorher eine Szene zuteilen?

Ich beschloss, dass es nicht schaden konnte, einige Szenen vorzubereiten. Ich bearbeitete das Buch mit einem Textmarker und Notizen. Ich war so sehr in meine Vorbereitungen vertieft, dass ich gar nicht mitbekam, wie April ins Zimmer kam.

»Hey, wie lief das Fotoshooting?«, erkundigte sie sich und ließ sich auf ihr Bett fallen.

»Super, danke.«

»Wann bekommst du die Fotos?«

»In den nächsten Tagen. Ich bin schon so gespannt.«

»Ich auch, zeig sie mal, sobald du sie hast.«

»Klar. Begleitest du mich zum Casting?«, fragte ich sie, während ich das Buch beiseitelegte.

»Würde ich gerne, aber ich hab 'ne Schicht im Campus Store.«

»Schade.«

»Sorry«, sagte sie und setzte sich wieder auf. »Willst du Jamie eigentlich für immer aus dem Weg gehen? Ich vermisse allmählich unsere Ausflüge zu viert.«

»Ich weiß es nicht. Ich bin noch nicht bereit«, murmelte ich.

»Bereit wofür? Du warst überrumpelt okay, aber meinst du nicht, du hast ihn lange genug bestraft?«

»Auf wessen Seite stehst du eigentlich? Und was heißt hier bestraft? Ich bestrafe niemanden. Was soll ich deiner Meinung nach denn tun? Ich hab' ihn schließlich nicht geküsst!«

»Ich stehe auf keiner Seite. Sei mir nicht böse, aber ihr seid erwachsen und werdet ja wohl irgendwann mal über einen harmlosen Kuss hinwegkommen.«

Ich schaute sie nur böse an.

»Willst du ihm noch die nächsten zweieinhalb Jahre aus dem Weg gehen, oder was? Na dann … viel Spaß!«

»Ich kann doch nicht so tun, als ob nichts war. Scheiß auf den Kuss, aber ich will ihm keine falschen Hoffnungen machen oder seine Gefühle verletzen, wenn wir uns sehen. Er wird die ja nicht von heute auf morgen abstellen können.«

Mich verletzte es doch genauso, meinen besten Freund nicht zu sehen. Nicht umsonst hatte ich mich in die Arbeit und Projekte gestürzt.

»Ich sag's ja nur. Es wäre schön, wenn wieder Normalität einkehren würde und ihr euch nicht mehr unbehaglich anschweigt.«

»Ich weiß«, seufzte ich. »Ich hab da aber gerade nicht den Kopf für. Ich will mich bestmöglich auf das anstehende Casting vorbereiten.«

»Wie du meinst …«

»Ap?«, rief ich aufgeregt.

»Ja?«, antwortete April und kam aus dem Bad.

»Die Fotos sind da!« Ich war mega aufgeregt, als ich den Umschlag öffnete und eine schwarze Mappe herausholte.

»Na zeig schon her!«, drängte April.

»Ich mach ja schon«, erwiderte ich und öffnete zittrig die Mappe. Die Fotos waren wirklich unglaublich gut geworden.

»Der Hammer! Du siehst super aus«, sagte April begeistert.

»Danke«, antwortete ich verlegen, aber mir gefielen die Fotos auch total gut.

»Ich drücke dir ganz fest die Daumen für das Casting!«

»Danke!«

Ich blätterte noch einmal die Fotomappe durch, fotografierte meine Lieblingsbilder ab und schickte sie an Mom und Georg. Wie gerne hätte ich sie auch direkt an Jamie gesendet …

Ich konnte es gar nicht glauben, dass ich wirklich ernst machte und mich auf ein richtiges Casting vorbereitete. Vor allem, weil die Schauspielerei gar nicht mein Hauptziel war. Eigentlich wollte ich Regisseurin werden. Doch diese Chance konnte ich mir einfach nicht entgehen lassen. Ich in einer Hauptrolle in meinem Lieblingsroman, allein der Gedanke daran war absurd, aber er ließ mein Herz höherschlagen. Wenn ich eines gelernt hatte, dann dass nichts unmöglich war. Ich meine, ich stand ja bereits hier und studierte an der UCLA. In Los Angeles! Wieso also nicht auch noch einen Schritt weiter gehen?

Ungeduldig fieberte ich dem Casting entgegen. Ich war voller Vorfreude, hatte aber auch Angst, zu versagen. Mein erstes Casting und dann gleich in einer knallharten Stadt wie LA. Was hatte ich mir eigentlich dabei gedacht?! War ich größenwahnsinnig geworden?

Ich war innerlich am Durchdrehen, während ich verzweifelt vor meinem Kleiderschrank stand und nach einem passenden Outfit suchte. Ich konnte mich einfach nicht entscheiden. Wie gerne hätte ich jetzt Aprils Hilfe!

Ich warf zig Sachen auf mein Bett und probierte fast alles an, ehe ich mich am Ende für ein hübsches Sommerkleid entschied, dass auch dem Geschmack der Hauptrolle Grace entsprechen würde.

Danach packte ich meine Sachen zusammen und ging aufgeregt zum Bus.

Die Fahrt kam mir vor wie eine halbe Ewigkeit. Endlich kam meine Haltestelle und ich stieg aus. Ich ging zum Hotel und drehte ein kurzes Video, das mich vor dem Casting zeigte und die lange Schlange vor dem Hotel. #Casting #Livingmydream

Ich stellte mich ebenfalls in die Reihe und wartete, bis ich aufgerufen wurde.

»Miss Sommer?«

»Ja, das bin ich«, sagte ich und hob die Hand. Ich bekam einen Castingbogen zum Ausfüllen und eine Szene, die ich vorspielen sollte. Ich hatte eine Viertelstunde Zeit, um mich vorzubereiten, ehe ich in den Castingraum gerufen wurde.

Ich war so verdammt aufgeregt, dennoch versuchte ich, mich zu konzentrieren und mir den Text einzuprägen.

Die Zeit verging wie im Flug und ich war schneller an der Reihe, als es mir recht war. Nervös folgte ich der Castingleitung und fand mich in einem Konferenzraum wieder. Hier saßen mir mehrere Leute gegenüber. Sie stellten sich als Regisseur, Drehbuchautorin, Produzenten und Castingleitung vor. Außerdem war der Schauspieler für die Hauptrolle des Lucas dar. Mir ging der Arsch auf Grundeis. Ich traute meinen Augen nicht, als ich erkannte, wer für die männliche Hauptrolle besetzt worden war. Es war kein Geringerer als Mason Baker. Einer der heißesten Schauspieler der letzten zwei Jahre. Er war groß, hatte hellbraune Haare und war verdammt trainiert. Er hatte tiefgrüne Augen und ein atemberaubendes Lächeln. Mein Herz raste wie wild und meine Hände wurden schwitzig. Ist ja nicht so, dass ich schon nervös genug war! *Beruhige dich! Du schaffst das!*, schrie ich mich in Gedanken an und versuchte, mich zu beruhigen.

»Miss Sommer, 20 Jahre alt, wohnhaft in LA, aus Hamburg stammend.«

»Ja, das stimmt«, sagte ich nervös.

»Ihre Angaben zu Größe und Gewicht stimmen?«

»Ja. 1,70 Meter und 60 kg.«

Holy Shit! Was hatte ich mir nur dabei gedacht, mich auf ein Casting für einen weltweiten Bestseller zu bewerben?!

»Okay, würden Sie mir bitte noch die folgenden Fragen beantworten?«

Ich nickte, beantwortete gestresst alle Fragen und hoffte inständig, meine Antworten würden die Anwesenden zufriedenstellen. Ich versuchte mich ausschließlich auf die Verantwortlichen zu fokussieren und Masons Anwesenheit auszublenden.

»Okay, danke. Dann können Sie anfangen«, sagte die Castingleiterin.

Ich atmete noch einmal tief durch und schloss für einen Moment die Augen, während ich mir die schwitzigen Hände am Kleid trockenwischte. *Du schaffst das!*

Ich legte los und wurde schon kurze Zeit später unterbrochen.

»Könnten Sie das bitte noch einmal wiederholen? Dieses Mal in die andere Kamera und wütender.«

Wütender, okay! Sei wütend. Denk an den Streit mit deiner Mom oder an den mit Jamie, sagte ich mir in Gedanken. Ich gab mein Bestes beim zweiten Versuch und packte so viel Wut in die Rolle, dass ich mich über mich selbst erschrak.

»Vielen Dank.« Der Regisseur und die Produzenten tuschelten miteinander und Mason schaute mich überrascht an. War das gut oder eher schlecht? Hatte ich sie positiv oder negativ überrascht? Mein verdammtes Herz war kurz davor, mir aus der Brust zu springen. Ich hatte das Gefühl, gleich einen Herzinfarkt zu bekommen.

»Würden Sie spontan noch eine zweite Szene probieren?«, riss mich die Stimme des Regisseurs aus meinen Gedanken.

»Klar«, platzte es direkt aus mir heraus, ehe ich auch nur eine Sekunde darüber nachgedacht hatte.

»Okay, Sie haben fünf Minuten Zeit, um sich in die Szene hineinzuarbeiten, dann spielen Sie gemeinsam mit Mason einen Teil davon vor.«

Mit Mason?! Hatte ich das richtig gehört? Heilige … Ich war am Ende. Jeden Moment würde ich einen Herzinfarkt bekommen.

Reiß dich gefälligst zusammen!

Ich gab wirklich mein Bestes, um nicht komplett die Nerven zu verlieren und las mich in die Szene hinein. Das war allerdings nicht gerade hilfreich, im Gegenteil! Ich bekam beinahe eine Panikattacke. *Ausgerechnet diese Szene? Wirklich? Universum, was hast du nur gegen mich?*, schrie ich innerlich.

»Miss Sommer?«, wurde ich zurück in die Realität gerissen. »Wir warten.«

»Ja … ehm … sorry!« Ich schüttelte mich kurz und legte den Text beiseite. »Kann losgehen.«

Konnte es das? Ich war mir da gar nicht so sicher. Es war eine sehr emotionale Szene, wo die beiden Hauptrollen einen heftigen, unfairen Streit haben und sie zutiefst von ihm verletzt ist, er sie aber am Ende eindringlich und leidenschaftlich küsst. Ich war gerade nicht dafür bereit, Mason Baker, den gefeierten Hollywoodstar zu küssen. Ich war überhaupt nicht bereit, gerade *irgendwen* zu küssen! Ich dumme Nuss, ich kannte das Buch fast auswendig und hatte ausgerechnet an diese Szene nicht gedacht!

Okay, reiß dich zusammen! Das ist nur eine Rolle. Die Protagonistin küsst den Protagonisten und nicht du Mason, klar?! Klar.

Ich legte los, brüllte Mason in seiner Rolle als Lucas an, schlug ihm gegen die Brust. Durfte ich das überhaupt oder wurde da nur so getan? Ich tat es nicht doll, aber oh mein Gott, ich verlor fast die Nerven. Mason umfasste meine Handgelenke, so wie es im Drehbuch stand. Ich versuchte mich zu befreien, doch er war stärker als ich. Tränen schossen mir in die Augen, während ich versuchte, mich aus dem Griff zu lösen und ihm Vorwürfe in meiner Rolle als Grace machte. Er wischte mir die Tränen mit einer Hand weg, schaute mich mit einem tiefen Blick an und mir wurden die Knie weich.

»Du weißt, dass das nicht wahr ist«, sagte er mit tiefer und warmer Stimme, die schmerzerfüllter nicht sein konnte. Er nahm mein Gesicht in seine Hände. Unsere Gesichter waren sich so unfassbar nah. Mein Herz raste und ich war mir mehr als sicher, dass er es schlagen spüren und hören musste. Seine Augen waren schmerzerfüllt. Es ließ mir einen Schauer über den Rücken laufen, wie sehr wir in unseren Rollen waren. Meine Hände zitterten, was mir peinlich war, aber ich wusste, was jetzt folgen würde. Mason war nur noch wenige Millimeter von meinem Gesicht entfernt. Ich konnte schon seinen Atem auf meiner Haut spüren. Er roch frisch und süßlich. *Oh Gott, hoffentlich habe ich keinen Mundgeruch*, schoss es mir in den Kopf, obwohl ich zuvor noch Kaugummi gekaut hatte, um mich vor dem Casting zu beruhigen. Seine vollen Lippen berührten meine. Sein Kuss war leidenschaftlich und warm. Er steckte voller Sehnsucht und Verlangen. Unsere Körper waren dicht aneinandergepresst und seine Hände wanderten über meinen Körper. Ich wollte hier nicht an einem Herzinfarkt sterben, konnte bitte *endlich* jemand »*Cut*« rufen?! *Bitte! Nein?* Okay, ich hatte also keine andere Wahl und musste den Kuss erwidern. Unsere Lippen bewegten sich im selben Rhythmus aufeinander und ich hatte das Gefühl, unsere Körper würden miteinander verschmelzen.

Es kam mir wie eine Ewigkeit oder länger vor, bis das erlösende »Cut!« gerufen wurde. Huh, du meine Güte! Ich möchte wetten, dass ich schweißgebadet und knallrot war.

»Alles gut?«, flüsterte Mason mir zu. Ich nickte wie in Trance. Er nahm meine Hand. Ich war mir sicher, dass er es nur gut meinte und mich beruhigen wollte, aber es half nicht sonderlich, im Gegenteil. Mir war es total peinlich, dass er merkte, wie nervös und angespannt ich war.

»Also gut, normalerweise entscheiden wir uns nicht so schnell, aber Sie haben uns wirklich überzeugt«, sagte der Regisseur. »Mason?«

»Ja.«

»Wir würden dann Miss Sommer für die Rolle der Grace besetzen, wenn du nichts dagegen hast.«

»Nein, das passt. Ich kann mir gut vorstellen, mit ihr zu arbeiten.«

Hatte ich das richtig verstanden oder ließen meine Englischkenntnisse mich ausgerechnet jetzt im Stich?

»Na dann, herzlichen Glückwunsch zu Ihrer Rolle als Grace, Miss Sommer.«

Ich konnte es nicht glauben. Passierte das gerade wirklich? Ich brach in Tränen aus und wusste nichts mit mir anzufangen. Ich war völlig überfordert mit der Situation. Ich zitterte am ganzen Körper und hatte das Gefühl, ganz dringend an die frische Luft zu müssen. Konnte mich mal bitte jemand kneifen oder aufwecken?

»Ihre Kontaktdaten haben wir ja. Wir werden Ihnen alles Wichtige in den kommenden Tagen zukommen lassen. Danke.«

»Wow, danke, ich weiß gar nicht, was ich sagen soll!« Mir hatte es komplett die Sprache verschlagen.

Der Regisseur, die Produzenten und die Drehbuchautorin standen auf und packten ihre Notizen und Unterlagen zusammen. Die Castingleitung begleitete mich zur Tür.

»Hey, warte Mal!«, rief Mason mir hinterher. Wir blieben noch kurz stehen.

»Herzlichen Glückwunsch.«

»Danke.« Ich zitterte noch immer.

»Wir sehen uns dann.«

Ich nickte fassungslos.

»Gratulation Miss Sommer. Wie schon gesagt, Sie bekommen in den nächsten Tagen alles Relevante zugesendet. Sie verpflichten sich zur Geheimhaltung über Ihre Rolle und alles andere, was mit der Produktion zu tun hat. Das bräuchten wir dann auch noch mal schriftlich«, sagte die Castingleiterin und drückte mir ein Klemmbrett und einen Stift in die Hand.

»Unterschrift mit Ort und Datum da unten hin«, sagte sie und tippte unten rechts aufs Papier. Ich überflog den Text und unterschrieb.

»Wunderbar, dann wäre das ja auch geklärt. Einen schönen Tag noch.«

Ich brauchte einen Moment –vielleicht besser zwei oder drei – um mich zu sammeln. Wie um alles in der Welt sollte ich das denn für mich behalten? Wie sollte ich denn *jetzt* zurück ins Wohnheim fahren und April anlügen? Und scheiße, wie regelte ich das mit der Uni? Schließlich würde ich eine Zeitlang fehlen … Ich freute mich unbeschreiblich doll, doch gleichzeitig überhäufte mein Gehirn mich mit unzähligen Fragen, die ich wohl besser hätte vorher klären sollen.

Ich hörte noch, wie die Castingleiterin das Casting für beendet erklärte, sich bei allen für ihr Kommen bedankte und sie vertröstete. Man hätte für heute genug gesehen. Unmut und Protest breiteten sich unter den anderen aus. Ich ging wie in Trance aus dem Hotel heraus und setzte mich draußen erst einmal auf eine Bank.

Ich kramte mein Handy hervor und machte ein Selfie. Auch wenn ich es niemandem sagen durfte, ich musste diesen Moment einfach festhalten. #livingmydream #maincharakter #unbelieveable

Ich weiß nicht, wie lange ich auf der Bank vor dem Hotel saß und durchgeatmet hatte, ehe ich mich halbwegs in der Lage fühlte, aufzustehen. Bereit zurückzufahren, fühlte ich mich aber immer noch nicht. Ich beschloss also, mir erst einmal einen großen Eiskaffee zu kaufen und mich in dem Café zu sammeln. Es brauchte letztlich noch einen weiteren großen Eiskaffee, bis ich mich gesammelt hatte und zurückfahren konnte.

Ich schaute auf mein Handy, um mir eine Busverbindung herauszusuchen. Dabei sah ich zahlreiche ungelesene Nachrichten. April hatte mehrfach versucht mich zu erreichen und wollte wissen, wie das Casting gelaufen war.

Ich schrieb ihr, dass ich nicht sicher sei, wie es lief, dass sie noch Zeit brauchten, um sich zu entscheiden oder ob sie noch ein weiteres Casting machen würden. Es war das erste Mal, dass ich April anlog.

Am Abend löcherte April mich mit Fragen, die ich alle nicht wirklich beantworten konnte. Ich erzählte ihr, dass es sehr voll war, dass ich super aufgeregt war und dass ich kurz vorher eine Szene zugeteilt bekommen hatte. Mehr nicht. Nichts von meiner Zusage, nichts von Mason. Ich wusste nicht, ob ich das hätte preisgeben dürfen, also schwieg ich besser, obwohl es mir so unfassbar schwer fiel. Ich wollte April am liebsten alles erzählen. Ich wollte ausrasten vor Freude. Ich wollte meine Mom anrufen und zu Jamie hinüberlaufen, aber nichts davon konnte ich machen. Schon jetzt musste ich also voll und ganz als Schauspielerin überzeugen. Um mich nicht doch noch zu verraten, ging ich lieber schon schlafen.

Kapitel 9

Ich war unglaublich aufgeregt, als ich eine Woche später *die* Post in der Hand hielt. Meine Hände zitterten und ich wollte vor Freude schreien. Aber man würde mich wahrscheinlich für komplett irre halten, weshalb ich mich beherrschte.

Ich wollte ungestört sein, wenn ich sie öffnete, also fuhr ich mit dem Bus zum Strand und suchte mir eine ruhige Ecke. Ich wollte auf keinen Fall Gefahr laufen, jemandem zu begegnen, den ich kannte.

Ich setzte mich auf mein Handtuch und hielt den Briefumschlag in den Händen. War das zu glauben?!

Zittrig öffnete ich den Umschlag und zog einige Dokumente hervor, ebenso wie ein Drehbuch. Holy Shit! Ich zappelte vor Aufregung mit den Füßen. *Mein* Drehbuch! *Meins*! Ich zog mein Handy hervor und musste ein Foto davon machen, was ich nur leider niemandem schicken konnte.

Ich las mir die Vertragsunterlagen und Informationen gründlich durch. Ob ich davon irgendwas aufgenommen und abgespeichert hatte, war jedoch zu bezweifeln. Ich war viel zu aufgeregt. Es schien mir aber alles seine Richtigkeit zu haben. Es wurde nun wirklich ernst! Die Summe der Gage ließ mir den Atem stocken: 260.000 US-Dollar! Damit war das Studium abbezahlt und ich hatte noch Geld übrig, was ich beiseite legen konnte!

Ich nahm mir zuallererst vor, einen Termin in der Uni zu vereinbaren, um zu schauen, ob ich ein Semester aussetzen konnte oder ob das Ganze parallel möglich war … Aber für die Zeit des Drehs würde es meiner Meinung nach übertrieben sein, ein Semester auszusetzen. Ich würde einfach versuchen, sie davon zu überzeugen, dass ich das mit dem Lernen parallel schaffte und darauf hoffen, dass der Dreh nicht länger als angesetzt dauern würde, damit ich rechtzeitig zu den Prüfungen zurück war.

Aber das war erstmal egal. Um das Organisatorische konnte ich mich später noch kümmern. Jetzt wollte ich nichts mehr, als endlich das Drehbuch zu lesen! Es kam mir vor wie in einem Traum. Ich saß in Los Angeles am Strand, das Drehbuch zur Verfilmung meines Lieblingsromans mit mir als weiblicher Hauptdarstellerin auf dem Schoß. Ein lauer Wind wehte und die Wellen rauschten.

Ich las die ersten Seiten und war vollkommen begeistert.

In unserem Zimmer zurück suchte ich meine Notizzettel, Karteikarten, Post-its sowie Textmarker und Kugelschreiber zusammen. Ich verstaute alles mitsamt dem Drehbuch in meiner Tasche, ging in einen der Lernräume und suchte mir eine freie Ecke.

Ich markierte für mich wichtige Passagen und Emotionen und machte mir Notizen. Ich überlegte mir, wie ich das Drehbuch am besten in der Kürze der Zeit lernen konnte. Ich beschloss, es erst einmal komplett durchzulesen und mir Notizen zu machen, ehe ich es Stück für Stück durchgehen und auswendig lernen würde.

Als ich zurück in unser Zimmer kam, war April noch arbeiten. Ich versteckte also mein Drehbuch in meiner Kommode unter meinen Shirts und ging schlafen.

Am nächsten Tag sprach ich mit der Leitung der UCLA, erklärte ihnen, dass ich für eine Rolle besetzt worden war und dass der Dreh demnächst losgehen würde. Ich fragte, ob das machbar wäre und falls ja wie. Wir redeten lange und schauten, dass wir eine gute Lösung fanden. Mir wurde verständnisvoll begegnet und wir konnten uns einigen, was mich sehr beruhigte.

Ich konnte also die Verträge ausfüllen, unterschreiben und absenden.

Mehrfach bedanke ich mich und versprach, den Unistoff so gut es nur ging am Set zu lernen.

Anschließend ging ich in meine Vorlesung und machte mir fleißig Notizen.

Nach der Vorlesung aß ich mit April zu Mittag und fuhr anschließend zu meiner Schicht bei Starbucks, wo ich auch noch mit meinem Chef sprechen musste. Ich redete ehrlich mit ihm und sagte, dass ich ein unschlagbares Angebot bekommen hätte und meinen Job leider kündigen müsse und dass ich auf sein Verständnis hoffe. Er war zwar enttäuscht, da ich meinen Job wohl immer zu seiner vollsten Zufriedenheit erfüllt hatte, aber er würde schnell jemanden finden. Ich kündigte gerade meine einzige Geldeinnahmequelle und fühlte, wie eine leichte Welle von Panik mich überkam. Natürlich würde ich für meine Rolle mehr als gut bezahlt werden, aber noch hatte der Filmdreh nicht begonnen und ich hatte noch einen fetten Studentenkredit am Hals. Puh, ich hoffte das Beste und dass man sich nicht doch noch umentschied.

Nach meiner Schicht blieb ich noch eine Stunde zum Lernen und trank währenddessen einen Kaffee.

Abends kam ich müde zurück. Ich ging duschen und machte meine Wäsche, dann saugte ich noch kurz das Zimmer durch.

So oder so ähnlich gingen die nächsten Tage vorüber: Uni, lernen, arbeiten, sauber machen, etwas Sport und alles wieder von vorne. In jeder freien Minute, die ich finden konnte, las ich das Drehbuch.

Schließlich stand der Filmdreh kurz vor der Tür und ich musste endlich mit April reden. Sie würde sich ansonsten wundern, wenn ich nicht da wäre.

»Ap, können wir nachher reden?«, fragte ich sie, als wir mit dem Zähneputzen fertig waren.

»Klar, was gibts?«

»Lass uns nachher zusammen an den Strand fahren, dann erzähl ich es dir.«

»Na, du machst da ja ein Geheimnis draus … Aber ja, können wir machen. Ich muss erst morgen wieder arbeiten.«

»Danke. Nach der Vorlesung?«

April nickte.

Ich ging mich anziehen und packte meine Tasche. Im Anschluss gingen wir gemeinsam zur Vorlesung, die mir heute unfassbar lang vorkam. Ungeduldig schaute ich immer wieder auf meine Uhr.

Endlich war die Vorlesung zu Ende und ich konnte mit April zum Strand fahren. Es war heute angenehm warm mit 18 Grad. Von diesen Temperaturen hätten wir in Hamburg Anfang des Jahres nur träumen können.

Wir gingen hinunter zum Strand und setzten uns.

»Nun erzähl schon … Was ist so geheimnisvoll?«, drängte April.

»Du musst mir vorher eine Sache versprechen!«, erwiderte ich ernst.

»Hast du jemanden umgebracht und brauchst ein Alibi oder warum bist du so ernst?«, scherzte April.

»Nein. Versprich mir, dass du es für dich behältst! Ich kann sonst wirklich ernsthafte Probleme bekommen!«

»Versprochen.«

»Ich muss dir wirklich vertrauen können!«, sagte ich weiterhin ernst.

»Ich schwöre dir, dass niemand etwas, was auch immer, von mir erfahren wird!«, entgegnete April.

»Okay, versprich mir, dass du nicht ausrastest!«, fuhr ich fort.

»Scheiße man, Tay, was ist los? Schmeißt du die Uni?«, fragte April vorwurfsvoll.

»Nein. Ich sag es dir jetzt und du rastest einfach nicht aus, okay?«, mahnte ich sie eindringlich. Sie nickte.

»Ich darf es noch niemandem sagen, aber ich hab' die weibliche Hauptrolle als Grace in dem Film bekommen«, platzte es aus mir heraus. Ich hatte es ihr schon so lange erzählen wollen und es war mir jeden Tag unglaublich schwergefallen, nichts zu sagen!

»Du hast was?!«, April schlug sich schnell die Hände auf den Mund, als sie merkte, wie laut sie es heraus posaunt hatte. »Verarsch mich nicht!«

Ich schüttelte heftig meinen Kopf. »Ich kann es nicht länger vor dir geheim halten, weil ich nächste Woche schon zum Dreh fahre!«

»Nächste Woche schon?!«, April kam aus dem Staunen gar nicht mehr heraus.

»Versprich mir, dass du es für dich behältst! Es ist noch nichts Offizielles!«

»Klar! Das müssen wir aber trotzdem feiern! Ich kann es noch gar nicht glauben!«

»Ich auch nicht! Vor allem, wenn du erst mal erfährst, wer die männliche Hauptrolle hat!« Ich grinste übers ganze Gesicht.

»Wer?«

»Siehst du dann.«

»Tay! Kennt man ihn?«, fragte April neugierig und ungehalten.

Ich nickte und grinste vielsagend. »Er ist verdammt heiß.«

»So Hollywoodstar heiß oder normal heiß?«, wollte sie wissen.

»So richtig.« Ich wurde rot.

»Oh man, du Glückspilz!«

April und ich quatschten noch eine Weile, ehe wir runter zum Santa Monica Pier gingen und uns etwas zu essen und trinken holten.

»Auf dich«, sagte April und wir stießen mit unseren Colas an.

Ich bedankte mich und fiel ihr um den Hals. Ich war so unglaublich happy und aufgeregt.

»Am liebsten würde ich dich mitnehmen!«, sagte ich aufgeregt.

»Ich würde auch so unfassbar gerne mitkommen!«

»Würdest du mir deine Mitschriften aus den Vorlesungen schicken, während ich weg bin? Ich hab' mit der Uni vereinbart, dass ich am Set weiterlernen kann.«

»Na klar! Ich freu mich so sehr für dich!«

»Danke, du bist die Beste!«

»Ich weiß«, erwiderte April lachend.

»Ich werde dich echt vermissen!«, seufzte ich.

»Ich dich auch!«

Heute war es so weit und ich war total gestresst! Ich stand verzweifelt vor meinem Schrank und wusste absolut nicht, was ich einpacken sollte. April saß auf ihrem Bett und versuchte zu helfen. Ich seufzte und packte erneut einiges wieder aus und anderes dafür wieder ein.

Eine geschlagene halbe Stunde brauchte ich, um endlich meinen Koffer gepackt zu haben. Anschließend kontrollierte ich gefühlt hundert Mal, ob ich alle Dokumente, das Flugticket nach San Diego, das Drehbuch etc. dabeihatte. Hatte ich.

»Du packst das!«, sagte April aufmunternd »Und wenn etwas sein sollte, meldest du dich jederzeit bei mir.«

»Bist du dir sicher? Ich hab' echt Schiss!«

»Natürlich hast du Schiss! Das ist dein erster großer Filmdreh und dann gleich in der Hauptrolle! Aber du packst das, das weiß ich und am Ende hast du einen verdammt tollen Film, den du dir wieder und wieder anschauen und superstolz auf dich sein kannst!«

»Puh …« Ich atmete tief durch.

»Mach dir nicht so einen Kopf! Genieß die Zeit am Set und reiß dir verdammt noch mal den Arsch auf, damit du nachher nicht von dir selbst enttäuscht bist!«

»Mache ich.«

»Gut, dann los jetzt, bevor du deinen Flug verpasst«, drängte April.

Sie hatte ja recht. Ich nahm meinen Koffer und mein Handgepäck und verließ unser Zimmer, nachdem wir uns voneinander verabschiedet hatten.

Ich wartete unten vor dem Wohnhaus auf das Taxi, das ich mir gerufen hatte. Nervös schaute ich aufs Handy, doch da bog es auch schon um die Ecke. Der Taxifahrer stieg aus und verstaute mein Gepäck im Kofferraum, während ich im Auto Platz nahm.

Die ganze Fahrt über schaute ich aufgeregt aus dem Fenster. Ich war sowas von hibbelig.

»Ist alles in Ordnung?«, fragte der Taxifahrer.

»Ja, ich bin nur aufgeregt«, entschuldigte ich mich.

Wir kamen endlich am LAX an. Ich stieg aus, bezahlte den Fahrer und nahm mein Gepäck entgegen.

Ich machte ein Selfie und lud es hoch – #aufgeregt. Dann versuchte ich mich zu orientieren, wo ich hinmusste. Schließlich fand ich das passende Gate auf der Beschilderung und machte mich auf den Weg. Der Airport war proppenvoll und ein großes Gedränge herrschte.

Ich passierte den Security-Check, nachdem ich meinen Koffer aufgegeben hatte und nahm dann im Wartebereich Platz.

Mein Flug wurde kurze Zeit später aufgerufen. Ich reihte mich in die Schlange ein und wartete ungeduldig, bis ich ins Flugzeug kam und meinen Platz suchte.

Ich hatte zum Glück einen Fensterplatz, was für den kurzen Flug von circa einer Stunde eigentlich auch egal war. Aber ich genoss immer die Aussicht von oben. Wie winzig klein von dort alles aussah.

Es war ein wirklich kurzer Flug, den ich nur nutzte, um April kurz zu schreiben, dass ich im Flieger saß und es pünktlich geschafft hatte. Ansonsten hörte ich bloß etwas Musik und ging meine Notizen zu meiner Rolle noch einmal durch.

In San Diego angekommen, sollte ich in der Ankunftshalle warten. Wir sollten dort abgeholt werden.

Ich wartete also ungeduldig auf meinen Koffer und ging weiter in den Bereich, wo auch Nicht-Fluggäste Zutritt hatten. Es war voll und viele warteten auf ihre Angehörigen oder Mitarbeiter. Schließlich entdeckte ich einen Fahrer, der das passende Schild hochhielt. Ich ging zu ihm hinüber und stellte mich vor. Was hätte ich auch sonst tun sollen? Ich sollte noch einen Moment mit ihm warten, da noch ein paar andere aus der Crew zeitnah landen sollten. Ich setzte mich hinter ihm auf die Wartesitze und trommelte nervös mit meinen Fingern auf meinem Handgepäck herum. Wer würde es wohl sein? War Mason auch unter ihnen? Würden es Schauspielkollegen sein oder welche vom Team wie Maske, Kameramann oder Kamerafrau …? Würden wir alle miteinander auskommen? Wie würde es überhaupt weitergehen? Ich war furchtbar aufgeregt und so merkte ich, gedankenverloren, wie ich war, gar nicht, dass der Rest mittlerweile angekommen war und auf mich wartete. Peinlich! Ich stand hastig auf und folgte ihnen zu einem Kleinbus. Unser Gepäck verstaute der Fahrer im Kofferraum und wir nahmen hinten Platz.

Wir stellten uns gegenseitig vor. Es stellte sich heraus, dass es eine Schauspielkollegin namens Lola und Liam, ebenfalls Schauspieler, waren sowie die Make-up-Artistin Olivia.

Wir fuhren ein Stück, ehe wir unsere Unterkunft erreichten. Es war ein auf den ersten Blick einladend wirkendes Ferienhaus. Der Fahrer hielt in der Auffahrt und holte unser Gepäck heraus.

Olivia ging hinauf und klingelte. Wir folgten ihr.

Uns wurde aufgemacht. Die Aufnahmeleiterin, welche sich als Rachel vorstellte, öffnete die Tür. Sie zeigte uns das Haus und unsere Zimmer. Lola und ich teilten uns eines sowie Liam und Mason. Ein paar der Schauspieler mit Nebenrollen teilten sich ebenfalls die Zimmer. Rachel sagte uns, dass wir bis zum gemeinsamen Abendessen Zeit hätten und dass wir uns um 19 Uhr zum Essen in der Küche treffen würden.

Lola und ich bezogen erst einmal unser Zimmer, räumten unsere Koffer aus und nutzten die Zeit schon mal, um uns etwas besser kennenzulernen. Lola war genauso alt wie ich und sie war eine Weile auf der Schauspielschule, ehe sie immer wieder für Produktionen gebucht worden war. Sie würde in der Buchverfilmung meine beste Freundin Bonny spielen. Sie schien mir wirklich sympathisch und lustig zu sein. Ich freute mich sehr, dass ich so ein Glück hatte und mich bisher so gut mit ihr verstand. Nachdem wir ausgepackt hatten und uns eine Weile unterhalten hatten, schrieb ich kurz April und meiner Mom.

Lola und ich machten uns frisch, ehe wir beschlossen, ins Wohnzimmer zu gehen, um zu schauen, ob wir den Rest der Crew auch vor dem Essen schon mal besser kennenlernen konnten.

Und im Wohnzimmer saß er dann auch tatsächlich: Mason! Mir blieb kurz das Herz stehen. Meine Güte, wenn das jetzt den ganzen Dreh über so ging, würde ich die Zeit nicht überleben. Lola verpasste mir einen kleinen Seitenhieb und raunte mir zu: »Wusstest du, dass er auch bei dem Film dabei ist?«

»Ja, er war bei meinem Casting dabei.«

»Was?!«

»Ja, ich war sprachlos und dann musste ich als zweite Szene auch direkt *die* Kussszene mit ihm drehen«, tuschelte ich zurück.

Lola fielen fast die Augen aus dem Kopf.

»Heilige …«

Ich lief wieder rot an, als ich daran zurückdachte.

»Krass.«

»Hey, da seid ihr ja«, sagte Liam, der neben Mason auftauchte. Er trug lässige Jogpants und ein T-Shirt. Ein paar seiner Locken fielen ihm in die Stirn.

»Da sind wir«, sagte ich dämlich und setzte mich auf das gegenüberliegende Sofa. Lola ließ sich neben mich fallen.

»Hi!«, quietschte sie und strich sich verlegen eine Haarsträhne hinters Ohr.

»Seid ihr gut angekommen?«, erkundigte sich Mason.

»Ja, danke und du?«

»Ich kann mich nicht beschweren.«

Ich wirkte um einiges lockerer und entspannter, als ich mich fühlte.

»Und du bist?«, fragte Mason an Lola gewandt.

»Lola. Ich spiele ihre beste Freundin Bonny«, antwortete Lola und zeigte auf mich.

»Ah, okay. Cool.«

Sie nickte.

Mason war sehr nett, aber dennoch fühlte man sich in seiner Gegenwart etwas unsicher, da er bereits ein Megastar war. Wer waren wir schon dagegen?

»Schon aufgeregt?«, mischte sich nun auch Liam wieder in die Unterhaltung mit ein, der meinen besten Freund Zayn in der Verfilmung spielen würde.

»Und wie!«, antwortete ich. »Und du?«

»Auch!«

Wir unterhielten uns noch eine Weile, ehe es Zeit war, zum gemeinsamen Essen nach nebenan in die große Küche mit Essbereich zu gehen.

Dort trafen wir dann auf einen weiteren Teil der Crew. Den Teil, der hier mit uns wohnen würde, und diejenigen, die uns die ersten Einweisungen geben würden. Den Rest sollten wir die Tage kennenlernen, sie waren in der näheren Umgebung untergebracht.

Das Essen war bestellt worden und wurde gerade in der Küche angerichtet. Es gab ein köstlich aussehendes und riechendes Buffet.

Wir bedienten uns alle und nahmen dann an dem großen Tisch Platz, wo wir uns alle kennenlernten und auf eine tolle gemeinsame Zeit anstießen. Dann wurden wir mit Informationen für den kommenden Tag versorgt. Wann wir aufstehen sollten, wann wir losfuhren, wann wir in die Maske und Kostüm mussten, wann wir Pause hatten, wann wir gemeinsam das Drehbuch durchgehen würden und wann Drehschluss war.

Es war eine nette und lustige Runde und ich war da sehr erleichtert drüber, denn wir würden den kompletten nächsten Monat miteinander verbringen.

Gegen zehn Uhr am Abend gingen wir auf unsere Zimmer, da wir am nächsten Morgen um halb sieben losmussten.

Ich telefonierte noch mal kurz mit April, ehe ich duschen und ins Bett ging. Ich wünschte Lola eine gute Nacht und stellte mir einen Wecker.

Um fünf Uhr dreißig klingelten unsere Wecker. Wir richteten uns müde in unseren Betten auf.

»Guten Morgen«, murmelte Lola.

»Guten Morgen«, antwortete ich gähnend. Es dauerte einen Moment, bis ich wach war und aufstand. Lola und ich gingen nacheinander ins Bad, um uns fertig zu machen. Dann packten wir unsere Drehbücher und Handys in unsere Taschen.

In der Küche nahmen wir uns etwas Obst fürs Frühstück. Kurz nach uns kamen Liam und Mason in die Küche.

Pünktlich um halb sieben saßen wir im Auto und fuhren zum Set, das nicht weit von unserer Unterkunft entfernt lag.

Dort war schon einiges los. Wir vier wurden direkt in die Maske und Garderobe gerufen, wo man uns fertigmachte. Das Ganze war so ungewohnt für mich, dass ich mich beinahe in einem Traum wähnte. Während der Wartezeit gingen wir noch mal unsere Texte für die erste Szene durch, die heute gedreht wurde.

»Cheese!«, rief Liam uns zu, der mit seinem Handy gerade Fotos in der Maske machte. Wir hatten alle gute Laune und waren super motiviert.

Mason und ich wurden zuerst zurechtgemacht. Als Lola und Liam folgten, nutzten wir die Zeit, die Szene gemeinsam durchzugehen. Es half mir enorm, dass er so eine Ruhe und Professionalität ausstrahlte und extrem selbstsicher war, denn ich war es noch nicht. Ich war ein reines Nervenbündel, versuchte aber, es mir nicht anmerken zu lassen. Wir wiederholten die Szene ein paar Mal und er gab mir ein paar Ratschläge.

Als alle fertig waren, wurden wir zur ersten Szene und zum ersten Take dieser Szene gerufen. Es wurden ein Farb- und Lichtabgleich gemacht und die Kameraeinstellung und der Ton getestet. Es war wirklich viel los am Set. Und zum ersten Mal nach dem Casting traf ich wieder auf den Regisseur.

Wir wurden noch einmal in unsere Szene eingewiesen. Es folgte eine letzte Kontrolle, ehe das berühmte: »And Action!« fiel.

Der erste Take gefiel dem Regisseur Jayden noch nicht. Wir wiederholten die Szene daher noch zwei Mal und einmal noch aus einer anderen Perspektive.

Wir arbeiten Szene für Szene, die heute geplant waren, ab und änderten noch einige Details. Zwischendurch wurden wir noch mal neu geschminkt und wechselten die Outfits, da die Szenen nicht alle in chronologischer Reihenfolge gedreht wurden. Jede Pause zwischen den Einstellungen oder den Raumwechseln nutzten wir zum Textlernen oder um schnell einen Schluck zu trinken oder einen kleinen Snack zu essen. Wir dokumentierten den Tag außerdem mit unseren Handys – zwischenzeitlich auch mit professionellem Equipment, um schon einmal ein paar Promobilder zu haben. Wir hatten mittlerweile auch endlich die Freigabe bekommen, Fotos und unspezifische Infos zu veröffentlichen.

Stunde um Stunde und Minute um Minute arbeiteten wir alle konzentriert, aber mit Spaß und Professionalität, ehe wir Mittagspause hatten.

Eine Cateringfirma hatte Essen geliefert, das aufgebaut worden war. Wir waren alle sehr dankbar über die Mittagspause. Denn auch wenn wir alle Freude an unserer Arbeit hatten, war sie sehr anstrengend und der Hunger meldete sich irgendwann.

Wir füllten unsere Teller und nahmen uns Getränke, ehe wir uns an den Rand des Sets an dafür vorbereitete transportable Tische setzten und zusammen aßen.

Nach der einstündigen Mittagspause, die wir mit Essen, Trinken, Lernen und Herumalbern verbracht hatten, ging es zurück in die Maske und Garderobe.

Die nächsten Szenen folgten und wir schauten sie uns an. Der Kameraassistent machte ein Foto davon und stellte es online. Er hatte uns alle darauf verlinkt.

Wir drehten bis zum frühen Abend, ehe wir uns wieder umzogen und das Set verließen.

In unserer Unterkunft aßen wir gemeinsam zu Abend und hingen danach noch zusammen im Wohnzimmer ab.

»Und, wie findest du es bisher am Set?«, erkundigte ich mich bei Lola.

»Super, es ist wirklich ein klasse Team«, antwortete sie. »Und wie gefällt es dir?«

»Auch sehr gut. Ihr seid super und es macht wirklich großen Spaß! Ich bin gespannt, wie es morgen wird.«

Die Jungs gesellten sich zu uns auf das Sofa.

»Na ihr«, meinte Mason, während er uns was zu trinken reichte.

»Hey«, sagte ich.

»Das lief heute doch schon super.«

»Danke«, bedankte ich mich und errötete etwas.

»Ich freue mich schon auf morgen«, fuhr Mason fort. »Kannst du deinen Text?«

»Ich denke schon«, erwiderte ich und wurde unweigerlich etwas nervös.

»Gut, wenn du willst, gehen wir ihn später oder morgen noch mal zusammen durch«, bot er an.

»Gerne. Vielen Dank.«

Nach einer Weile verabschiedete ich mich und ging auf Lolas und mein Zimmer. Wo wir endlich die Freigabe hatten, wollte ich Mom und Georg unbedingt die aufregenden Neuigkeiten mitteilen.

Ich rief Georg zu erst an und erzählte ihm aufgeregt vom ersten Tag am Set.

»Nicht dein Ernst!«, entfuhr es ihm »Ich wusste, dass du es schaffst, aber so schnell … Wow!«

»Ich weiß, ich kann es ja selbst kaum glauben!«, antwortete ich.

Wir quatschten noch eine Weile, ehe ich ihm versprach ein paar Fotos zu schicken. Ich verabschiedete mich damit von ihm und rief als nächstes mein Mom an. Ich hoffte, sie zu erreichen. Nach dem zweiten Klingeln nahm sie den FaceTime Anruf auch schon entgegen.

»Hallo Taylor, wie geht es dir?«, meldete sie sich.

»Super, danke. Wie geht es euch?«, fragte ich zurück.

»Gut, danke. Du strahlst ja so.«

»Ja, ich hatte heute meinen ersten Tag am Set, kannst du dir das vorstellen?«

»Deinen ersten Tag am Set?«, fragte Mom etwas verwirrt.

»Ja, erinnerst du dich an meinen Lieblingsroman *Only forever*? Ich war vor kurzem beim Casting dafür und konnte mir die Hauptrolle ergattern! Wir durften es bisher aber niemandem sagen ...«

»Ich erinnere mich an das Buch. Du warst ja ständig darin vertieft. Die Hauptrolle sagst du?« Mom war völlig fassungslos »Und wie geht es mit der Uni weiter?«

»Ich muss nach Drehschluss lernen. Zu den Prüfungen bin ich wieder zurück.«

Sie schüttelte noch immer fassungslos den Kopf.

»Ist Ella zuhause?«, erkundigte ich mich, denn ich hatte sie eine Weile nicht mehr gesprochen.

»Ja, warte ich rufe sie eben.«

Kurz darauf tauchte Ella neben meiner Mom in der Küche auf.

»Taylor ist dran.«

Sofort breitete sich Freude in ihrem Gesicht aus, als sie mich sah.

»Hey«, begrüßte ich sie ebenfalls glücklich.

»Hi Tay, wie geht's dir?«

»Gut und dir? Ich bin gerade an einem Filmset!«, erzählte ich ihr aufgeregt.

»Oh wie cool, du musst mir alles erzählen!«, drängte Ella neugierig.

Ich erzählte den beiden also, wie der erste Tag war und was für morgen geplant war, dann verabschiedeten wir uns voneinander.

Während ich mein Handy in der Hand hielt, überlegte ich, ob ich

Jamie schreiben sollte. Es waren jetzt ein paar Wochen vergangen und ich vermisste es, mein Leben mit ihm zu teilen. Ich tippte einige Male eine Nachricht, ehe ich sie wieder löschte und von vorne begann. Am Ende schickte ich ihm:

Hey Jamie …

Wie geht es dir? Können wir reden, wenn ich zurück bin? Bin für einen Monat in San Diego auf einem Filmdreh … Tay

Ich starrte das Display für einen Moment an, ehe ich das Handy beiseite legte und sowohl für die Uni, als auch das Drehbuch lernte.

Es war kurz nach Elf am Abend, als Lola anklopfte.

»Hey, kann ich rein kommen oder störe ich dich?«, fragte sie.

»Hi, na klar kannst du rein kommen, ist ja schließlich auch dein Zimmer«, antwortete ich ihr.

»Und du bist wieder am Lernen?«, erkundige sich Lola.

»Ich hatte telefoniert und dann gelernt. Aber Schluss für heute«, sagte ich entschlossen und schloss meinen Mac »Und ihr?«

»Wir haben Netflix geschaut, du hast also nichts verpasst«, lächelte Lola. Ich lächelte ebenfalls, dann nahm ich meine Schlafsachen und ging mich im Bad Bettfertig machen. Lola ging nach mir ins Bad.

Als wir beide in unseren Betten lagen, quatschten wir noch etwas, bevor wir schlafen gingen. Ich schaute noch einmal auf mein Handy, doch bisher hatte ich noch keine Antwort von Jamie. Ich hoffte darauf, dass er sich morgen melden würde …

Die Tage verflogen und ich war langsam wirklich k. o. – früh aufstehen, ans Filmset, das Drehbuchlernen, Sport, lernen für die Uni …

Ich war also dementsprechend froh, dass wir mal einen Tag frei hatten. Ich kam gerade aus der Dusche, als es an der Tür klopfte.

»Ja?«, fragte ich durch die Tür.

»Hey, ich wollte fragen, ob du Lust hast, eine Fahrradtour zu unternehmen?«, fragte Mason von draußen.

»Ehm, ja … Ich muss mich aber noch anziehen … Bin grad aus der Dusche gekommen …«, antwortete ich.

»Kein Stress, ich warte im Wohnzimmer auf dich.«

»Danke, ich beeile mich trotzdem.«

Hastig trocknete ich mich im Bad ab und zog mir etwas an. Anschließend föhnte ich schnell meine Haare trocken und legte das übliche Make-up auf. Ich suchte mein Handy und meine Tasche, dann verließ ich das Zimmer und ging ins Wohnzimmer.

»Da bin ich«, sagte ich zu Mason, der es sich auf dem Sofa gemütlich gemacht hatte und am Handy war.

»Du siehst gut aus«, stellte er fest und stand auf.

»Danke«, antwortete ich verlegen. »Wo sind die anderen alle?«

»Ein paar sind zum Sport, ein paar ins Büro oder Erledigungen machen«, erwiderte Mason achselzuckend.

»Wohin wollen wir fahren?«, fragte ich.

»An den Strand?«, schlug Mason vor.

»Gerne.«

Gemeinsam gingen wir raus und nahmen uns zwei der Fahrräder, die für uns bereitstanden. Das Wetter war angenehm, die Sonne schien, aber es war noch nicht zu heiß.

»Ich folge dir«, sagte ich und schwang mich aufs Fahrrad.

Wir fuhren los und radelten die Straßen entlang, bis wir am Strand ankamen. Mason zog sich die Cap etwas tiefer ins Gesicht und mit der Sonnenbrille im Gesicht war nicht mehr allzu viel von seinem Gesicht zu sehen. Blendete ihn bloß die Sonne oder wollte er nicht erkannt werden? Ich hatte mir da noch gar keine Gedanken drüber gemacht. Aber Mason war schließlich bereits in einigen sehr erfolgreichen Filmen in den letzten Jahren zu sehen gewesen. Irgendwer würde ihn mit Sicherheit immer irgendwo erkennen …

»Alles in Ordnung?«, fragte ich nachdenklich.

»Klar. Lass uns die Räder abstellen und ans Wasser runtergehen.«

Wir schlossen die Räder ab, passierten den Fußgängerweg und waren schließlich am Strand.

»Wollen wir ein Stück gehen?«, fragte Mason.

»Können wir gerne machen«, sagte ich und rückte meine Sonnenbrille zurecht.

Mason und ich gingen eine Weile wortlos nebeneinanderher. Wir genossen einfach die kleine Auszeit und die ersten warmen Sonnenstrahlen.

»Wie ist es für dich, deinen ersten Film zu drehen?«, brach er schließlich das Schweigen.

»Aufregend. Ich hatte mich eigentlich immer eher hinter der Kamera gesehen …«

»Und wie kommt es dann, dass du dich ausgerechnet für die Hauptrolle beworben hast?«

»Es war eine ziemlich spontane Idee … Ich habe den Castingaufruf gesehen und es ist mein absolutes Lieblingsbuch gewesen … Nie im Leben hätte ich gedacht, dass die mich nehmen würden …«

»Na ja, du hast die ziemlich überzeugt«, grinste Mason breit.

»Hab ich?«, fragte ich verblüfft.

»Und ob. Aber nicht nur die. Ich war auch ziemlich beeindruckt.«

Ich hatte das Gefühl zu erröten und schaute zu Boden. Mit Komplimenten wusste ich nicht allzu gut umzugehen.

»Danke.«

Mason breitete eine Decke aus, die er aus seinem Rucksack geholt hatte und wir setzten uns.

»Cola?«, fragte er.

»Gerne.«

Er reichte mir eine Cola und öffnete sich selbst auch eine.

»Es ist immer noch so surreal, hier in Kalifornien zu sein, zu studieren und meinen ersten Film zu drehen …«

»Du kannst stolz auf das sein, was du erreicht hast, das schaffen nicht viele.«

»Ich weiß, ich hätte es auch nicht für möglich gehalten. Manchmal frage ich mich, ob das nicht alles ein Traum ist.«

»Du hast es dir verdient. Du bist verdammt gut in dem, was du tust, und offenbar sehr ehrgeizig. Wenn die anderen Feierabend machen, gehst du noch für die Uni lernen.«

»Ich kann es mir nicht erlauben, durchzufallen.«

»Das wirst du auch nicht. Hab' vertrauen in dich.«

Ich lächelte dankbar. Es tat gut, auch mal was Positives bezüglich meiner Entscheidungen zu hören.

Nachdem ich meine Cola neben mich gestellt hatte, legte ich mich hin. Ich schloss die Augen und genoss es, nichts zu tun. Ich weiß nicht, wann ich dies das letzte Mal getan hatte – außer bei der kurzen Auszeit mit April am Strand, bevor ich abgereist war.

»Woran denkst du?«, wollte Mason wissen.

»Ich habe mich nur gefragt, wann ich eigentlich das letzte Mal einfach nichts getan habe …«

»Also war es eine gute Idee, dich rauszulocken, weg von der Möglichkeit, zu lernen«, meinte Mason grinsend.

»Ja, ich denke schon«, seufzte ich.

Ich spürte, wie Mason sich neben mich legte und schielte kurz zu ihm hinüber. Scheiße, von nahem sah er noch viel besser aus. *Tay, nein, denk da gar nicht erst drüber nach!*, mahnte ich mich selbst.

»Lass uns ein Erinnerungsfoto vom Nichtstun machen«, schlug Mason schließlich lächelnd vor.

Wir rückten etwas dichter zusammen und er machte ein Foto. Mein Herz raste.

»Ich schick es dir gleich rüber.«

»Danke dir.«

Mason drehte sich auf die Seite rüber und schaute mich an. Ich lächelte verlegen. Er nahm seine Cap ab und kam etwas näher. Er schaute mir tief in die Augen und strich mir eine Haarsträhne aus dem Gesicht. Seine Lippen umspielte ein warmes Lächeln. Mein Herz pochte wie wild, als sein Gesicht noch näher kam und seine Lippen meine berührten. Es ist ja nicht so, dass wir uns nicht schon mal geküsst hatten, aber der Kuss beim Casting war gespielt und hatte sich komplett anders angefühlt als dieser hier. Mason zog mich dichter zu sich heran und ließ seine warme Hand auf meiner Hüfte ruhen. Ich erwiderte seinen Kuss, ohne großartig darüber nachzudenken. Es fühlte sich einfach verdammt gut an, auch wenn ich das Gefühl hatte, dass mein Herz gleich aus meiner Brust springen würde. Aus einem anfänglich zögerlichen Kuss wurde ein immer leidenschaftlicherer und drängenderer. Wir küssten uns noch eine Weile, ehe wir Arm in Arm einfach nur da lagen und grinsten.

»Wir sollten langsam zurück«, brach ich irgendwann die

angenehme Stille, denn wir wollten wie jeden Abend alle zusammen essen.

»Ich würde lieber noch Zeit mit dir allein verbringen«, erwiderte Mason und setzte sich auf.

»Können wir ja trotzdem noch. Nach dem Essen.«

Mason stand seufzend auf und reichte mir seine Hand. Ich nahm sie und er zog mich hoch. Ich hatte so viel Schwung, dass wir Gesicht an Gesicht standen. Mason nahm mein Gesicht sanft zwischen seine Hände und küsste mich erneut. Meine Knie wurden weich und mein Herz raste erneut wie wild. Würde ich mich da je dran gewöhnen?

»Es war ein wirklich schöner Nachmittag«, sagte er, ehe er die Decke in seinem Rucksack verstaute.

»Fand ich auch«, antwortete ich verlegen.

Zusammen schlenderten wir zurück zu unseren Fahrrädern.

Es war kein weiter Weg vom Strand zu unserer Unterkunft. Aber mir schossen tausende Gedanken während der Fahrt durch den Kopf. Wie würde es weitergehen? Was würden die anderen sagen?

Ganz in meine Gedanken vertieft stieg ich vom Rad und stellte es ab, als wir schließlich wieder bei unserer Unterkunft ankamen.

Das Klingeln meines Handys riss mich aus meinen Gedanken. Ich erschrak und wühlte nach dem blöden Teil in meiner Tasche. Es war April. Ich hatte nicht einmal die Gelegenheit, etwas zu sagen, sobald ich auf den grünen Hörer gedrückt hatte, schrie sie schon los. So laut, dass ich das Handy einige Zentimeter von meinem Ohr entfernt hielt. Ich war völlig perplex.

»Könntest du dich vielleicht etwas beruhigen, ich verstehe kein Wort!«, sagte ich überfordert.

»*Wann* wolltest du mir *davon* erzählen?!« Aprils Stimme überschlug sich regelrecht.

»Wovon?« Ich hatte absolut keine Ahnung, was sie von mir wollte. In dem Moment hielt Mason sein Handy hoch und drehte es zu mir. Sein Blick sah entschuldigend aus. Ich versuchte, aus der Entfernung etwas auf dem Display zu erkennen.

»Von dir und Mason!«, fuhr April unbeirrt fort. »Es ist überall!«

»Was, wovon redest du?«, fragte ich, immer noch auf der Leitung stehend und griff nach Masons Handy. »What the fuck!«, entfuhr es mir und ich schaute ihn überrascht an.

»Wie lange schon?«, hörte ich April wieder durchs Handy.

Ich schüttelte, überfordert von der Situation, den Kopf und setzte mich.

»Wow …« Ich wusste nicht, was ich sagen sollte. Das ging schnell … Und vor allem: wie? Ich hatte wirklich nicht bemerkt, dass jemand ein Video gemacht hatte … Der Strand war kaum besucht gewesen …

»Ich … Ich ruf dich später an«, sagte ich durcheinander und legte auf. Mein Handy klingelte direkt wieder. Anrufe, Nachrichten … Ich schaltete das verdammte Teil aus und stopfte es zurück in die Tasche.

»Ich hätte damit rechnen müssen … Es tut mir leid«, meinte Mason entschuldigend, während er sich neben mich setzte. Ich sagte nichts. Ich wusste ehrlich gesagt auch nicht, was ich hätte sagen sollen. Es war unüberlegt, in der Öffentlichkeit mit einem Hollywoodstar rumzuknutschen, aber in dem Moment hatten wir da wohl beide nicht drüber nachgedacht … Es war gar nicht das Problem, dass nun scheinbar jeder wusste, dass wir uns geküsst hatten. Ich war vielmehr überfordert von der Situation, dass ich weder mit dem Kuss gerechnet hatte noch damit, dass er danach überall zu sehen war oder damit, dass es öffentlich gemacht wurde, bevor wir beide uns überhaupt Gedanken gemacht hatten, wie es zwischen uns weitergehen sollte … War das ein einmaliger Moment oder würden wir eine Beziehung eingehen und schauen, ob es auch nach dem Filmdreh und der gemeinsamen Zeit am Set bestand haben würde? Und so etwas wollte man auch lieber persönlich mitteilen …

»Tay? Sei bitte nicht böse, ich wollte dich nicht in so eine Situation bringen«, entschuldigte sich Mason nochmals.

Ich schaute ihn an: »Ich weiß. Ich hätte damit rechnen müssen, oder? Du bist ein gefeierter Hollywoodstar, ich studiere im Bereich Film in LA … Öffentlichkeit ist da doch eigentlich vorprogrammiert …« Ich seufzte. »Ich hätte es nur gerne erstmal für uns geklärt, ehe es gleich die große Runde macht … Und dann persönlich mitteilen wollen …«

»Ich hab' in dem Moment einfach nicht darüber nachgedacht ... Es tut mir wirklich leid.«

»Schon okay. Es ist jetzt, wie es ist, richtig?«

»Und wie ist es?«, fragte Mason. In seiner Stimme schwang ein Quäntchen Angst mit.

»Ich weiß es nicht ...«, erwiderte ich seufzend und lehnte meinen Kopf an seine breite Schulter.

»Tay, ich mag dich wirklich sehr«, sagte Mason.

»Ich dich auch«, antwortete ich und schaute ihn an.

Er nahm meine Hand. Ich lächelte ihn an und dachte mir in dem Moment einfach nur: *Scheiß auf alles andere!*

Mason lächelte ebenfalls. Er wirkte erleichtert. Was hatte er erwartet? Dass ich eine Szene machen würde? Hätte ich das machen sollen? Ich stand etwas unter Schock, keine Frage. War ich genervt, dass dieser private Moment nun öffentlich war? Ja. War es seine Schuld? Nein! Meine Mom hatte mich ja gewarnt ... Es gab keine Privatsphäre, wenn man sich für dieses Leben entschied.

Ich stand entschlossen auf, etwas überrascht von mir selbst, dass ich es besser wegsteckte als erwartet und reichte ihm dieses Mal meine Hand. Mason nahm sie und stand auf.

»Na, dann wollen wir mal«, sagte ich und wir gingen zusammen rein.

Wir wurden bereits erwartet. Alle redeten aufgeregt durcheinander. Ich verstand kaum ein Wort. Verlegen lächelte ich und schaute hilfesuchend zu Mason, der meine Hand fester drückte.

»Könnten sich alle vielleicht mal wieder beruhigen?«, sagte Mason mit kräftiger Stimme. »Wie es aussieht, ist das Video auch hier an niemandem vorbeigegangen. Tay und ich haben uns geküsst, kein Grund so auszurasten.«

Mason sah mich an und grinste verschmitzt. Ehe ich mich versah, küsste er mich vor allen anderen. Sie jubelten und ich stand verlegen und mit Sicherheit hochrotem Kopf da. Liam und Lola freuten sich als Freunde für uns und die Produktion sah darin natürlich eine gute PR.

Während des Essens wurden wir mit lauter Fragen durchlöchert, auf die wir selbst noch keine Antworten hatten. Wir wurden instruiert, wie wir uns professionell zu verhalten hatten und am Ende des Essens war ich ziemlich erschöpft und war mir nicht mal sicher, ob ich eigentlich etwas gegessen hatte oder nur Fragen beantwortet hatte.

»Sorry Leute, aber das war ziemlich viel für einen Tag. Ich würde jetzt gerne etwas Ruhe haben«, sagte ich schließlich in die Runde. »Wir sehen uns morgen früh wieder.«

Ich stand auf und setzte mich auf die Terrasse, von der aus man einen atemberaubenden Blick hatte. Die Lichter der Stadt erstrahlten in der Ferne und ließen alles irgendwie magisch wirken. Ich saß einfach nur da und schaute auf die Stadt, während ich versuchte, meine Gedanken zu sortieren und den Tag zu verarbeiten.

»Darf ich mich zu dir setzen?«, riss mich Masons Stimme aus meinen Gedanken.

»Klar«, meinte ich und rutschte ein Stück. Er legte mir eine Decke um die Schultern und setzte sich neben mich.

»Ist wirklich alles okay?«, erkundigte er sich.

»Ja, es war einfach etwas viel für einen Tag«, erwiderte ich ehrlich und lehnte mich an ihn. Mason legte seinen Arm um mich, was mich augenblicklich beruhigte.

»Wir gehen es in deinem Tempo an, okay?«, sagte Mason mit warmer Stimme.

»Okay.«

So saßen wir eine ganze Weile da, ehe ich sagte, dass ich ins Bett wolle, damit ich morgen fit genug wäre für den Tag am Set.

Mason begleitete mich noch bis zu Lolas und meiner Zimmertür.

»Gute Nacht, Tay«, sagte er und gab mir einen Gutenachtkuss, den ich erwiderte. Ich wollte nicht, dass sich unsere Lippen voneinander lösten. Unsere Körper waren dicht aneinandergepresst. Ich konnte seinen Herzschlag spüren und die Wärme, die sein Körper ausstrahlte. Ich hatte weiche Knie und konnte immer noch nicht fassen, dass das hier gerade wirklich passierte. Mason hätte wirklich jede haben können und ausgerechnet *ich* war die Glückliche. Ich lächelte unweigerlich bei dem Gedanken. Ich lebte meinen Traum im wahrsten Sinne!

»Woran denkst du?«, fragte Mason zwischen den Küssen.

»Daran, dass du jede hättest haben können …«, antwortete ich verlegen.

»Ich will aber nur dich«, entgegnete er und bedeckte meine feuchten Lippen mit dem nächsten Kuss. Mein Herz machte einen Salto und ein zufriedenes Grinsen breitete sich auf meinen Lippen aus.

»Gute Nacht«, sagte ich und löste mich widerwillig von seinen warmen, feuchten Lippen, bevor ich noch völlig den Verstand verlor. Ich biss mir auf die Unterlippe und lächelte beschämt. Ich drehte mich um und öffnete die Zimmertür.

»Bis morgen, Mason.«

»Gute Nacht, Tay. Schlaf gut.«

Ich drehte mich um und schloss die Tür leise hinter mir. Ich atmete tief durch und schloss die Augen. Benommen versuchte ich, das Gefühlschaos in meinem Körper zu beruhigen, doch meine Gefühle fuhren gerade Achterbahn.

Ich ließ mich auf mein Bett sinken und nahm panisch das Handy aus meiner Tasche. Ich hatte unfassbar viele Anrufe in Abwesenheit und mindestens genauso viele Nachrichten.

Ich überflog einige von ihnen und schrieb Ap kurz, dass es mir leidtat, dass ich nicht mehr angerufen hatte, dass das alles etwas viel für einen Tag war und dass es wirklich noch ganz frisch sei und ich es ihr gerne selbst gesagt hätte …

Dann sah ich einen unbeantworteten Anruf von meiner Mom. Shit! Hatte sie etwa auch …? Mit rasendem Herz öffnete ich die Nachricht auf der Mailbox. Sie hatte. Oh mein Gott! Ich drehte gerade innerlich durch. Das lief ja bestens! Was schrieb man seiner Mutter, die gerade im Internet davon erfahren hatte, dass man knutschend mit einem Hollywood-Hottie am Strand lag.

Ich rief sie widerwillig zurück, doch sie ging nicht ran. Also hinterließ ich ihr eine Nachricht auf der Mailbox. Ich entschuldigte mich schließlich, dass sie es so erfahren hatte. Mehr aber auch nicht. Warum sollte ich mich für diesen Kuss rechtfertigen? Ich war schließlich alt genug, um diese Entscheidung selbst zu treffen und auf dem Video war auch absolut nichts anderes als ein Kuss zu erkennen. Also weshalb all dieses Drama?

Ja verdammt, Mason war super cool und heiß und lustig und ich konnte es ja selbst nicht fassen, dass *er* ausgerechnet *mich* gut fand! Aber was da zwischen uns lief, war allein unsere Entscheidung und nicht die von irgendjemand anderem! Die Mädels, die von Mason schwärmten, würde ich mir so aber sicherlich nicht zu Freunden machen …

Da mein Handy privat schon gefühlt explodiert war, schaute ich bewusst lieber nicht in die sozialen Netzwerke, da wir in letzter Zeit immer wieder öffentlich vom Set gepostet hatten und ich etliche neue Follower dadurch bekommen hatte.

Die nächste Nachricht war von meinem Dad, an dem das Ganze natürlich auch nicht vorbei gegangen war. Ich hörte mir seine Predig von der Mailbox an und schüttelte den Kopf dabei. Manchmal hatte ich das Gefühl, dass meine Eltern noch nicht verstanden hatten, dass ich mittlerweile erwachsen war und kein kleines Kind mehr …

Ich antwortete auch ihm nur knapp, dann ging ich mich fürs Bett fertig machen.

Grinsend schlief ich ein und freute mich bereits auf die morgige Arbeit am Set. Auch wenn ich mich immer noch daran gewöhnen musste: Mir machte die Schauspielerei und auch sonst die Zeit am Set und mit der Crew extrem viel Spaß, auch wenn es teilweise extrem stressig war oder man auch mal eine Meinungsverschiedenheit hatte. Wir waren in der Kürze der Zeit zu einer kleinen Familie zusammengewachsen. Es hatten sich wirklich tolle Freundschaften daraus entwickelt und wir konnten es gar nicht abwarten, den fertigen Film zu sehen und zu promoten. Demnächst standen noch Werbefotos und Videos an sowie erste Interviewtermine. Ich konnte es noch immer nicht fassen, dass ich ein Teil dessen war und sogar die Hauptrolle in dem Film spielte. Irgendwo zwischen all diesen Terminen musste ich allerdings die Uni noch schaffen. Viele hätten wahrscheinlich mit dem hoffentlich kommenden Erfolg des Films und der Gage vor der Nase die Uni geschmissen. Aber ich wollte diesen Abschluss mein Leben lang, also würde ich ihn auch machen! Das hoffte ich zumindest.

Kapitel 10

Die Zeit am Set nährte sich leider dem Ende und ich war wirklich traurig, dass wir alle bald meilenweit voneinander entfernt wohnen und uns nur noch zu Events sehen würden. Wir hatten uns aber versprochen, dass wir vier – Mason, Liam, Lola und ich – in Kontakt bleiben würden.

Während der nächsten Tage, würden wir die letzten Takes drehen und ich war wirklich gestresst. Am Set waren alle angespannter als sonst, weil es final wurde, zusätzlich kam für mich der Stress, dass ich für die Uni einiges nachholen musste und auch, dass ich keine Ahnung hatte, wie es für Mason und mich weiter gehen würde. Jamie ignorierte meine Nachrichten, was mich verletzte, aber ich konnte ihn ja auch verstehen, gerade nach dem öffentlich gewordenen Kuss mit Mason. Dennoch fiel es mir extrem schwer. Ich versuchte es weitestgehend auszublenden, um professionell arbeiten zu können und mir die schöne Zeit hier nicht durchs Grübeln kaputt zu machen. Wir hatten dafür einfach viel zu viel Spaß am Set und auch privat. Die Schlagzeilen ignorierte ich, soweit man sie denn ignorieren konnte, wenn man ständig von Freunden und Bekannten an sie erinnert wurde.

Wann immer wir freie Zeit hatten, verbrachten Mason und ich diese zusammen. Wir gingen gemeinsam ins Gym oder hingen gemeinsam ab und kamen uns immer näher. Ich genoss die gemeinsame Zeit mit ihm sehr und dennoch konnte ich es noch immer nicht fassen, nun die Freundin eines Filmstars zu sein, wobei ich ja auch hoffentlich auf dem Weg war, einer zu werden.

Heute standen die Promobilder mit anschließendem Interview auf dem Plan. Ich war aufgeregt.

Zusammen mit Lola, Liam, Mason und einer Begleitperson von der PR-Abteilung fuhren wir zur Location.

Zuerst gingen wir in die Maske und Garderobe. Ich war mehr als erleichtert, dass die bereitgestellten Outfits meinem Geschmack entsprachen und war furchtbar aufgeregt.

»Wow, du siehst super aus!«, staunte Mason, als ich in einer schwarztransparenten Bluse, schwarzem BH und Minilederrock, in kniehohen pinken Stiefeln, ans Set kam. Große pinke Ohrringe baumelten an meinen Ohren hinunter. Sie passten perfekt zu den Stiefeln und dem Nagellack, sowie Make-up. Er kam zu mir herüber und küsste mich. »Du siehst wirklich wahnsinnig gut aus«, flüsterte er mir ins Ohr und ich errötete.

»Danke, du siehst auch nicht schlecht aus«, antwortete ich, während ich meinen Blick über ihn schweifen lies. Er trug enge schwarze Jeans mit weißen Sneakern, dazu ein schwarzes T-Shirt mit ebenfalls schwarzer Lederjacke. Das T-Shirt hatte passend zu meinem Outfit einen pinken Aufdruck. Ich drückte ihn fest an mich und wollte die letzten gemeinsamen Momente voll auskosten.

Lola kam in einem kurzen schwarzem Kleid mit tiefem Ausschnitt herein. Darunter trug sie eine schwarze Perlonstrumpfhose. Dazu Lederboots mit Nieten und eine lange silberne Kette. Sie sah wirklich sexy und rockig aus. Liam hatten sie in schwarze Chinos und und ein weißes Hemd gesteckt, dazu dunkle Sneaker. Er sah weniger *wild* aus als wir. Die Stylistin kam nochmal zu ihm und pimpte sein Outfit mit Lederarmbändern und ein paar Ringen auf. Dann war sie zufrieden.

Wir lieferten bei dem Fotoshooting allesamt ab. Beim Interview war ich erleichtert, dass es nicht allzu viele private Fragen bezüglich Mason und mir gab – und wenn doch, dann anständige Fragen. Ich war total gespannt auf die fertigen Fotos des Shootings, denn ich hatte nur die Schnappschüsse von unseren Handys. Wir sahen schon verdammt gut aus als Paar und auch als Clique.

»Ich werde euch so vermissen«, seufzte ich traurig, als wir wieder im Auto saßen.

»Geht uns genauso«, antworteten die anderen.

»Aber spätestens zur Premiere werden wir uns wiedersehen«, freute sich Lola.

Ich lehnte mich an Mason und kämpfte mit den Tränen. Der Gedanke daran, ihn in wenigen Tagen nicht mehr den ganzen Tag um mich zu haben, machte mich traurig. Wir hatten bisher noch nicht einmal die Zeit gehabt, uns darüber zu unterhalten, wie es mit uns weitergehen sollte. Er lebte zwar wie ich in LA, aber wegen der Arbeit und der Uni würde es wenig Zeit geben, um sich zu treffen.

Mason griff nach meiner Hand und drückte sie, als ob er wusste, woran ich dachte. Dann küsste er mich zärtlich auf die Stirn.

»Lass uns etwas nur zu zweit machen, wenn wir zurück sind«, flüsterte er. Ich nickte.

Als wir wieder in der Unterkunft waren, machte ich mich kurz frisch. Mason textete mir, dass er mich auf der Dachterrasse erwartete. Ich ging also hinauf auf die Dachterrasse und war sehr überrascht, was Mason in der kurzen Zeit organisiert hatte. Der Tisch war wunderschön eingedeckt, ein großer Blumenstrauß stand auf dem Tisch, überall waren Kerzen und Lichterketten hingen über uns.

»Wie …?«, fragte ich, als ich ihn sah.

»Ich hab' da so meine Kontakte«, erwiderte er verschmitzt grinsend. »Setz dich.«

Ich nahm Platz und war langsam auch wirklich hungrig, vor lauter Aufregung hatte ich heute kaum etwas gegessen.

»Chinesisch ist hoffentlich in Ordnung?«, fragte Mason, nachdem er mir gegenüber Platz genommen hatte.

»Klar, danke. Es sieht alles wirklich super aus.«

»Es ist einer der letzten gemeinsamen Abende … Ich möchte, dass er dir positiv in Erinnerung bleibt.«

Ich atmete tief durch. Mir gefiel dieser Gedanke nicht, weshalb ich gegen die Tränen ankämpfen musste.

»Hey, wir sind nicht aus der Welt, okay? Wir finden die Zeit, uns zu sehen!«, sagte Mason tröstend und nahm meine Hand.

Ich nickte nur, mehr um mich selbst davon zu überzeugen, als ihm zuzustimmen. Würden wir wirklich Zeit füreinander finden? Ich hatte so verdammt viel nachzuholen und er hatte etliche Termine, neue Drehs … Ich hoffte es wirklich sehr.

»Wir schaffen das und zwischendurch haben wir ja ohnehin Termine zusammen.«

»Ja.« Ich wischte mir lächelnd eine Träne weg und versuchte, so positiv zu sein wie Mason.

Wir aßen gemeinsam, ehe er mir seine Hand reichte, um mit mir auf der Terrasse bei einem atemberaubenden Ausblick zu tanzen. Die Sonne war fast komplett untergegangen. In der Ferne erleuchteten die Lichter der Stadt den sternenklaren Himmel. Wie ich die Skyline der Großstädte hier liebte! Genauso sehr wie das Meer. Es war wahrer Luxus, das alles erleben zu dürfen.

»Danke«, flüsterte ich, während wir weiter Arm in Arm tanzten. Im Hintergrund lief ein ruhiger Song, den ich nicht kannte. Ich wollte nicht, dass dieser perfekte Moment jemals endete. Niemals.

Wir saßen noch bis spät in die Nacht auf der Terrasse auf dem großen Loungesofa und genossen die gemeinsame Zeit zu zweit und die atemberaubende Aussicht. San Diego war der Wahnsinn bei Nacht. Vor uns erstreckten sich diese wahnsinnigen Palmen in den Himmel, der in einem satten Lila-Blau leuchtete. Unter den Palmen lag der Hafen mit seinen Segelboten und hinter dem Wasser leuchteten tausende kleine Punkte. Die Lichter der Stadt. Der satt leuchtende Halbmond gab sein Restliches dazu. Wie konnten Orte so eine unfassbare Magie haben?

»Es ist perfekt«, hauchte ich, vollkommen in den Bann dieser Schönheit gezogen. In diesem Moment wurde mir so richtig klar, dass ich eigentlich schon fast alles hatte, was ich mir mein Leben lang erträumt hatte. Ich saß hier auf der Dachterrasse einer coolen Villa mit meinem Freund, der ein verdammter Hollywoodstar und mega gutaussehend war, schaute über die Stadt und war kurz davor, einen (hoffentlich) weltweit gefeierten Film abzudrehen. Zudem würde ich in ein paar Semestern mein Studium an der UCLA beenden. Das alles war der Wahnsinn. Ich konnte gar nicht in Worte fassen, wie es sich anfühlte, das erreicht zu haben – vor allem, wo es im Vorfeld so viele Zweifler gegeben hatte.

Mason rückte dichter zu mir herüber, während er eine Decke über meine Schultern legte. Er zog mich dicht an sich und küsste mich. Ich erwiderte seinen Kuss sehnsüchtig, während ich ihn an seinem Shirt noch dichter zu mir heran zog und meine Beine um seine schlang. Er öffnete meinen Mund mit seinem nächsten Kuss. Seine Zunge umspielte meine, gleichzeitig wanderten seine Hände über meinen Körper, bis sie an meinem Po zum Ruhen kamen. Ich spürte wie er hart wurde. Seine Hand wanderte weiter nach vorne zwischen meine Beine, wo er mein Höschen beiseite schob und seinen Zeigefinder rhythmisch bewegte. Mir entfuhr ein leises Stöhnen. Ich küsste seinen Nacken und Hals abwärts. Mit zitternden Händen zog ich ihm nervös sein Shirt über den Kopf. Meine Küsse bedeckte nun seine trainierte Brust. Keuchend schnappte ich nach Luft. Mason entfuhr ebenfalls ein Stöhnen, als mein Mund weiter abwärts wanderte und ich kurz über seinem Hosenbund aufhörte. Ich wechselte die Position und setzte mich auf seinen Schoß. Er knöpfte meine Bluse auf und streifte sie mir über die Arme. Zum Vorschein kam mein roter Spitzen-BH, den ich gut ausfüllte. Sein Blick ruhte für einen Moment auf meinem Dekolleté, ehe er mich von sich hob und auf das große Loungsofa unter sich legte. Er schaute mich um Erlaubnis bittend an, bevor er nach meiner Zustimmung meine Hose aufknöpfte und sie mir auszog. Mason holte ein Kondom aus seiner Hosentasche, bevor er sich seiner Hose entledigte. Er streifte sich das Kondom über und drang behutsam in mich ein. Seine Küsse bedeckten meinen Körper, während er sich rhythmisch bewegte. Meine Hüften bewegten sich im gleichen Rhythmus wie seine. Ich biss mir auf die Unterlippe, um nicht laut zu stöhnen. Auch Mason versuchte ein Stöhnen zu unterdrücken.

Kurze Zeit später kamen wir zum Höhepunkt.

Etwas außer Atem legte er sich neben mich und entsorgte das Kondom. Meine Brust hob und senkte sich hastig. Ich zog die Decke zu mir herüber und wickelte mich in ihr ein.

»Das war unglaublich«, kam Mason als Erster wieder zu Atem. Ich gab ihm zustimmend einen Kuss auf den Mund, den er erwiderte. Eine Haarsträhne fiel mir dabei ins Gesicht, doch Mason strich sie liebevoll hinter mein Ohr zurück. Ich kuschelte mich in seine Arme und bedeckte ihn ebenfalls mit der Decke. *War das wirklich gerade passiert?*

Gemeinsam schauten wir noch eine Weile in den Sternenhimmel, ehe ich meine Sachen zusammensammelte und mich wieder anzog. Mason hatte sich in der Zeit ebenfalls wieder angezogen. Er nahm mich noch einmal in seine Arme und küsste meine Stirn.

»Danke für den unvergesslichen Abend«, bedankte ich mich verlegen.

»Gerne.«

Schließlich half ich Mason beim Aufräumen. Ich legte die Decke ordentlich zusammen, während Mason den Tisch abräumte. Gemeinsam brachten wir die Sachen ins Haus und entsorgten den Müll.

Im Anschluss begleitete Mason mich noch zu meinem Zimmer.

»Gute Nacht, träum was Schönes«, sagte er leise, um die anderen nicht zu wecken.

»Danke, dir auch eine gute Nacht.« Ich stellte mich noch einmal auf meine Zehenspitzen, um ihn küssen zu können.

Ich öffnete leise die Tür und ging so leise wie irgend möglich duschen. Das Grinsen wich mir gar nicht von den Lippen. Frisch geduscht schlüpfte ich in meinen Schlafanzug, putze Zähne und kuschelte mich dann in meinem Bett ein.

Am nächsten Morgen bereute ich beinah, dass wir so lange wach geblieben waren, denn ich war verdammt müde und wir hatten noch einen langen Tag vor uns. Bei dem Gedanken an letzte Nacht verflüchtigte sich das Bereuen aber ganz schnell. Grinsend verließ ich das Bett.

Auf dem Flur traf ich auf Mason, der auch gerade sein Zimmer verlassen hatte. Er grinste ebenfalls, als er mich sah. Wir gaben einander einen Kuss und wünschten uns gegenseitig einen guten Morgen. Gemeinsam gingen wir zum Frühstück in die Küche.

Es war der vorletzte Drehtag und auch wenn wir alle Spaß hatten und motiviert waren, herrschte eine wehmütige Stimmung. Man war auf der einen Seite so stolz über das, was man erreicht und produziert hatte, auf der anderen Seite fühlte es sich so an, etwas unfassbar Intensives und Großes gehen zu lassen. Ich war unfassbar dankbar, dass ich ein Teil dieses tollen Teams sein durfte, dass ich die Chance hatte, bei einer solch großen Produktion mitzuwirken und all diese Erfahrungen gesammelt zu haben.

Ironischerweise drehten wir heute eine der ersten Szenen des Films. Wir waren im Hafen und in dieser Szene lernten Mason und ich uns in unseren Rollen zum ersten Mal kennen. Ich musste daran denken, wie es sich angefühlt hatte, als wir uns tatsächlich das erste Mal kennengelernt hatten und dass wir eine ähnliche Entwicklung wie unsere Rollen gemacht hatten.

»Und Action!«, rief der Regisseur. Ich ging den Weg entlang und da sah ich ihn dann schließlich, wie er auf einem der Boote stand. Unsere Blicke trafen sich.

»Cut!«, rief Jayden »Perfekt und jetzt das Close-up. Erst von dir Taylor, dann von Mason. Bringt so richtig Gefühl da rein.«

Da brauchte ich nicht einmal zu Schauspielern. Jedes Mal, wenn ich Mason in die Augen schaute, verlor ich mich in ihnen und ein seliges Lächeln schlich sich auf meine Lippen.

»Hervorragend! Wir haben's im Kasten!«

Mason und ich gaben uns einen Kuss, ehe ich die nächste Szene mit Lola und Liam am Strandcafé drehte. Es war etwas anderes, mit Schaulustigen zu drehen, als an einem geschlossenen Set, aber am Ende des Tages hatten wir alles wie geplant im Kasten.

»Feierabend!«, rief Liam. Wir jubelten.

Als wir zurück im Haus waren, lernte ich noch den Unistoff und telefonierte mit Ap.

»Hey, wie gehts meinem Star?«, fragte sie.

»Haha, gut und dir?«

»Ich vermiss dich. Aber übermorgen hab' ich dich ja wieder.«

»Ich vermiss dich auch, aber ich werde Mason und die anderen ebenfalls sehr vermissen. Es war eine großartige Zeit hier.«

»Das glaube ich nur zu gerne.«

»Hast du mal mit Jamie gesprochen?«, erkundigte ich mich vorsichtig.

»Nicht wirklich, er ist ziemlich abweisend und zurückgezogen … Ihn hat das echt getroffen, als er die Bilder gesehen hat …«

»Ich wollte ihn doch nicht verletzen … Er ist mir superwichtig, aber ich hab' mich nun mal in Mason verliebt …«

»Das mach ich dir auch nicht zum Vorwurf. Er wird schon drüber hinwegkommen.«

»Hoffentlich …«, seufzte ich.

»Wird er. Ich habe eure Posts und Storys gesehen. Es sieht wirklich nach einer tollen Zeit aus.«

»Ist es. Ich kann es gar nicht beschreiben. Noch vor ein paar Monaten wussten wir nicht mal, ob wir in LA studieren können und nun ist morgen mein letzter Tag am Set …«

»Ja, das ist krass. Ich bin schon so gespannt auf den fertigen Film. Den müssen wir unbedingt zusammen im Kino gucken!«

»Herrje«, lachte ich. Ich wusste nicht, ob ich mich selbst wirklich auf einer riesigen Leinwand sehen wollte, während ich die Reaktionen der anderen Zuschauer darauf hautnah mitbekam.

»Ich muss Schluss machen, wir wollen gleich zusammen essen«, sagte ich. »Es tat gut, endlich mal wieder mit dir zu telefonieren.«

»Okay, dann euch einen guten Appetit. Ich fand es auch schön, deine Stimme zu hören. Bis übermorgen.«

»Bis übermorgen, Ap.«

Ich legte auf. Bis übermorgen … Ich vermisste April, die Uni und LA. Aber ich wollte hier auch nicht weg und ich hatte Angst davor, wie es mit Jamie sein würde. Das Verhältnis war ja vorher schon sehr angespannt gewesen, aber nun …

Mason streckte seinen Kopf zur Tür herein: »Kommst du mit zum Essen?«

Ich legte das Handy beiseite und ging mit ihm in die Küche. Es gab Salate, Pasta und Pizza. Perfekt.

»Morgen ist der letzte Tag«, meinte Lola nachdenklich in die Runde.

»Lasst uns noch ein letztes Mal zusammen feiern gehen«, schlug Liam vor.

»Ich bin dabei«, antwortete Lola freudig. »Wie siehts mit euch beiden aus?«

Ich schaute Mason an. Ich hätte Lust, aber wenn er lieber etwas zu zweit machen wollte, wäre ich auch dabei.

»Wenn Tay will, sind wir dabei«, meinte er und ich freute mich.

»Dann sind wir dabei«, verkündete ich grinsend.

»Gehen wir nach dem Essen noch eine Runde spazieren?«, wollte ich von Mason wissen.

»Können wir machen.«

Wir aßen auf und räumten ab, ehe ich mir meine Jacke holte und mit Mason spazieren ging. Er nahm meine Hand und wir gingen die Straße hinunter.

»Alles gut bei dir?«, erkundigte er sich.

»Ja, ich denke schon«, antwortete ich. »Bin bloß traurig, dass morgen der letzte Tag mit euch ist und nervös wegen der Uni und Jamie …«

»Wir sehen uns so oft wie möglich, versprochen«, erwiderte Mason und blieb stehen, um mir einen Kuss zu geben. »Und der wird sich schon wieder einkriegen. Kann halt nicht jeder so ein Glück haben wie ich«, fügte er schelmisch grinsend hinzu. Ich boxte ihn leicht in die Seite.

»Ist es sehr komisch, sich auf der Leinwand und den Werbetafeln zu sehen?«, fragte ich irgendwann.

»Man gewöhnt sich daran.«

»Echt?«

»Ja, die Paparazzi und die Lügen sind das, womit man klarkommen muss.«

»Die Paparazzi …«, lachte ich und schaute ihn vielsagend an.

»Ja, wie du selbst gemerkt hast, kann man nicht einmal unbeobachtet ein heißes Mädchen am Strand küssen«, entgegnete er breit grinsend.

»Nicht?«, fragte ich lachend. »Ich hatte eigentlich vorgehabt, durch meine Arbeit am Film bekannt zu werden und nicht als die *Unbekannte, die mit Mason am Strand herummacht*«, zitierte ich eine der Schlagzeilen.

»Ich werde dich vermissen, du Verrückte«, lachte Mason.

»Ich dich auch«, sagte ich ernst.

Wir quatschen noch eine Weile ausgiebig, ehe wir uns auf den Rückweg machten und schlafen gingen.

Unser letzter Tag als Clique am Filmset war viel schneller herbeigerückt als erwartet und als mir lieb war. Ein letztes Mal saßen wir auf unseren Plätzen in der Maske und ein letztes Mal schlüpften wir in unsere Rollen.

Als die letzte Klappe fiel, kullerten uns teils dicke Tränen über die Wangen, während wir applaudierten.

»Die letzte Klappe ist gefallen und alle sind am Heulen …«, sagte Lola, die mit ihrem Handy filmte. Wir winkten nacheinander in die Kamera und ich warf ihr einen Kussmund zu, während mir die Tränen über die Wangen kullerten. Mason nahm mich in den Arm und wischte mir die Tränen weg.

»Gruppenkuscheln!«, rief Lola, die immer noch filmte, auf uns zustürmte und uns fest drückte. Die anderen kamen dazu. Ich musste unter den Tränen lachen. »Ich werde euch so sehr vermissen«, schluchzte ich.

»Ich dich auch«, sagte Lola, die das Handy inzwischen weggesteckt hatte, und drückte mich. »Wir bleiben in Kontakt!«

»Und ob.«

Wir waren noch lange am Set, verabschiedeten uns und suchten uns alle jeweils ein Erinnerungsstück an den Dreh. Keiner von uns wollte so recht gehen.

»So, ab ihr Lieben! Geht eure Sachen packen und feiert schön. Morgen gehts nach Hause und zum fertigen Film sehen wir uns spätestens alle wieder«, meinte Rachel.

Wir gehorchten und fuhren zurück zum Haus. Unsere Sachen hatten wir schon am Morgen gepackt, bis auf ein Outfit für morgen und eines zum Feiern heute Abend. Jedem war klar, dass es eine lange, verdammt coole Nacht werden würde.

Ich hatte mir einen kurzen silbernen Pailletten Rock mit V-Neck-Top rausgelegt, dazu silberne High Heels und meine Lederjacke. Lola trug einen kurzen schwarzen Rock und ein transparentes Oberteil mit schickem BH drunter, dazu schwarze High Heels. Die Jungs trugen dunkle Chinos oder Jeans und Hemden mit weißen Sneakern.

»Sexy«, staunten sie, als Lola und ich aus unserem Zimmer kamen. Wir klatschten uns lachend ab, das fanden wir nämlich auch. Die Jungs sahen allerdings ebenfalls verdammt gut aus.

»Lasst uns bis zum Morgengrauen feiern!«, grölte Liam.

Wir jubelten und fuhren zum ausgewählten Club, für den wir dank Mason einen VIP-Pass hatten.

»Zeig her deinen VIP-Ausweis«, sagte Lola lachend und machte ein Foto von uns vor dem Club. »Partyyyy!«

»Party!«, echoten wir im Chor.

Vor Ort trafen wir noch ein paar der anderen von der Crew und dem Cast. Wir machten ein Gruppenfoto und bestellten uns dann erstmal Getränke.

»Lass uns tanzen«, sagte ich und zog Mason auf die Tanzfläche. Ich sang vergnügt zu dem Song *Die Young* von Ke$ha mit, während ich meine Hüften zum Rhythmus der Musik kreisen ließ.

Als ein ruhigerer Song einsetzte, legte ich meine Arme um seinen Nacken und er legte seine Hände auf meine Hüfte. Wir sahen uns einfach nur an, während wir tanzten und ich wünschte mir, dass diese Nacht niemals enden würde. Während des Tanzens, wanderten Masons Hände langsam weiter zu meinem Hintern, wo sie dann ruhen blieben.

»Du siehst so unfassbar heiß aus«, flüsterte Mason mir ins Ohr und ich lief rot an. Gott sei Dank konnte er das hier im gedimmten Licht nicht sehen. Er küsste mich leidenschaftlich und ich erwiderte seinen Kuss. Wie mir das fehlen würde!

Ich tanzte noch eine Weile eng umschlungen mit Mason, ehe der DJ Lolas und meinen Lieblingssong *Texas hold'em* von Beyoncé spielte. Lola zog mich von Mason weg und wir beide rockten die Tanzfläche. Wir sangen laut mit und tanzten leidenschaftlich zu dem Song. Wir ließen uns derart gehen, dass wir den Rest um uns für den Moment des Songs vergaßen und den Spaß unseres Lebens hatten. Ich war mir sicher, dass es davon binnen kürzester Zeit ein Video online gab, aber das war mir in diesem Moment absolut egal, denn wir hatten einen riesigen Spaß.

Mason stand sprachlos daneben und zog eine Augenbraue hoch. »Du überrascht mich immer wieder.«

»Lol und ich lieben den Song, wir haben den während der Dreharbeiten ständig gehört«, erwiderte ich außer Atem, leicht verschwitzt und grinsend. Lola und ich gingen uns danach auf der

Damentoilette frisch machen und holten uns im Anschluss etwas zu trinken.

Wir feierten tatsächlich die ganze Nacht im Club, bis er schloss. Wir wollten aber noch nicht zurück, also setzten wir uns an den Strand und schauten zu, wie die Sonne aufging. Die Sonne ging in der Ferne hinter dem Wasser auf und tauchte alles in ein warmes, friedvolles Orange. Ihre Reflexion im Wasser, ließ sie wie flüssiges Gold aussehen. Die Masten der Segelbote wurden sichtbarer und die langen Palmen ragten, vom Licht der aufgehenden Sonne sanft umhüllt in den Himmel empor. Konnte es ein besseres Ende für so eine perfekte Zeit geben? Wir saßen alle glücklich und erledigt nebeneinander im Sand und genossen den letzten gemeinsamen Augenblick, ehe wir alle in wenigen Stunden nach Hause fliegen würden.

»Danke«, sagte ich. »Danke für die tolle Zeit mit euch. Ihr seid die Besten!«

Wir fielen uns noch einmal in die Arme, bevor wir aufstanden und zurück zur Unterkunft fuhren, um zu duschen und unsere Koffer abzuholen.

Wir fuhren noch gemeinsam zum Flughafen, wo sich aber die meisten unserer Wege trennten. Lola flog nach Portland und Liam nach Seattle. Nur Mason und ich flogen gemeinsam zurück nach LA, von wo aus sich aber auch unsere Wege vorerst trennen würden.

Im Flieger saßen wir nebeneinander in der Businessclass und unterhielten uns. Dies war mein erster Businessclass-Flug, was ich mir jedoch nicht anmerken ließ. Es war ohnehin kein langer Flug, weshalb ich auch mit der Standardklasse zufrieden gewesen wäre. Mason machte ein letztes gemeinsames Foto von uns und gab mir dann einen seiner Hoodies.

»Damit du mich nicht zu schnell vergisst«, grinste er.

»Wie könnte ich«, seufzte ich und roch an seinem Pulli. Tatsächlich haftete sein Geruch daran. »Ich werde dich so sehr vermissen.«

»Ich werde dich auch vermissen.«

Am LAX war es dann schließlich so weit: der Abschied. Mason hielt mich in seinen Armen und drückte mich fest an sich. Mir liefen dicke

Tränen über die Wangen. Ich drückte ihn noch ein bisschen fester an mich heran. Ich wollte ihn nicht loslassen, aber ich wusste, dass ich es musste. Wenn es schlecht lief, sah ich ihn frühestens in einigen Monaten wieder. Wie sollte ich das nur überstehen? Wir hatten ein paar Promotermine vor der Premiere, aber das war's auch schon. Mason hatte schon längst neue Projekte auf dem Tisch liegen und ich musste mich wieder voll auf die Uni konzentrieren …

»Wir telefonieren okay?«, durchbrach Mason das Schweigen. Ich nickte und wischte mir die Tränen weg. Wir küssten uns ein letztes, langes Mal, ehe wir den Flughafen in getrennte Richtungen verließen. Mason stieg in eine bereitstehende Limousine mit Fahrer ein, während ich das nächste freie Taxi nahm und zum Studentenwohnheim fuhr. Immer wieder wischte ich mir Tränen aus dem Gesicht und versuchte nicht daran zu denken, was für eine lange Zeit der Trennung vor uns lag.

Kapitel 11

Ein fettes *WELCOME BACK!*-Banner prangte an Aprils und meiner Zimmertür. Mal wieder überkamen mich die Tränen, nun allerdings aus Freude.

Nachdem ich die Tür geöffnet hatte, sprang April mir sofort entgegen und fiel mir um den Hals. Es war die längste Zeit gewesen, die wir bisher seit unserem Kennenlernen voneinander getrennt waren.

»Ich hab' dich so vermisst! Du musst mir alles berichten!«, sprudelte es nur so aus ihr heraus. Ich hingegen heulte bloß, die ganze Anspannung fiel von mir ab. Ich hatte eine riesige Angst vor den nächsten Tagen, Wochen und Monaten. Wie würde der erste Unitag werden, konnte ich ganz normal weiter studieren oder würden mich alle möglichen Leute erkennen und irgendetwas von mir wollen? Wann würde ich Mason wiedersehen? Würde unsere Beziehung, die ja noch sehr frisch ist, den ganzen Rummel aushalten? Konnten Jamie und ich wieder Freunde sein? War meine Mom sauer auf mich, weil ich mich so wenig gemeldet hatte? Eine Millionen Fragen wirbelten wie ein Hurricane in meinem Kopf umher, aber ich wusste eins ganz sicher: Mit April zusammen würde ich es schaffen, so wie wir bisher alles gemeistert hatten.

»Nicht weinen!«, sagte sie und reichte mir Taschentücher. »Du vermisst ihn jetzt schon, oder?«

Ich nickte und heulte nur noch mehr.

»Ihr seht euch bestimmt bald wieder«, versuchte sie mich zu trösten. »Und solange lenke ich dich so gut ich kann ab.«

»Danke«, schluchzte ich. »Danke auch für das Banner.«

»Gern geschehen.«

Ich saß eine Weile auf meinem Bett und ließ mich von April trösten, ehe sie mich mit all ihren Fragen löcherte und ich sie ihr alle beantwortete.

»Du hast keine Ahnung, was hier los war, als das Video viral ging«, meinte April schließlich.

Ich schaute sie panisch an. Ich war nicht bereit dafür, da ich nur erahnen konnte, wie die Reaktionen ausgefallen waren.

»Und nur so zur Info: Ich war auch echt überrascht! Wieso hast du mir nicht eher was erzählt?«, fragte sie gespielt vorwurfsvoll.

»Weil ich es selbst nicht wusste. Natürlich fand ich ihn schon mega attraktiv, vorher ja schon, aber wir hatten jeden Tag so viel um die Ohren und haben viel Zeit mit den anderen verbracht ... Ich war mir meiner Gefühle gar nicht richtig bewusst ... Dann hatten wir den einen besagten Tag Zeit und sind zusammen an den Strand gefahren und da hat es sich halt einfach so ergeben ...«

»Kaum in LA schleppst du gleich den heißesten Newcomer-Star ab«, erwiderte Ap lachend.

»Streng genommen erst in San Diego«, witzelte ich. April brach in Gelächter aus.

»Aber was war denn hier genau los?«, fragte ich und wollte es eigentlich noch immer nicht wissen.

»Abgesehen von dem ganzen Tratsch ... Jamie hat das echt nicht gut weggesteckt ... Ich habe ihn seither kaum gesehen ... Er wirkt ziemlich frustriert ...«

»Ich hab' versucht ihn zu erreichen, aber er ignoriert mich ... Ich weiß, dass der Zeitpunkt scheiße war und ich hätte es ihm, so wie jedem anderen, auch lieber selbst gesagt. Aber es ist doch nicht meine Schuld, dass da irgendwo ein Paparazzi war ...«, meinte ich geknickt.

»Nein, natürlich nicht. Für ihn war das aber wie ein Schlag ins Gesicht.«

»Meinst du, ich sollte ...«

April nickte. Ich stand also auf und ging zu Jamies und Pauls Zimmer, um es hinter mich zu bringen. Zögernd blieb ich vor der Tür stehen. Ich wollte diesem Gespräch eigentlich aus dem Weg gehen. Aber ich wusste, dass ich das Richtige tun musste. Ich hatte Jamie ja schon davor ziemlich verletzt und keine Gelegenheit gehabt, mich richtig für mein aufgebrachtes Verhalten zu entschuldigen. Und ausgesprochen haben wir uns danach auch nie. Ich atmete also einmal tief durch, ehe ich klopfte. Ich wartete mit Herzrasen und zittrigen Händen darauf, dass jemand öffnen würde. Ich hatte keine Ahnung, was ich sagen sollte, am liebsten wäre ich wieder umgedreht.

»Hey«, begrüßte mich Paul überrascht. »Was machst du denn hier?«

»Hey«, sagte ich angespannt. »Ich bin gerade erst zurück. Ich wollte mit Jamie reden …«

»Der ist nicht da. Er ist zurück nach San Francisco gefahren.«

»Wann? Wie lange?«

»Heute Morgen. Ich weiß es nicht. Das Video hat ihm ganz schön zugesetzt – und auch die anderen Posts.«

»Das war doch gar nicht meine Absicht …«, sagte ich niedergeschlagen.

»Das weiß ich. Gib ihm einfach etwas Zeit«, meinte Paul. »Und Gratulation zu deiner Rolle.«

»Danke …«

»Hey, er wird sich schon wieder einkriegen.«

Ich seufzte. »Kannst du ihm vielleicht sagen, dass es mir leid tut? Er ignoriert meine Nachrichten …«

»Mache ich.«

»Danke«, erwiderte ich geknickt und ging. Das fing ja schon mal hervorragend an.

Zurück in Aprils und meinem Zimmer packte ich meinen Koffer aus und las mir dann die Zusammenfassungen der Vorlesungen durch. Meine Gedanken schweiften immer wieder ab. Egal wie sehr ich es versuchte, mich zu konzentrieren, ich schaffte es nicht lang.

Mein Handy vibrierte neben mir.

Mason: *Hey, bist du gut angekommen?*

Ich: *Ja.*

Mason: *Ist alles in Ordnung? Was machst du?*

Ich: *Nein, ich muss einiges wieder in Ordnung bringen …*
Versuche zu lernen, kann mich aber nicht konzentrieren …

Mason: *Tut mir leid. <3*

Ich packte das Handy beiseite und wischte mir erneut die Tränen weg. Während der Zeit am Set hatte ich alles andere vergessen und einfach nur das Abenteuer genossen. Kaum war ich zurück, holte mich nun die Realität mit einer riesigen Klatsche wieder ein.

Nachdenklich scrollte ich durch die Bilder vom Set und wünschte mich dahin zurück. Wir hatten eine so unfassbar schöne Zeit zusammen gehabt. Ich musste lachen, als ich ein Video sah, wo ich am Set einen Totalausfall hatte und den Text vor Lachen nicht hinbekam, da Liam voll über die Kameraschienen gestolpert und im Wasser gelandet war. Ein anderes Foto zeigte uns in unseren Pyjamas beim Frühstücken. Wieder ein anderes zeigte uns albernd in der Maske.

Ich setzte mich an meinen Mac, druckte das Gruppenfoto von unserem letzten Abend aus und hing es an meine Pinnwand. Daneben kamen ein paar andere von Mason und mir oder von uns – Lola, Liam, Mason und mir – zu viert. Dann zog ich mir Masons Hoodie über und schickte ihm ein Foto. Anschließend versuchte ich weiter zu lernen.

Mason: *Steht dir. :-**

Ich schaffte es tatsächlich noch, den Rest des Abends zu lernen. Vor dem Schlafengehen packte ich schon einmal meine Sachen für die Vorlesung am nächsten Tag zusammen. Nachdem ich Mason eine gute Nacht gewünscht hatte, legte ich mich hin.

Am nächsten Morgen nahm ich meinen Mut zusammen und rief meine Mom noch vor der Vorlesung an.

Wir redeten eine Weile miteinander. Sie war natürlich sauer, dass ich mich kaum gemeldet hatte und dass sie das Meiste über mich nur aus den sozialen Medien erfahren hatte. Ich erklärte es ihr und wir konnten uns noch nett unterhalten, ehe ich auflegen musste, weil die Vorlesung gleich begann. Ich ließ Ella liebe Grüße ausrichten.

»Bist du bereit?«, erkundigte sich April, als wir unser Zimmer verließen.

»Hab' ich denn eine Wahl?«, antwortete ich mit einer Gegenfrage.

»Nein, nicht wirklich. Du packst das.«

Einige Kommilitonen tuschelten, als wir an ihnen vorbeigingen. In der Vorlesung war es ähnlich, aber ich versuchte es auszublenden und mich auf die Inhalte zu konzentrieren. Ich kam zum Glück besser mit, als ich erwartet hatte. Das ganze Lernen, wann immer ich Zeit hatte, machte sich nun bezahlt.

»Gehen wir später einen Kaffee trinken?«, fragte April.

»Gerne.«

Ich wartete darauf, dass die Vorlesung endlich vorbei war. Ständig die Blicke auf mir zu spüren und Kommentare, die getuschelt wurden, zu hören, stresste mich ziemlich.

Aber ich durfte mich nicht beschweren, denn ich hatte mich für dieses Leben entschieden. Es ist dennoch etwas völlig anderes, wenn man es dann im echten Leben mitbekommt.

Als der Dozent die Vorlesung beendete, war ich mehr als erleichtert. Ich glaube, so schnell hatte ich meine Sachen noch nie zusammengeräumt und den Hörsaal verlassen.

April und ich brachten unsere Taschen aufs Zimmer, dann nahmen wir uns die Leihbikes und fuhren zu Starbucks.

Dort angekommen, bestellten wir uns beide wie üblich einen großen Karamell-Latte und ein Stück Käsekuchen.

»Das hab' ich wirklich vermisst«, sagte ich zu April und nahm einen großen Schluck aus meinem Becher.

»Mir hat es auch gefehlt.«

»Sag mal, wie läuft es eigentlich mit dir und Kyle?«, erkundigte ich mich. Das war in den letzten Wochen irgendwie untergegangen.

»Gut. Ich vermisse ihn, aber wir telefonieren viel und ich besuche ihn in den Semesterferien in New York.«

»Das freut mich für euch«, sagte ich lächelnd und meinte es wirklich aufrichtig. »Sag mal, meinst du Kyle würde für mich für die Premiere ein Kleid machen?«

»Ich kann ihn gerne fragen. Das macht er bestimmt.«

»Danke. Mir kam die Idee gerade spontan. Ich hoffe nicht, dass mir irgendwas vorgeschrieben wird.«

»Ich frage ihn, wenn wir das nächste Mal telefonieren, okay?«

»Ja klar, vielen Dank.«

Wir genossen den Kaffee und den Kuchen und quatschten noch den halben Nachmittag miteinander. Diesbezüglich hatten wir wirklich Nachholbedarf. Ich zeigte April die Fotos und Videos vom Set und wir amüsierten uns sehr darüber.

Es tat verdammt gut, wieder Zeit mit meiner besten Freundin zu verbringen und mich von allem anderen abzulenken.

Und so vergingen die nächsten Tage und Wochen. Ich schrieb und telefonierte viel mit Mason, Lola und Liam. Ab und zu telefonierte ich mit Mom, Ella , Dad und Georg. Die anstehenden Klausuren bestand ich allesamt.

An einem Morgen im Mai, klopfte es unerwartet an der Tür. »Eine Lieferung für Miss Sommer«, sagte der Kurier, nachdem ich die Tür geöffnet hatte.

Er hielt einen riesigen Rosenstrauß in den Händen und eine hübsche Box in der anderen.

»Danke«, bedankte ich mich und nahm die Blumen und die Box entgegen.

Ich war total überwältigt. Zum Glück wurden die Blumen gleich in einer Vase geliefert, etwas Größeres als ein Trinkglas besaßen wir nämlich gar nicht.

Ich stellte die Blumen auf meinem Schreibtisch ab und öffnete neugierig die Box.

Hey Tay, ich hoffe es gefällt dir? Komm mich doch am Wochenende besuchen. Ich schicke dir einen Fahrer, der dich abholt. Ich vermisse dich. Mason, stand in der Karte. Ich freute mich sehr und konnte es gar nicht mehr abwarten. Neben der Karte lag noch ein Armband mit einer Hollywood-typischen Palme und einem Videoclipper-Anhänger dran. Ich legte das Armband direkt an und bedankte mich per Nachricht bei Mason mitsamt einem Foto und einer Zusage fürs Wochenende. Am Abend erhielt ich endlich eine Antwort von ihm.

Mason: *Sorry, dass ich erst jetzt antworte, ich hatte Termine. Ich freue mich sehr aufs Wochenende. Um 9 a.m. wartet der Fahrer am Samstag auf dich vor eurem Wohnheim.* <3

»Wow, das nenne ich mal einen Blumenstrauß«, ertönte Aprils bewundernde Stimme hinter mir.

»Man, hast du mich erschreckt!«, sagte ich mit klopfendem Herzen.

»Sorry. Sind die von Mason?«

»Ja, mit Armband und Einladung fürs Wochenende«, antwortete ich aufgeregt.

»Das freut mich. Hat er das Blumengeschäft leer gekauft?«

»Er ist verrückt, oder?«, erwiderte ich grinsend.

»Kommt er dich abholen? Dann kann ich ihn auch endlich kennenlernen.«

»Nee, er schickt einen Fahrer«, seufzte ich.

»Einen Fahrer?« April zog eine Augenbraue hoch.

»Keine Ahnung, entweder hat er noch was zu tun oder er will vielleicht einfach nicht von allen belagert werden?«

»Na ja, ist ja auch egal. Hauptsache, ihr seht euch wieder.«

»Ich bin so aufgeregt.« Allein der Gedanke daran, bei Mason zu Hause zu sein … Das Haus war mit Sicherheit der Wahnsinn. Endlich hätten wir mal Zeit komplett allein, absolut ungestört.

»Du musst mir auf jeden Fall alles berichten«, sagte April grinsend. »Und pack dir was Schönes ein.«

Ich lachte. Das war ja wieder typisch. Als ob ich mit meinen schäbigsten Sachen bei ihm auftauchen würde. Aber sie hatte recht, hatte ich doch keinen Schimmer, was er geplant hatte. Ungeduldig fieberte ich dem Wochenende entgegen.

»Achso, bevor ich es vergesse, Kyle würde sich riesig freuen, für dich ein Kleid zu machen. Er braucht aber noch deine Maße«, sagte April.

»Super, danke!«

»Er hat mir extra Instruktionen gegeben, wie ich deine Maße nehmen soll«, lachte sie.

»Okay, na dann mal los.«, lachte ich ebenfalls.

April maß also streng nach Vorgaben ab und schickte Kyle auch so gleich die Maßen. Ich war jetzt schon total gespannt, was er entwerfen würde.

»Hast du alles?«, fragte April am Samstagmorgen.

»Ich hoffe es«, erwiderte ich nervös.

»Okay, dann wünsche ich dir ganz viel Spaß. Genieß die Zeit mit ihm. Aber nicht zu sehr«, meinte sie augenzwinkernd.

»Danke, das mache ich. Dir auch ein schönes Wochenende«, antwortete ich lächelnd, nahm meine Tasche und winkte ihr an der Tür noch einmal zum Abschied.

Wie versprochen stand dort ein Fahrer, der auf mich wartete. Verlegen ging ich zu der Limousine und stieg ein, nachdem der Fahrer mein Gepäck im Kofferraum verstaut hatte. Ich kam mir vor wie in einem dieser kitschigen Hollywood-Liebesfilmen.

»Hi«, sagte ich.

»Guten Tag, Miss Sommer«, antwortete mir der Fahrer höflich, während er den Motor startete.

»Wohin fahren wir?«, fragte ich neugierig.

»West Hollywood.«

Keine schlechte Wohnadresse.

»Danke, fürs Abholen«, erwiderte ich.

»Sehr gerne.«

Ich schaute aus dem Fenster und staunte nicht schlecht, als wir weiter in die Hills hinauffuhren und sich ein Luxusanwesen an das Andere reihte. Ich schickte April ein Selfie von mir mit den Villen im Hintergrund. Darunter schrieb ich: *Kannst du es fassen?* mit einem staunenden Emoji.

April: *Shit! Viel Spaß!*

Kann mich mal jemand kneifen? Das konnte doch nur ein Traum sein!

»Wir sind da«, riss mich die Stimme des Fahrers aus meinen Gedanken. Wir fuhren gerade durch ein großes Tor hinauf zu einer modernen Villa direkt am Abhang. Ich konnte es noch immer nicht fassen. Das Tor schloss sich hinter uns und der Fahrer öffnete mir die Tür. Ich schaute mich staunend um. Noch nie in meinem Leben stand ich vor so einer prachtvollen Villa! Es war ein sehr gepflegtes Anwesen, minimalistisch und modern gehalten. In der Auffahrt standen ein paar schicke Autos. Alles war von einer Mauer umrahmt, die eine Menge Privatsphäre bot.

Ich schüttelte staunend den Kopf. Der Fahrer konnte sich ein Grinsen nicht verkneifen.

»Es ist schon beeindruckend, nicht wahr?«, fragte er, während er mein Gepäck zum Haus trug. »Folgen Sie mir, Miss Sommer.«

Ich folgte ihm noch immer sprachlos. Und wenn ich das Haus von draußen schon beeindruckend fand, so verschlug es mir von drinnen noch viel mehr die Sprache. Ich stand inmitten eines riesigen Flurs, der sich zu einem offenen Wohnkonzept öffnete. Auf der einen Seite ging eine offene Treppe in das obere Stockwerk ab. Ich war aber so abgelenkt von der Aussicht, welche die geöffnete Glasfront bot, dass ich den Rest um mich herum gar nicht wahrnahm. Hinter der geöffneten Glasfront erstreckte sich eine riesige Terrasse mit Lounge und Barbecue-Bereich, doch der Infinitypool toppte das noch! Und hinter diesem fantastischen Pool lag eine atemberaubende Aussicht über die Stadt. Die Vorstellung, jeden Morgen mit diesem Ausblick aufzuwachen, war ein Traum.

Und dann sah ich ihn. Mason kam gerade aus dem Pool heraus. Seine Haare hingen ihm nass ins Gesicht und das Wasser perlte an seinem perfekt trainierten Oberkörper hinunter. Er griff nach seinem Handtuch. *Atmen nicht vergessen!*

»Na, hast du den Anblick vermisst?«, neckte er mich. Ich hatte wirklich nicht mitbekommen, dass er mittlerweile vor mir stand. Peinlich berührt schaute ich ihn an und grinste nur verlegen.

»Vielleicht«, ärgerte ich ihn. Scheiße, ja, hatte ich ihn vermisst! Das wollte ich ihm aber nicht so direkt auf die Nase binden.

»Ich lasse Sie dann mal allein«, verabschiedete sich der Fahrer. Dann erst fiel ich Mason um den Hals und es war mir dabei total egal, dass er noch nass war. Ich war einfach nur mehr als glücklich, ihn endlich wiederzusehen und in die Arme schließen zu können. Er hob mich hoch und küsste mich. Wie ich seine Küsse und seine Lippen auf meinen vermisst hatte. Jedes Mal, wenn er mich küsste, raubte er mir meinen Verstand. Die Küsse waren voller Sehnsucht und Verlangen. Mein Herz raste wie wild und ich war froh, dass er mich hielt, denn meine Knie wären sonst verdammt weich geworden. Ich griff in seine Haare, während die Küsse immer intensiver wurden. Der Moment hätte noch ewig andauern dürfen, doch Mason ließ mich schließlich runter und hörte für einen Moment auf mich zu küssen.

»Gehen wir hoch?«, fragte er leicht außer Atem und reichte mir seine Hand. Ich sah das Verlangen und die Lust in seinen Augen und reichte ihm meine Hand. Ich folgte ihm hoch in sein Schlafzimmer. Es war riesig und ein großes Boxspringbett stand gegenüber einer weiteren Glasfront. Die Aussicht war von hier oben noch besser, was ich nicht für möglich gehalten hätte.

Er setzte sich auf den Rand seines riesigen Bettes und zog mich zu sich. Ich setzte mich auf seinen Schoß und küsste ihn leidenschaftlich weiter, während seine Hände sehnsüchtig über meinen Körper wanderten.

Mason zog mir mein Top über den Kopf und warf es beiseite. Seine Lippen wanderten über mein Dekolleté, während er mit seiner Hand geschickt meinen BH öffnete. Er ließ den BH an mir herunter gleiten und knetete meine Brüste. Er brachte mich noch um den Verstand. Mit mir auf dem Schoß hob er seinen Unterkörper an und zog seine Badeshorts aus. Während ich ihn weiter küsste und auch meine Shorts auszog, streckte er seinen Arm nach seinem Nachtschrank aus, um ein Kondom herauszuholen. Er öffnete die Packung mit dem Mund und streifte es sich über. Nachdem er in mich eingedrungen war, bewegte ich meine Hüfte in einem schnellen Rhythmus. Das Verlangen war einfach nicht länger auszuhalten. Er küsste meinen Nacken abwärts, was mir eine Gänsehaut verpasste. ich stützte mich mit meinen Händen auf seinen Oberschenkeln ab. Ein Stöhnen kam mir über die Lippen, als er erneut meine Brüste massierte. Nachdem wir zum Höhepunkt gekommen waren, lies ich mich atemlos neben ihn fallen.

»Ich hab' dich so vermisst«, raunte er.

»Ich dich auch«, antwortete ich, noch leicht außer Atem.

Mason grinste mich an. Mein Blick schweifte über diesen unfassbar muskulösen Oberkörper, zurück zu diesem verschmitzten, selbstzufriedenen Lächeln.

»Zeigst du mir später auch noch den Rest von deinem Haus?«, erkundigte ich mich.

»Natürlich. Auch wenn wir die meiste Zeit wohl hier verbringen werden.«

»Tun wir das?«, fragte ich grinsend mit hochgezogener Augenbraue. Er beugte sich zu mir rüber und küsste mich erneut.

»Ich denke schon.« Dieses selbstverliebte, verschmitzte Grinsen machte mich ganz verrückt. »Wo ist dein Bad?«, fragte ich, anstatt weiter darauf einzugehen.

Er deutete mit dem Kopf auf eine Tür. Ich stand auf und hatte die dünne Überdecke um meinen Körper gewickelt.

»Lass mich nicht zu lange warten.«

Ich drehte mich lachend um: »Mal sehen.«

Dann verschwand ich im Bad. Ich schaute mich um und war beeindruckt. Eine große freistehende Badewanne stand perfekt positioniert vor der Glasfront, die sich auf dieser Seite scheinbar durchs ganze Haus zog. Daneben befand sich eine riesige Marmor-Regendusche. Gegenüber ein Marmor-Doppelwaschtisch und hinter einer Wand die Toilette.

Ich ging unter die Dusche und versuchte mit all den Einstellungen zurechtzukommen. Schließlich hatte ich herausgefunden, welcher Hebel wofür war und konnte endlich duschen. Ich ließ das heiße Wasser auf mich nieder rieseln und versuchte mein pochendes Herz zu beruhigen. Das breite Grinsen wich mir gar nicht mehr von den Lippen.

Ich suchte nach einem Duschlaken und einem Handtuch für die Haare, damit ich mich abtrocknen und das Bad wieder verlassen konnte.

»Für deine Dusche braucht man eine Bedienungsanleitung«, meinte ich lachend, während ich die Decke zurück aufs Bett legte.

Mason schüttelte lachend den Kopf. »Man gewöhnt sich dran.«

»Ich würde mir gerne meine Anziehsachen holen ...«, sagte ich und deutete auf das Handtuch, das um meinen Körper geschlungen war.

»Mach das, ich gehe auch eben unter die Dusche«, antwortete Mason.

Ich ging nach unten, während er im Bad war, zog mir etwas Frisches zum Anziehen an und legte die anderen Sachen zum Trocknen nach draußen auf einen der Liegestühle. Ich nutzte die Zeit und schaute mich etwas um. Es war ein wirklich schönes Haus und ein tolles Grundstück. Der Pool war beheizt und erstreckte sich über die breite der gesamten Terrasse.

Nachdem Mason geduscht hatte, zeigte er mir das restliche Haus, das riesig war. Es gab mehrere Gästezimmer, einen Billard- und Kinoraum, ein Büro, mehrere Bäder. Und oben im Schlafzimmer ging neben der Badezimmertür eine weitere ab, die in eine riesige Ankleide führte.

»Breite dich ruhig aus«, sagte Mason und machte eine einladende Bewegung mit der Hand.

»So viel hab' ich gar nicht dabei«, meinte ich etwas verlegen.

»Besonders viel Kleidung brauchst du für mich auch nicht«, grinste Mason. Ich schüttelte lachend den Kopf.

»Hast du Hunger?«, fragte er.

»Es geht«, antwortete ich. Ich musste all diese Eindrücke erstmal sacken lassen. »Sorry, ich bin noch überwältigt von deinem Haus.«

»Ja, ich liebe es. Man braucht etwas, um sich daran zu gewöhnen.«

»Deine Wanne will ich aber auf jeden Fall benutzen, bevor ich wieder fahren muss.«

Mason lachte. »Mach das gerne, die Aussicht ist unglaublich. Vor allem abends.«

»Das glaube ich.«

»Lass uns runtergehen und eine Kleinigkeit essen. Danach könnten wir einen Film schauen.«

Mason holte Salat und Antipasti aus dem Kühlschrank, frisches Baguette lag auf der Kücheninsel.

»Oder willst du was anderes? Ich dachte, ich mache heute Abend Steaks auf dem Grill.«

»Nein, alles in Ordnung. Ich hab' eh keinen großen Hunger und Steak klingt gut. Ich wusste gar nicht, dass du kochen kannst«, zog ich ihn auf.

»Hey. Beleidige meine Grillkünste nicht!«

»Das würde ich nie wagen.«

Und so verbrachten wir einen entspannten Tag in Masons traumhaftem Haus. Nach dem Essen spielten wir etwas Billard und schauten anschließend einen Film in seinem Heimkino mit Popcorn. Heimkino mit Popcornmaschine … mega! Ich könnte mich glatt daran gewöhnen.

»Wie warm ist eigentlich dein Pool?«, fragte ich, als wir einfach nur noch auf den Kinosesseln saßen und Popcorn mit dem Mund auffangen spielten.

»28 Grad. Willst du baden gehen?«

»Die Temperatur klingt erträglich«, lachte ich.

»Dann los.«

Ich verschwand oben in der Ankleide und suchte meinen Bikini heraus. Ich hatte ihn mir gerade erst vor kurzem zusammen mit April gekauft. Es war ein leuchtend blauer mit Cut-Outs im Oberteil. Die Hose war schlicht und schmal geschnitten.

Mason wartete bereits im Pool. Ich ging zögerlich heraus, mit 21 Grad war es noch nicht besonders heiß und ich wollte nicht frieren.

»Na komm schon rein, das Wasser ist warm«, rief Mason mir zu. Ich ließ das Handtuch fallen und ging die Stufen herunter in den Pool. Ich spürte seinen bewundernden Blick auf mir.

Mason schwamm zu mir herüber und zog mich an sich heran.

»Der Bikini steht dir sehr gut«, meinte er lächelnd »Sehr sexy.«

»Danke«, antwortete ich verlegen.

Seine warmen Arme, die er um mich gelegt hatte, fühlten sich sehr angenehm an. Unsere Oberkörper berührten sich und mir wurde schnell warm. Mein verdammtes Herz begann schon wieder zu rasen, was er merkte und grinsend zur Kenntnis nahm. Er strich mir eine Haarsträhne aus dem Gesicht und küsste mich.

»Du kannst dir nicht vorstellen, wie glücklich ich bin, dass du hier bist«, sagte Mason zwischen den Küssen. Ich lächelte glücklich.

»Danke noch mal für deine Einladung.«

»Es tut mir wirklich leid, dass ich vorher keine Zeit hatte.«

»Dafür ja jetzt«, antwortete ich und küsste ihn.

Das Klingeln meines Handys unterbrach uns. Ich schwamm zum Beckenrand und schaute, wer es war. Meine Mom.

»Ich muss da kurz rangehen. Es ist meine Mom, sie killt mich, wenn ich sie schon wieder wegdrücke«, sagte ich entschuldigend, trocknete meine Hände ab und nahm den *Video(!)*-Anruf entgegen. Wenn Eltern einen quälten, dann richtig. Ich bedeute Mason mit einer Handbewegung, dass er aus dem Bild verschwinden sollte. Meine Mutter musste ihn ja nicht gleich halbnackt im Hintergrund sehen.

»Hi Mom«, sagte ich.

»Hi Tay. Wo bist du?«, fragte sie verwirrt.

»Ich hab' mir ein Wochenende Auszeit genommen …«, versuchte ich sie abzuwimmeln.

»Ahja …« Sie sah mich skeptisch an.

»Wieso denn?«

»Nichts. Ich wollte mich nur erkundigen, wie es dir geht.«

»Gut, danke und euch?«

»Auch. Danke. Ist April auch da?«

»Nein, Mom, ist sie nicht. Soll ich ihr Grüße ausrichten?«, fragte ich leicht gereizt, denn mir entging nicht, dass sie versuchte herauszufinden, was ich machte.

»Ihr verbringt das Wochenende gar nicht zusammen?«

»Mama, wir sind alt genug, dass wir auch getrennt voneinander etwas machen können.«

»Taylor, wo bist du?«

»Wieso fragst du? Mom, ich bin alt genug, dass ich dich nicht mehr um Erlaubnis fragen muss.«

»Du bist ja wohl ganz eindeutig nicht bei euch im Wohnheim.«

»Muss ich ja auch nicht.«

Ich sah aus dem Augenwinkel, dass Mason zu mir geschwommen kam und versuchte verzweifelt, ihn davon abzubringen. Meine Mom würde durchdrehen. Doch er wollte nicht hören, also blieb mir nichts anderes übrig, als seinen Kopf unter Wasser zu drücken und darauf zu hoffen, dass er diese eindeutige Geste verstand und mich kurz zu Ende telefonieren lassen würde. Er schaute mich vorwurfsvoll an, als er wieder hochkam. Ich bedeutete ihm ein *Tut mir leid* mit den Augen und hoffte inständig, dass meine Mutter es nicht mitbekam.

»Taylor, wer ist da noch? Was soll der Blödsinn?«

Ich schaute Mason mit einem Todesblick an und hätte ihn gerade am liebsten erwürgt. Ich hatte versucht, meine Mom abzuwimmeln und sie nicht noch neugieriger zu machen.

»Taylor, du sagst mir jetzt sofort, wo du bist!«, forderte meine Mom bestimmend.

»Ich bin bei Mason, bist du jetzt zufrieden? Gute Nacht oder dir einen guten Tag, Mom«, sagte ich und legte auf. Ich war sauer, aber ich wusste nicht, auf wen von beiden ich wütender war.

»Was sollte der Scheiß?«, fuhr ich ihn an. »Ich habe dir doch zu verstehen gegeben, dass du ruhig und aus dem Bild bleiben sollst!«

»Tay ...« Mason schwamm auf mich zu.

»Ich wollte sie loswerden und nicht noch misstrauischer machen, du Idiot! Meine Mom ist echt schwierig.«

»Was ist denn so schlimm daran, dass du bei mir bist?«, wollte Mason wissen.

»Nichts. Absolut gar nichts, aber es geht sie nichts an. Ich bin erwachsen und alt genug, um meine Entscheidungen ohne ihre Erlaubnis oder Meinung treffen zu können!«, schimpfte ich.

»Hey, es tut mir leid, okay«, erwiderte Mason beschwichtigend und schaute mich wieder mit diesem Blick an, der einen um den Verstand brachte.

Mein Handy klingelte erneut. Es war April. Echt jetzt?! Ich würde es gleich auf stumm schalten.

Mason lachte kopfschüttelnd und sagte: »Geh schon ran. Oder muss ich vorher erst wieder verschwinden?«

»Idiot!«, sagte ich an ihn gewandt. »Hi Ap, was gibts?« Auch April musste natürlich – wie denn auch sonst – per Video anrufen.

Sie schaute mich nur vielsagend an, als sie Mason neben mir sah. Er winkte grinsend.

»Sorry, ich wollte dir nur mitteilen, dass Kyle ein paar Entwürfe fürs Kleid geschickt hat«, sagte sie freudestrahlend.

»Oh, klasse! Danke, kannst du sie mir schicken?«, antwortete ich überglücklich »Wir sehen uns dann morgen!«

Ich schaltete das Handy auf lautlos und legte es zurück. »Sorry.«

»Schon gut«, meinte Mason noch immer lachend »Wer ist Kyle?«

»Kyle ist Aprils Freund, er studiert Modedesign in New York. Ich hatte gefragt, ob er mir ein Kleid für die Premiere machen kann.«

»Das ist wirklich nett von ihm, dass er das macht.«

»Ja und wie. Ich bin mega aufgeregt!«

»Ist das Handy denn jetzt leise oder werden noch weitere Anrufe folgen?«, grinste Mason.

»Es ist jetzt leise«, lachte ich.

»Gut, denn ich will die Zeit mit dir genießen«, sagte Mason »Machen wir da weiter, wo wir aufgehört haben?«

Ich grinste und kam ihm ein Stück näher. Mein Herz begann wieder wie wild zu pochen, als er sich ebenfalls noch ein Stück näherte und nur noch wenige Zentimeter zwischen uns Platz waren. Ich legte meine Arme um seinen Nacken und küsste ihn, während seine Hände an meinen Po wanderten. Ich schlang meine Beine um ihn, mein Atem ging schneller. Auch der seine beschleunigte sich. Seine Lippen fühlten sich so gut auf meinem Körper an. Er bedeckte mich überall mit Küssen. Ich konnte ein leises Seufzen nicht unterdrücken, genauso wenig wie Mason. Unsere Körper bewegten sich im Einklang miteinander, während wir die Finger nicht voneinander lassen konnten. Mason streifte meine Bikiniträger über die Schultern und öffnete den

Verschluss mit einer geschickten Bewegung. Seine Lippen liebkosten meine Schultern, dann mein Dekolleté.

»Ich will dich«, keuchte er unter den ganzen Küssen. Ich widersprach nicht, stattdessen küsste ich ihn leidenschaftlich und ließ zu, dass er auch mein Bikini-Höschen auszog. Mein Atem ging unfassbar schnell und mein Herz pochte wie wild. Er berührte meinen Körper so leidenschaftlich, so sinnlich. Mason zog seine Hose ebenfalls aus und zog mich wieder dichter zu sich heran. Ich spürte seinen trainierten Körper an meinem und versank in seinen Küssen.

»Du bist der Wahnsinn«, keuchte Mason und lehnte sich zurück. Ich lächelte verlegen und versuchte, zu Atem zu kommen.

»Du auch«, antwortete ich verlegen. All das war noch immer so surreal. Vor kurzem hab ich noch in Deutschland mein Abi gemacht und nun hatte ich Sex mit einem Megastar in seinem Pool ...

Mein Blick wanderte noch einmal über seinen trainierten Körper, bevor ich meinen Bikini wieder einsammelte und den Pool verließ. Ich spürte, wie sein Blick mir folgte. Etwas verlegen griff ich nach meinem Handtuch und wickelte es mir um. Ich schaute zu ihm hinüber, wie er da im Pool stand, mich angrinste und die Stadt hinter ihm im Dunkeln lag und nur von den vielen kleinen Lichtern erhellt wurde. Diesen perfekten Moment wollte ich nie vergessen.

Gott, er war so verdammt gut aussehend! *Reiß dich zusammen, Taylor*, mahnte ich mich selbst.

Mason schwamm zu mir herüber und verließ ebenfalls den Pool. Er wickelte sich sein Handtuch um die Hüfte und legte seine Arme von hinten um mich, strich mein Haar beiseite und küsste meinen Hals und meine Schulter. Ich bekam eine Gänsehaut. Mason holte eine Decke und legte sie zärtlich um mich.

»Ich hätte jetzt allerdings Hunger«, grinste er.

»Ich auch«, lachte ich.

»Mach es dir gemütlich, ich mache das Essen wie versprochen.«

Da widersprach ich nicht. Ich kuschelte mich in die Decke ein und machte es mir auf dem Loungesofa bequem. Mason brachte mir etwas zu trinken heraus und entzündete das Feuer in der gläsernen Feuerschale. Ich schaute ihm dabei zu, wie er den Grill anzündete und die Steaks zubereitete. Konnte dieses Wochenende denn nicht noch etwas länger andauern?

Mason deckte den Tisch für uns und wir aßen gemeinsam.

»Es schmeckt wirklich sehr gut. Danke«, sagte ich.

»Das freut mich.«

»Diese Aussicht …«, schwärmte ich und konnte mich noch immer nicht an ihr sattsehen. Sowohl an der Aussicht über die Stadt, als auch die auf ihn.

»Mir gefällt diese hier viel besser«, sagte Mason und schaute mich lächelnd an. Ich musste grinsen, da hatten wir wohl den gleichen Gedanken gehabt.

»Mir gefallen beide«, grinste ich und erwiderte seinen Blick. Ich war froh, dass Mason keine Pläne fürs Wochenende gemacht hatte und wir einfach ungestört die Zeit zu zweit genießen konnten.

»Ich hatte dir ein Bad in der Wanne versprochen. Willst du es heute noch?«, erkundigte er sich. Es klang wirklich sehr verlockend, aber ich wollte eigentlich auch genauso gerne bloß hier mit ihm sitzen.

»Unter allen anderen Umständen hätte ich sofort ja gesagt, aber ich will die Zeit eigentlich mit dir verbringen …«

»Dann lass uns einen Kompromiss machen. Du genießt oben ein Bad, während ich hier aufräume.«

»Okay.«

»Ich lass es dir eben ein.«

Ich folgte Mason nach oben und setzte mich auf den Hocker im Badezimmer.

»Nimm dir gerne neue Handtücher«, sagte er und drehte den Wasserhahn auf. Ich schaute ihm gedankenverloren zu, wie er da nur mit Handtuch um die Hüften stand.

»Brauchst du noch etwas?«

»Nein, danke.«

Ich wartete, bis er das Bad verließ und stand auf. Ich musste ein Foto von der Wanne mit dieser Aussicht machen und Ap schicken.

Anschließend legte ich mich in das angenehm warme Wasser und entspannte über den Dächern LAs. Ich schloss die Augen und war einfach nur glücklich und seit langem mal wieder wirklich entspannt. Ein Wochenende lang einfach mal nichts zu tun, tat unfassbar gut. Ich hatte mir auf meinem Handy Musik angemacht und schaute mir die unglaublichen Skizzen von Kyles Entwürfen auf dem Handy an. Sie waren alle so atemberaubend schön, dass ich nicht hätte sagen können, welches schöner war und so bat ich April, dass sie Kyle ausrichten sollte, dass er entscheiden sollte, welches es wird. Dann genoss gedankenverloren die tolle Aussicht, versuchte, mir diesen Ausblick einzuprägen und hing meinen Gedanken nach.

Es klopfte an der Tür. »Darf ich reinkommen?«

»Klar«, es gab ja nun wirklich nichts mehr, was er heute nicht schon gesehen hätte. Mason kam herein und setzte sich auf den Hocker neben die Wanne.

»Und? Entspricht das Bad deinen Vorstellungen?«

»Ich hätte mir nie zu träumen gewagt, jemals mit jemandem wie dir in so einem Bad zu sitzen und zu baden«, gab ich peinlich berührt zu. »Überhaupt ein Wochenende wie dieses zu haben.«

Mason rutschte etwas näher und begann, mir die Schultern zu massieren.

»Das Wochenende ist perfekt«, sagte ich, während ich die Massage genoss.

»Das freut mich«, antwortete Mason zufrieden.

»Magst du mir ein Handtuch reichen?«, fragte ich, denn langsam sollte ich mal aus dem Wasser, welches inzwischen abgekühlt war. Mason reichte mir ein frisches Handtuch und ich stieg aus der Badewanne. In der Ankleide zog ich mir frische Unterwäsche an. Anschließend brachte ich das Handtuch zurück ins Badezimmer und putzte meine Zähne. Als ich fertig war, ging Mason ins Bad.

Ich wartete im Bett auf ihn, wo ich es mir gemütlich gemacht hatte. Als er aus dem Bad zurückkam, legte er sich neben mich und nahm mich in seinen Arm. Ich kuschelte mich an ihn und schloss die Augen. Konnte ein Augenblick perfekter sein als dieser?

Als ich am nächsten Vormittag aufwachte, lag ich noch immer in seinem Arm. Ich schaute verliebt zu ihm rüber und er lächelte mich verschlafen an.

»Guten Morgen.«

»Guten Morgen«, murmelte ich zurück und gähnte.

»Hast du gut geschlafen?«, erkundigte sich Mason.

»Ja.«

Er gab mir einen zärtlichen Kuss.

»Du siehst so verschlafen total süß aus«, meinte er. Ich verdrehte die Augen. Gerade wollte ich gar nicht wissen, wie ich aussah. Einfach nur daliegend, schaute ich ihn an. Ich wollte nicht, dass das die letzten gemeinsamen Stunden für eine lange Zeit waren.

Wir verbrachten noch einige Zeit im Bett, bevor wir aufstanden und ich uns Frühstück machte, was eher schon als Mittag von der Zeit her durchging. Im Anschluss gingen wir in den Hills spazieren, dann musste ich auch leider schon wieder meine Tasche packen.

Da standen wir nun Arm in Arm im Flur vor der Haustür und keiner wollte den anderen zuerst loslassen.

»Es war wirklich ein sehr schönes Wochenende mit dir«, flüsterte Mason.

»Fand ich auch«, antwortete ich.

»Das sollten wir wiederholen.«

»Du weißt ja, wie du mich erreichst«, erwiderte ich grinsend.

»Du auch.«

»Wir sehen uns«, sagte ich und bemühte mich um ein Lächeln. Wie ich diese Momente hasste.

»Tun wir.« Mason versuchte sich ebenfalls an einem Lächeln, während er mein Gesicht in seine Hände nahm und mich ein letztes Mal zum Abschied küsste.

Kapitel 12

Es waren einige Wochen vergangen und mein Geburtstag und die Filmpremiere standen kurz bevor. Finally 21!

»Was machen wir?«, wollte April von mir bezüglich meines Geburtstages wissen.

»Ich dachte, wir feiern mit Paul, Mason, Lola und Liam? Ich glaube nicht, dass Jamie kommen wird … Und Kyle ist in New York und der Rest in Deutschland …«

»Klingt doch nach einem Plan. Und wo?«

»Mal sehen, ich hatte an die Skybar gedacht … Ich weiß nicht, ob ich noch was reserviert

bekomme …«, antwortete ich ihr.

»Okay, ich bin so oder so dabei.«

»Du hast auch keine andere Wahl!«, lachte ich.

Anstatt weiter planen zu können, mussten wir nun aber erstmal in unsere Unikurse. Auf dem Weg textete ich Mason, was er von der Los Angeles Skybar hielt.

Unkonzentriert folgte ich den Dozenten heute. In Gedanken war ich bei meinem Geburtstag und bei der Filmpremiere am Samstag. Ich war so furchtbar aufgeregt. Wir würden den Film ja auch erst kurz vorher am Freitag zum ersten Mal als Crew sehen. Ich war mehr als gespannt, wie der fertige Streifen aussah und wie es wohl sein würde, sich auf der großen Leinwand zu sehen.

»Ich brauche noch was zum Anziehen für meine Party. Hast du Lust nachher shoppen zu gehen?«, fragte ich April, während wir in der Kantine zu Mittag aßen.

»Klar, dann schaue ich auch gleich nach einem neuen Outfit.«

So war es also beschlossene Sache, dass wir nach Downtown fuhren und shoppen gingen. Ich freute mich bereits riesig drauf. Die letzten Wochen hatte ich viel um die Ohren gehabt und auch April nur wenig außerhalb der Vorlesungen gesehen.

Wir brachten unsere MacBooks auf unser Zimmer, machten uns frisch und fuhren dann zum Shoppen. Es war zwar keine kurze Fahrt mit dem Bus, aber wir wollten unbedingt direkt nach Downtown rein.

Als wir ausstiegen und zur Shopping-Mall gingen, traute ich meinen Augen erst nicht und flippte dann völlig aus. Die Leute schauten mich erst erschrocken und überrascht an, dann sahen sie, weshalb ich gerade so ausflippte und machten Fotos. Einige fragten sogar nach Autogrammen.

»April, das bin ich! Siehst du?! Das bin ich auf dem riesigen Plakat!«, kreischte ich und hüpfte vor der riesigen Werbetafel auf und ab. »Los, mach ein Foto!«

April flippte ebenfalls erstmal aus und hielt meinen Freudenausraster auf Video fest. Anschließend machte sie ein Foto von mir vor dem riesigen Plakat an der Mall, dann eines von uns zusammen. Ich war völlig aus dem Häuschen. Danach gab ich, was total seltsam und ungewohnt war, einige Autogramme und ließ Fotos mit mir machen.

»Ich gebe Autogramme!«, rief ich überglücklich und fassungslos.

Ich holte mein Handy heraus und rief meine Mom total aufgedreht per FaceTime an. Müde nahm sie den Anruf entgegen. Ich ließ ihr gar keine Zeit, ehe ich loskreischte und die Kamera auf das Plakat hielt.

»Siehst du das?«, rief ich ungläubig. »Kannst du das Glauben? Das bin ich! Ich bin auf einer Mall zu sehen!« Ich heulte los, so glücklich war ich. Meine Mom fing tatsächlich ebenfalls an zu weinen, was ich nicht für möglich gehalten hatte.

»Ich bin so stolz auf dich!«, sagte sie und wischte sich die Tränen trocken.

»Ich kann's gar nicht glauben!« Ich war noch immer völlig überwältigt »Sorry, shit, ich hab' gar nicht an die Zeitverschiebung gedacht!« Ich realisierte erst jetzt, dass ich sie geweckt haben musste.

»Alles gut, ich hatte mich gerade erst hingelegt. Es war heute ein langer Tag.«

»Okay, ich will dich nicht länger stören, ich wollte es dir nur unbedingt sofort zeigen.« Ich konnte gar nicht mehr klar denken. Da hing ich zusammen mit Mason, Liam und Lola in Lebensgröße an der Mall!

Mom lachte und wünschte mir noch einen schönen Tag, nachdem sie mir mehrfach gesagt hatte, wie stolz sie auf mich war.

»Oh mein Gott, ich glaub es nicht!« Ich war in einem kompletten Gefühlschaos. April war genauso aufgedreht wie ich. Ich schickte Mason ein Foto und schrieb darunter: *Ich bin auf einer Mall!*

Ich stellte das Foto sofort online und freute mich, wie in meinem ganzen Leben noch nicht. Es dauerte eine ganze Weile, ehe ich mich einkriegte und wieder runterkam. Ich atmete noch ein paar Mal tief durch, bevor ich zu April sagte, dass wir jetzt shoppen gehen konnten.

Wir gingen in einige Geschäfte und probierten etliche Kleider an.

Gerade als ich ein Kleid anprobierte, klingelte mein Handy. Es war Mason.

»Hi«, sagte ich, als ich den Anruf annahm.

»Hey, mein kleiner Star«, begrüßte er mich.

»Kannst du es glauben? Es ist so riesig!« Ich war schon wieder total aufgeregt.

»Dein Freudentanz macht bereits die Runde«, lachte Mason. »Du siehst zu süß aus, wie du dich da freust.«

»Oh shit«, lachte ich.

»Ich wollte dir nur sagen, dass du sehr gut auf dem Plakat aussiehst und dass ich stolz auf dich bin.«

»Danke.« Ich war glücklich, von ihm zu hören.

»Und ich hab' noch eine Überraschung für dich.« Der triumphierende Klang in seiner Stimme war kaum zu überhören. Nun war ich noch aufgeregter. »Ich habe ein paar meiner Kontakte spielen lassen und dir die gesamte Skybar zum Geburtstag gemietet.«

»Du hast was?!«, meine Stimme überschlug sich erneut vor Freude.

»Die Skybar gehört dir an dem Abend, inklusive DJ und Verpflegung.«

»Du bist verrückt!«

»Gern geschehen, man wird schließlich nur einmal 21.«

»Danke, danke, danke! Du bist der Beste!« Ich freute mich wirklich unglaublich.

»Wir sehen uns dann an deinem Geburtstag.«

»Bis dann. Danke noch mal!«

Ich legte auf und fiel April um den Hals.

»Wir haben die ganze Skybar für uns, inklusive DJ und Verpflegung!«

»Wir haben was?«, kreischte April ungläubig.

»Mason hat das arrangiert«, meinte ich, übers ganze Gesicht strahlend. Wir tanzten in der engen Kabine vor Freude im Kreis. Der Tag konnte wirklich nicht mehr besser werden.

»Und ich glaube, dass ich mein Kleid gefunden habe«, fuhr ich fort. Ich hatte gerade ein goldenes Minikleid mit tiefem Ausschnitt an.

»Damit wirst du alle umhauen.«

»Mir reicht es, wenn ich einen umhaue«, erwiderte ich verlegen grinsend. April lächelte mich glücklich an und schien sich auch für ein Kleid entschieden zu haben. Es war ein oben enganliegendes Kleid mit kurzem ausgestellten Rock und lauter Pailletten.

Wir gingen zur Kasse und zahlten. Anschließend kauften wir noch passende Schuhe und Accessoires.

Voll bepackt fuhren wir zur Uni zurück, aber vorher musste ich noch einmal vor dem Kinoplakat halt machen und es bestaunen. *Coming soon!*

Endlich war es so weit: der Abend meiner Geburtstagsparty. April und ich machten uns aufgeregt zurecht. Ich war in mein goldenes Minikleid geschlüpft. Dazu trug ich 10 Zentimeter hohe goldene Sandaletten und eine passende kleine Umhängetasche. Die Augen hatte ich mit goldenem Eyeshadow und schwarzem Eyeliner geschminkt. Ich trug meinen roten Lippenstift auf und betrachtete mich zufrieden im Spiegel. April hatte sich für Smokey Eyes und einen natürlicheren Lippenstift entschieden. Ihre Absätze waren nur wenige Zentimeter hoch.

»Perfekt«, sagte ich zu ihr.

Wir verließen unser Zimmer und trafen unten auf Paul. Zusammen nahmen wir das Taxi zur Skybar, wo wir die anderen treffen wollten. Wir fuhren trotz starkem Verkehr zum Glück nicht viel länger, als wir sonst gebraucht hätten. Das Partyleben von LA erwachte so langsam.

Vor dem Club trafen wir auf Lola und Liam, sowie ein paar Leute aus der Uni, die April eingeladen hatte, die wir aus unserem neuen Screenwriting-Kurs kannten. Ich stellte Lola und Liam April und Paul vor. Lola sah richtig heiß aus in ihrem blauen Minikleid und den hohen mit Samt überzogenen Pumps, die bis zu den Knien hochgeschnürt waren.

»Deine Schuhe sind der Hammer!«, gab April ihr ein Kompliment, für das sie sich glücklich bedankte.

Ihre dunkelblonden Haare trug Lola gelockt und mit einer großen goldenen Haarspange an der Seite. Ihr Make-up war in dunkelblau und gold auf ihr Outfit abgestimmt und unterstrich ihre Schönheit und ihre großen grünen Augen.

Liam konnte sich aber auch in seiner dunklen Stoffhose und dem beigen Hemd sehen lassen. Um den Hals trug er eine goldene Kette und die Locken trug er länger als beim letzten Mal. Ich freute mich riesig, dass sie es geschafft hatten, da sie ja auch nicht gerade um die Ecke wohnten.

»Happy Birthday«, wünschten Lola und Liam mir und überreichten mir eine Geschenktüte. Ich bedankte mich, während ich sie entgegennahm.

»Da ist ja meine wunderschöne Geburtstagskönigin«, ertönte Masons Stimme hinter mir. Ich drehte mich lächelnd um. Er sah umwerfend aus. Er trug einen schwarzen Slimfit-Anzug, dazu ein weißes Hemd, dessen obere Knöpfe offen waren. Ich möchte wetten, dass das ein maßgeschneiderter Markenanzug war. Mason sah aus, als ob er gerade einer Werbekampagne entsprungen wäre.

Ich lief auf ihn zu, fiel ihm um den Hals und küsste ihn.

»So stürmisch«, grinste er. Es hatte mir so gefehlt, dieses Grinsen und sein himmlischer Duft. »Happy Birthday, Schatz«, sagte Mason und küsste mich ebenfalls. »Für eine Geburtstagskönigin dürfen natürlich die Krone und die Schärpe nicht fehlen«, grinste er noch immer und setzte mir eine goldene Krone auf, die er mitgebracht hatte. Danach legte er mir die *Birthday Queen 21*-Schärpe um.

»Du bist bescheuert«, meinte ich lachend. Anschließend stellte ich Mason meinen Freunden vor.

»Lasst uns hoch gehen«, sagte Mason, nachdem er alle anderen begrüßt hatte. Wir folgten ihm. »Warte«, sagte er zu mir und hielt mir die Augen zu, als wir vor der Tür zur Dachterrasse standen. »Bist du bereit?«

»Spann mich nicht so auf die Folter!«, flehte ich.

»Ich wünsche dir einen wunderschönen Geburtstag und hoffe, du bist zufrieden«, fuhr er fort.

»Ich bin jetzt schon mehr als zufrieden«, antwortete ich.

»Pass bitte auf beim Gehen«, sagte Mason und ging langsam vorwärts. Nach wenigen Schritten blieben wir stehen. Er nahm seine Hände von meinen Augen.

»Du darfst sie jetzt öffnen.«

Ich war sprachlos. Vor den eingelassenen Fenstern waren kleine Tische angeordnet, auf denen Kerzen standen. Loungesofas standen um den beleuchteten Pool herum, auf dem eine große 21 und viele Ballons schwammen. Am Ende stand ein DJ-Pult und an einer Längsseite befand sich ein Buffet mit Häppchen aufgebaut. Durch die großen Fenster hatte man eine fantastische Aussicht über die leuchtende Skyline von Los Angeles.

»Eine Überraschung gibt es aber noch«, meinte April geheimnisvoll.

»Was denn noch?«, wollte ich überwältigt wissen.

In dem Moment kam Georg hinter einem Haufen Luftballons hervor.

»Nein!«, rief ich und rannte auf ihn zu. »Das gibts ja nicht! Was machst du denn hier?« Freudentränen schossen mir in die Augen.

»Ich verpasse doch nicht den Geburtstag meiner besten Freundin!«, antwortete er und wirbelte mich herum.

»Ihr seid alle verrückt!«, sagte ich.

»Happy Birthday, Tay und Gratulation zu deiner Filmrolle. Der Trailer sieht schon mega aus.«

»Der Trailer? Shit, den hab' ich voll verpasst!« Oh mein Gott, ich war so überwältigt vom Plakat gewesen, dass ich total vergessen hatte, dass es ja bereits die Trailer gab.

»Du hast die Trailer echt noch nicht gesehen?«, fragte Lola erstaunt. Sie tippte auf ihrem Handy herum und reichte es mir. Wie konnte ich nur so verpeilt gewesen sein und die Trailer verpasst haben? Selbst schuld, wenn man sich ins Lernen gestürzt hatte, um sich von allem anderen abzulenken.

»Heilige Scheiße!«, entfuhr es mir. Ich war überwältigt von meinen Gefühlen. Ging das so weiter, würde ich noch einen Herzinfarkt bekommen. »Wie cool ist das denn bitte?!«

Die anderen mussten lachen. Mason hatte gut lachen, er hatte schon etliche Trailer und Plakate von sich gesehen und die anderen hatten auch schon viel mehr Erfahrung als ich. Für mich war das noch totales Neuland und extrem aufregend!

»Der beste Geburtstag meines Lebens!«, rief ich. Ich hatte das Gefühl zu träumen.

»Ich hab dir doch gesagt, dass du es schaffst!«, sagte Georg stolz.

»Ich weiß, danke. Es ist immer noch der Wahnsinn, wie schnell mein Leben sich verändert hat.«

»Das glaube ich dir.«

»Du musst mich auf den neuesten Stand bringen«, meinte Georg zu mir.

Ich stellte ihn allen vor, dann berichtete ich ihm, was in den letzten Wochen passiert war, da wir auch nur selten geschrieben hatten.

»Wow, da war ja einiges los«, staunte er. »Aber ich wusste ja, dass du es schaffst.«

»Danke. Du bist ein Schatz.«

»So, ich würde sagen, wir fangen langsam mal mit der Party an«, mischte sich April ein.

Es war ein wirklich geradezu perfekter Abend. Das Einzige, was mir fehlte, waren meine Familie und Jamie. Der Gedanke an sie stimmte mich für einen Moment traurig. Ich setzte mich in eine der Fensternischen und machte ein Foto. Im Anschluss öffnete ich meine Messanger-App und schrieb noch einmal Jamie.

Hey J, ich weiß, du willst wahrscheinlich immer noch nichts von mir hören … Ich vermisse dich. Falls du doch vorbeikommen willst, die Skybar gehört heute Abend uns … Meld dich bitte. Tay

Ich saß da und machte ein Video von der tollen Location und Aussicht, um zum einen diesen Abend in Erinnerung zu behalten und zum anderen, um ihn mit meiner Mom und Schwester zu teilen, sowie mit meinem Dad und meinen Großeltern.

»Hey, ist alles gut bei dir?«, fragte Mason, der sich zu mir gesetzt hatte.

»Ja, sorry. Ich vermisse bloß in solchen Momenten Jamie, und meine Familie. Ich würde gerne viel mehr Momente mit ihnen teilen können … In echt, verstehst du?«

»Das verstehe ich, aber an deinem Geburtstag solltest du kein Trübsal blasen«, erwiderte er. Dann lächelte er mich liebevoll an und reichte mir seine Hand. »Gibst du mir die Ehre und tanzt mit mir?«

Ich nahm seine Hand dankend an und folgte ihm auf die Tanzfläche. Mason legte seine Hände auf meine Hüfte und ich meine um seinen Nacken.

»Danke für den unvergesslichen Abend«, raunte ich ihm ins Ohr und küsste ihn, während wir zur Musik tanzten. Er schaffte es immer wieder, dass ich mich wie in einem Film fühlte. Diese Momente waren viel zu schön, um wahr zu sein.

»Für dich liebend gerne.«

Kapitel 13

Mein Geburtstag war wirklich unvergesslich schön gewesen und ich hatte die Zeit mit meinen Freunden und Kollegen, die mittlerweile zu richtig guten Freunden geworden waren, in vollen Zügen genossen. Georg war nach meinem Geburtstag noch eine Woche geblieben. April und ich zeigten ihm so viel von LA, wie wir konnten. Doch April flog kurz vor Georgs Abreise nach New York zu Kyle und ich hatte noch einige Termine wegen der Premiere meines Films.

So saßen wir jetzt also an seinem letzten Abend in Los Angeles am Strand bei einem Bier und Pommes.

»Danke, dass du da warst! Ich habe dich echt vermisst!«, meinte ich.

»Ich euch auch. Es war ’ne mega coole Zeit hier. Danke. Ich wünschte, ich könnte noch für die Premiere bleiben.«

»Da sind wir schon zu zweit«, erwiderte ich lächelnd.

»Ich kann es immer noch nicht fassen, wie sich dein Leben im letzten Jahr verändert hat.«

»Mir geht es genauso. Es kommt mir manchmal immer noch wie ein Traum vor«, antwortete ich.

»Du hast es echt gepackt, bist an der UCLA angenommen worden, gut in der Uni, hast direkt beim ersten Casting eine Hauptrolle ergattert und dir den angesagtesten Hollywoodstar in unserem Alter klar gemacht. Ich würde sagen, du hast deinen Traum erreicht.«

»Und ob ich das habe!«, ungläubig schüttelte ich den Kopf. »Wer hätte das für möglich gehalten?«

»Ich – und das weißt du auch.«

»Das weiß ich und ich will nicht, dass du morgen schon wieder zurückfliegst.«, antwortete ich geknickt.

»Ich würde auch gerne noch bleiben, aber mein Urlaub ist vorbei und du hast auch noch einiges vor dir. Schick mir unbedingt ein Foto von der Premiere!«

»Na klar.«

Am nächsten Tag verabschiedete sich Georg nach dem Frühstück. Es fiel mir schwer, ihn gehen zu lassen, da wir schon seit so vielen Jahren beste Freunde waren, aber ich hatte mich schließlich selbst für diesen Weg entschieden und die eine Woche zusammen hatte mir neue Energie gegeben.

Auch wenn ich Ablenkung gut gebrauchen könnte, war ich froh, dass wir ein paar freie Tage zwischen den Semestern hatten. Noch glücklicher war ich jedoch über das Kleid von Kyle, welches gerade angekommen war. Ich riss den Karton auf und probierte es sofort an. Ich hielt mein Handy mit zitternden Händen fest, während ich versuchte, Kyle via FaceTime zu erreichen. Endlich ging er ran.

»Danke, danke, danke!«, heulte ich aufgelöst vor Freude. »Es ist unbeschreiblich schön!« Ich drehte die Kamera, so, dass er die Spiegelansicht sehen konnte. Ich stand da vor dem Spiegel in einem Traum von Kleid. Es war trägerlos und oben sehr eng geschnitten, was die Oberweite hervorragend betonte, während es ab der Hüfte wie ein Ballkleid aus mehreren bauschigen Lagen Tüll bestand, die unglaublich voluminös waren. Das Kleid war aus einem tiefroten Stoff und glitzerte mehr als jeder Diamant auf dieser Welt.

»Es steht dir hervorragend! Ich bin froh, dass es dir so sehr gefällt und dass es passt«, freute sich Kyle, während er strahlend sein Kunstwerk bestaunte.

»Ich hab' allerdings keine Ahnung, wie ich damit durch die Autotür kommen soll«, lachte ich. »Oder überhaupt durch eine Tür.«

»Wehe du ruinierst es!«, mahnte Kyle lachend.

»Niemals! Das Kleid ist der Wahnsinn, jeder soll es sehen und wissen, von wem es ist! Ich kann dir gar nicht genug dafür danken! Du musst mir noch sagen, was du dafür bekommst!«

»Ich bin echt froh, dass es dir so gut passt, da ich deine Maße ja nur via Message von dir bekommen hatte und nicht selbst Maß nehmen konnte.«

»Es passt ausgezeichnet. Danke nochmal! Ich würde es am liebsten gar nicht mehr ausziehen!«

Ich drehte mich noch mal für ihn und ließ liebe Grüße an April ausrichten, bevor ich auflegte und mich selbst noch einige Minuten im Spiegel betrachtete. Ich hatte goldene High Heels dazu an und das Armband von Mason. Die Premiere durfte kommen! Aber bevor wir den Film der Öffentlichkeit zum ersten Mal präsentierten, würden wir den fertigen Film zusammen mit der Crew schauen.

Ich zog das traumhafte Kleid und die Schuhe also wieder aus, hing es in den Kleiderschrank und stellte die Schuhe darunter. Ich zog mir meine Sportsachen an und stöpselte meine Kopfhörer ein. Dann ging ich joggen. Insgeheim hoffte ich darauf, Jamie dabei zu begegnen, denn wir hatten eine ähnliche Laufstrecke. Doch ich hoffte vergebens. Seit jener Nacht, in der er mich geküsst und ich ihn harsch abgewiesen hatte, ignorierte er mich und ich wusste nicht mehr, was ich noch tun sollte, damit er mir verzeihen würde. Aber wieso eigentlich? Ja, ich hatte mit Sicherheit nicht so reagiert, wie er es sich erhofft hatte und dass ich so ausgerastet war, tat und tut mir leid. Aber es war doch nicht meine Schuld, dass ich keine solchen Gefühle für ihn entwickelt oder mir zumindest überhaupt keine Gedanken darüber gemacht hatte. Und nun war ich eben mit Mason glücklich. Natürlich wäre es mir lieber gewesen, wenn Jamie von mir persönlich erfahren hätte, dass ich mit Mason zusammen war und nicht aus den Medien.

Und weil ich mit ihm glücklich war, freute ich mich so sehr auf Freitag, wo wir den Film gemeinsam mit den anderen sehen würden. Aber ich hatte gleichermaßen Angst, mich auf der Leinwand zu sehen.

Ich joggte die große Runde und kam außer Atem am Wohnkomplex an. Ich sprang in Aprils und meinem Zimmer angekommen gleich unter die Dusche und telefonierte danach mit Mason.

Bevor ich ins Bett ging, schrieb ich noch meiner Mom. Ich erkundigte mich, wie es allen ging und schrieb ihr wie aufgeregt ich wegen des Films und der Premiere war. Dann schickte ich ihr ein Foto von dem traumhaften Kleid mit etlichen Herzaugen-Emojis und dem Text: *Mein Traumkleid für die Premiere!*

Außerdem meldete ich mich mal wieder bei Emil, da wir nur sehr unregelmäßig Kontakt hatten. Im Anschluss meldete ich mich noch bei Dad und sendete ihm ebenfalls das Foto. Danach sendete ich es noch an April und Georg, sowie Paul. Den Cast wollte ich überraschen.

Kurz darauf folgten einige Antworten. Meine Mom freute sich riesig für mich, dass ich so ein umwerfendes Kleid bekommen hatte. *»Du siehst umwerfend aus! Ich wünsche dir ganz viel Spaß«*, schrieb sie dazu. Sie brachte mich außerdem auf den neusten Stand. Ella ging es gut und sie spielte nun etwas Gitarre, wovon sie mir ein kurzes Video schickte. Mom plante einen kurzen Wochenend-Trip mit Daniel. Sie wollten nach Berlin, Sightseeing machen.

Ich wünschte ihr viel Spaß dafür und schrieb, dass ich super stolz auf Ella war.

Von April und Georg bekam ich als Antwort etliche Daumenhoch- und Herz-Emojis, mit dem Kommentar, dass ich super aussah.

Nachdem ich mich Bett fertig gemacht hatte, klingelte mein Handy. Es war Dad. Überglücklich nahm ich den Videoanruf an.

»Hallo Taylor, wie geht es dir? Du siehst wunderschön in dem Kleid aus«, begrüßte er mich. Er sah erschöpft aus.

»Danke, gut und dir? Du siehst müde aus …«

»Es ist wie immer viel zu tun.«

»Du musst weniger arbeiten«, mahnte ich ihn, wie so oft schon.

»Ich werde mich bemühen … So ist es als Chef nun mal, es brennt immer irgendwo.«

»Du hast deine Ehe mit Mom dadurch schon kaputt gemacht, kannst du nicht wenigstens für Ella und mich da sein? Du weißt, wie sehr wir dich vermissen und wie traurig wir sind, dass du immer alles verpasst. Nicht mal zum Verabschieden bist du gekommen …«, sagte ich mit einem Kloß im Hals.

»Ich weiß, es ist nicht so einfach, wie du glaubst.«, antwortete Dad sichtlich ausgelaugt.

»Versprich mir, dass du mehr Zeit haben wirst«, flehte ich ihn an »Wenn nicht für uns, dann wenigstens für deine Gesundheit.«

»Taylor, du weißt, dass ihr mir unfassbar wichtig seid!«

»Dann nimm dir endlich Zeit für uns!«

»Ich bemühe mich«, sagte Dad »Ich hab angerufen, weil ich dir viel Spaß und Glück für die Premiere wünschen wollte und weil ich will, dass du weißt, wie unfassbar stolz ich auf dich bin.«

Ich schluckte schwer und wischte mir eine Träne aus dem Augenwinkel.

»Danke«, sagte ich berührt. Wir hatten lange nicht mehr so ehrlich miteinander gesprochen.

»Du wirst sie alle umhauen!«

Ich lächelte dankbar für seine Worte.

»Meld dich bei Mom und Ella, versprochen?«

»Das mache ich.«

»Gut. Ich muss langsam ins Bett«, sagte ich müde.

»Dann will ich dich nicht länger aufhalten. Schlaf gut und pass gut auf dich auf. Grüß Mason unbekannterweise von mir. Ich würde ihn gerne irgendwann mal kennenlernen.«

»Danke, das mache ich. Vielleicht klappt es ja mal.«

Damit beendete ich das Telefonat. Ich hoffte inständig, dass Dad sich wirklich bessern würde. Er sah erschöpft aus, was mir Sorgen machte.

Es war Freitag. Heute würden wir uns gemeinsam als Crew den Film ansehen. Aufgeregt stieg ich aus dem Uber aus und ging in das kleine Kino hinein, das für uns reserviert war. Ich war eine der Ersten.

Als ich Mason sah, fiel ich ihm um den Hals und küsste ihn. Er drückte mich an sich, während er den Kuss erwiderte.

»Ich hab dich vermisst«, sagte ich, als ich nach seiner Hand griff.

»Ich dich auch.«

Ich entdeckte die Make-up-Artistin Olivia und begrüßte sie freudig. Der Rest der Crew trudelte nach und nach ein. Schließlich nahmen wir auf den Kinositzen Platz. Ich saß zwischen Lola und Mason und hielt aufgeregt und nervös ihre Hände. Mason grinste.

»Bereit?«, fragte er. Ich schüttelte den Kopf. Er lachte und drückte meine Hand. »Der Film wird am Wochenende veröffentlicht, also wird es schon nicht so schlimm sein«, ärgerte er mich.

Das Licht wurde gedimmt und der Vorspann begann. Nervös blickte ich auf die Kinoleinwand. Lola reichte eine Tüte Popcorn rüber, doch noch war ich zu nervös zum Essen.

Die erste Szene begann und die anderen grölten und applaudierten. Ich traute mich kaum hinzuschauen.

Es dauerte fast den halben Film über, ehe ich gelassener wurde und mit den anderen mitlachen und grölen oder applaudieren konnte. Es war immer noch total ungewohnt, sich, seinen Partner und seine Freunde da auf der Leinwand zu sehen. Aber es erfüllte mich auch zugleich mit Stolz. Der Film war richtig gut. Wir alle waren richtig gut! Ich durchlebte jedes Gefühl der Dreharbeiten beim Anschauen, aber auch die der Charaktere, die wir spielten. Bei den Kussszenen lief ich hochrot an, während die anderen jubelten. Als Masons und mein Charakter einen riesigen Streit hatten, musste ich mit meiner Rolle weinen. Lola neben mir wischte sich ebenfalls ein paar Tränen weg. Es war eine wahre Gefühlsachterbahn, aber all die harte Arbeit hatte sich gelohnt. Ich konnte dieses Gefühl überhaupt nicht beschreiben, welches der fertige Film in mir auslöste. Die Freude und Begeisterung der anderen. Es war eine atemberaubende Erfahrung und ich wollte nichts davon missen!

Als der Abspann lief, weinten viele von uns, während wir applaudierten. Ein Applaus für alle, die an diesem klasse Film beteiligt waren und ihn überhaupt erst möglich gemacht hatten. Wir lagen uns in den Armen und beglückwünschten einander.

Die nächsten Wochen würden einige von uns sich immer wieder auf den Premieren und bei anderen Events sehen, andere hingegen würden wir so schnell nicht wieder sehen. Das Team war mir extrem ans Herz gewachsen. Es bedeutete mir wahrscheinlich so besonders viel, weil es meine erste Erfahrung beim Film war.

»Wer hat Lust noch was Essen zu gehen?«, fragte ich in die übriggebliebene Runde.

»Gerne.«, sagte Lola. Auch Mason, Liam und Olivia schlossen sich an. Wir mieteten uns ein Großraumtaxi und quetschten uns hinten auf die Plätze. Olivia nannte ihm die Adresse für ein nettes mexikanisches Restaurant in der Nähe.

Die Fahrt über quatschten wir über den Film und ich richtete Mason die Grüße meines Dads aus.

»Und wie war es für dich, dich zum ersten Mal auf der Leinwand zu sehen?«, fragte Lola gut gelaunt.

»Total komisch, aber super!«, sagte ich noch immer überwältigt von meinen Gefühlen.

»Das glaube ich, aber man merkt überhaupt nicht, dass es dein erster Film ist.«

»Nein, das vermutet man echt nicht«, brachte Liam sich mit in das Gespräch ein.

»Ich bin super stolz auf dich«, lächelte Mason mich an, bevor er mir einen Kuss gab.

Ich errötete und bedankte mich bei allen für ihre Komplimente.

Der Wagen hielt, Olivia zahlte und wir gaben ihr unseren Anteil dazu.

Das Restaurant war voll, aber wir hatten Glück und bekamen noch einen Tisch für uns. Das Restaurant sah klasse aus. Bunte Malereien zierten die Wände und ein herrlicher Geruch von verschiedenen Gewürzen lag in den Luft. Auch sonst war das Restaurant sehr modern und doch traditionell wirkend eingerichtet.

Ein paar der Gäste erkannten uns schließlich und baten uns um Fotos und Autogramme. Wir erfüllten diese Wünsche, ehe wir Platz nahmen und bestellten.

Ich blätterte eine Weile in der Speisekarte, bevor ich mich endlich für einen Käseburrito mit Hackfleisch und Salat entschied. Dazu bestellte ich mir einen gemischten Nacho-Teller mit diversen Dips. Zu Trinken nahm ich einen großen hausgemachten Eistee.

Lola und Olivia bestellten sich gemeinsam eine Platte mit verschiedenen Tacos und Quessadillas, dazu bestellten sie wie ich jeweils einen Eistee. Mason entschied sich für für zwei Enchiladas, gefüllt mit Fleisch, Gemüse und einer Salsa Verde, dazu eine Cola. Liam bestellte sich nach langem hin und her Überlegen einen Teller Chili con Carne mit Tortillas und einem Glas Cola.

Während wir auf unser Essen warteten unterhielten wir uns ausgelassen.

»Habt ihr schon etwas zum Anziehen für die Premiere?«, erkundigte Olivia sich.

»Ja, der Freund meiner besten Freundin hat mir ein Kleid designed und genäht. Es ist wirklich unglaublich!«, schwärmte ich.

»Du hast es mir noch gar nicht gezeigt«, beschwerte Mason sich.

»Nope. Das wird eine Überraschung«, sagte ich entschlossen. Der schmollte darauf hin etwas.

»Ich bin gespannt«, sagte Lola neugierig »Ich hab auch schon ein Kleid. Es ist lila und figurbetont. Ich finde es total sexy.«

»Oh, ich freue mich schon darauf, es zu sehen«, antwortete ich freudig »Und du?«, fragte ich Olivia.

»Ich denke ich werde in einem schwarzen Hosenanzug kommen, ich bin mir aber noch unsicher.«

»Hast du ein Foto?«, erkundigte sich Lola.

»Ja, warte«, antwortete Olivia und suchte in ihrem Handy.

In diesem Moment brachte die freundliche Kellnerin unsere Getränke, für die wir uns bedankten.

»Ich hab's«, sagte Olivia. Sie zeigte uns ein Foto auf ihrem Handy, auf dem sie verdammt gut aussah. Sie trug einen schwarzen Hosenanzug mit silbernem Garn, der ihn funkeln ließ. Die Beine hatten an den Seiten hohe Schlitze. Darunter trug sie ein silbernes Satintop mit V-Ausschnitt. Unter den langen Hosenbeinen ließen sich ebenfalls silberne High Heels erahnen.

»Das sieht bombastisch aus!«, sagte ich begeistert.

»Hast du passenden Schmuck«, fragte Lola.

»Ja, ich habe lange silberne Ohrringe und eine passende schmale Kette.«

Die Männer verdrehten gespielt die Augen.

»Wie sieht's bei euch aus? Dein Outfit hab ich ja auch noch nicht gesehen.«, erkundigte ich mich, vor allem an Mason gewandt.

»Ich hab einen schlichten blauen slimfit Anzug. Dazu ein weißes Shirt und Sneaker«, antwortete Mason achselzuckend. »Passt das zu deinem Outfit?«

Ich nickte. »Und du?«, fragte ich Liam.

»Ich hab was gewagteres«, grinste er »Ich habe einen roten

Zweireiher. Vielleicht trag ich ihn so oder mit einem schwarzen Shirt. Dazu Sneaker in schwarz.«

»Klingt gut«, meinte Olivia.

Endlich kam unser heiß ersehntes Essen.

»Das riecht mega lecker!«, sagte ich hungrig.

Ich pustete ordentlich bevor ich einen Bissen von meinem Burrito nahm. Er war zwar noch super heiß, aber unglaublich lecker. Das Restaurant musste ich mir unbedingt merken.

»Der ist mega lecker«, sagte ich, als ich aufgekaut hatte.

»Die Quesadillas sind auch top«, antwortete Lola genüsslich.

»Willst du probieren?«, fragte Mason während er mir eine der Enchiladas hinhielt.

»Gern, du auch?« Ich nahm einen Bissen und befand sie auch für sehr lecker. Mason probierte auch von dem Burrito.

»Sehr lecker.«

Liam griff gerade nach seiner Cola und sog die Luft ein: »Ziemlich scharf!« Kleine Schweißperlen bildeten sich auf seiner Stirn.

»Hast du etwas anderes erwartet?«, fragte Olivia lachend.

»Haha, witzig.«

Ich musste auch etwas schmunzeln, da Chili con Carne jetzt nicht für seinen milden Geschmack bekannt war.

Dennoch fragte ich: »Echt, so schlimm?«

»Man kann es essen, aber huh … Willst du probieren?«

Ich nahm einen frischen Löffel und probierte ein Kleinwenig. Alle schauten mich erwartungsvoll an. Zuerst war es einfach nur lecker und gut gewürzt, doch dann kam eine gewisse Schärfe durch.

»Ja, beim Runterschlucken wird's scharf, aber es geht. Willst du tauschen«, bot ich höflich an.

»Nein, schon gut. Danke aber«, bedankte sich Liam.

Nach ein paar weiteren Bissen schien er sich an die Schärfe gewöhnt zu haben, dennoch bestellte er noch eine Cola nach.

Als wir pappsatt waren, fragte ich, ob ich allen zum Abschluss noch einen Cocktail ausgeben durfte.

Die Gruppe nahm dankend an und wir ließen uns die Cocktailkarte bringen.

Lola bestellte sich eine Piña Colada, Olivia entschied sich für einen Himbeer-Mojito. Liam und Mason bestellten sich je einen Long Island Ice Tea und ich bestellte einen Erdbeer-Daiquiri.

»Auf einen tollen Abend«, sagte ich, nachdem die Cocktails serviert wurden.

»Auf einen tollen Abend!«, antworteten die anderen.

»Und auf eine klasse Premiere«, fügte Lola hinzu.

Nach den Cocktails verabschiedeten wir uns voneinander.

»Soll ich dich noch begleiten?«, erkundigte sich Mason.

»Gerne, wenn du magst.«

»Du solltest so spät nicht mehr alleine unterwegs sein. Ich rufe uns ein Uber.«

Wir warteten nicht lange, da bog unser Uber-Fahrer schon um die Ecke.

Mason öffnete mir die Tür zur hinteren Sitzbank. Ich bedankte mich und stieg ein. Er kam ums Auto herum und setzte sich neben mich.

»Sind Sie nicht …«, fragte der Fahrer begeistert.

Noch ehe er aussprechen konnte, bestätigte Mason ihn.

»Ich fand Ihren letzten Film wirklich klasse.«

Mason bedankte sich höflich. Ich musste grinsen, während ich meinen Sicherheitsgurt anlegte.

Unser Fahrer, der sich als Aaron vorgestellt hatte, erkundigte sich nach der Adresse. Er schien mir nett zu sein. Ich schätzte ihn auf circa Anfang dreißig.

Mason nahm meine Hand zärtlich in seine. Ich schaute zu ihm und lächelte ihn glücklich an.

»Es war ein schöner Abend«, sagte ich zufrieden.

»Das finde ich auch«, stimmte Mason mir zu.

»Ich fand es schön, euch alle wiedergesehen zu haben. Ich kann die Premiere gar nicht abwarten, auch wenn ich mega Schiss habe.«

»Ich fand es auch schön, dass wir Zeit zusammen verbringen konnten«, lächelte Mason. »Die Premiere wirst du wie alles andere super meistern.« Er zwinkerte mir zu. Ich war ihm wirklich dankbar für seine positiven Worte.

Als wir vor dem Wohnkomplex hielten, fragte Aaron, ob wir noch ein Selfie zum Abschied mit ihm machen würden. Ich war damit einverstanden. Fragend schaute ich zu Mason. Er nickte. Wir rückten näher zusammen und Aaron schoss dankbar ein paar Bilder.

»Vielen Dank!«, bedankte er sich mehrfach. »Meine Frau wird begeistert sein.«

»Sie sind doch bestimmt schon mit vielen Promis gefahren oder nicht?«, erkundigte ich mich interessiert.

»Ja, ein paar. Es ist trotzdem etwas Besonderes für uns. Ich erzähle ihr nach jeder Schicht davon.«

»Das freut mich für Sie beide. Danke für die angenehme Fahrt«, bedankte ich mich.

»Sehr gerne, es war mir eine Ehre.«

Ich wollte gerade bezahlen, da bedeutete Mason, dass er zahlen würde. Ich bedankte mich bei ihm, gab Aaron aber dennoch ein ordentliches Trinkgeld.

»Richten Sie ihrer Frau liebe Grüße aus«, sagte ich zum Abschied.

»Vielen lieben Dank«, antwortete Aaron gerührt.

»Warten Sie bitte einen Moment, ja?«, bat Mason ihn. »Ich will mich noch anständig verabschieden.«

»Na klar.«

Mason stieg aus und kam ums Auto herum, um mir die Tür zu öffnen.

»Die Dame«, grinste er.

»Danke sehr«, grinste ich zurück.

Als ich ausgestiegen war, zog er mich zu sich heran. Ich streckte mich ihm entgegen, um ihm einen Abschiedskuss zu geben.

»Gute Nacht und danke fürs Begleiten«, verabschiedete ich mich.

»Dir auch eine gute Nacht.«

Nach einem letzten Kuss wollte ich gerade gehen, doch Mason ergriff noch einmal meine Hand und zog mich zurück zu sich. Er nahm mein Gesicht zwischen seine Hände und küsste mich leidenschaftlich. Ich erwiderte seinen Kuss und löste mich nur widerwillig von ihm.

»Am liebsten würde ich dich nicht gehen lassen«, seufzte Mason.

»Tut mir leid, ich hab morgen früh 'ne Vorlesung.«

»Das ist Folter«, murrte er.

»Ich weiß«, seufzte ich, mir gefiel es ja auch nicht, ihn nur so selten zu sehen. »Wir sehen uns bei der Premiere.«

Ich lächelte ihn an: »Das Kleid wird dich umhauen.«

»Das tust du auch so schon.« Mason leckte sich über die Unterlippe. Ich lächelte verlegen als Antwort.

»Gute Nacht, Mason. Aaron kann nicht ewig warten«, sagte ich und küsste ihn ein letztes Mal.

»Träum schön«, sagte er mir noch hinterher, ehe er zurück ins Auto stieg. Ich winkte noch einmal, dann drehte ich mich endgültig zum Gehen um.

Glücklich kam ich oben in Aprils und meinem Zimmer an, wo ich mich nach dem Umziehen und Zähneputzen müde ins Bett fallen ließ.

Der Tag der Premiere war gekommen. Ich nahm aufgeregt mein Kleid und die goldenen Schuhe aus dem Schrank, dazu eine Clutch und mein Handy. Auch den VIP-Pass und meine Schlüssel steckte ich ein.

Unten stand der Wagen bereit, der mich abholte und mich zum Hotel fuhr, wo wir uns für die Premiere fertig machen würden. Durch den Hintereingang gelangte ich in die Garderobe, wo ich mich umzog und zurechtgemacht wurde. Olivia half mir mit einem eleganten Abendmake-up. Im Anschluss wurden mir von einer Friseurin und Stylistin die Haare hochgesteckt. Lola kam gerade herein, als Olivia mir noch mit meinen Schuhen half.

»Tay!«, Lola war völlig aus dem Häuschen »Du siehst umwerfend aus!«

»Danke, du auch!«, erwiderte ich ihr Kompliment. Sie stand in dem besagten figurbetonten lilafarbenen Kleid vor mir und sah bezaubernd und sexy zugleich aus. Ihre schulterlangen Haare waren gelockt und umspielten ihr zartes Gesicht. Lola trug lila und silber Lidschatten und einen nudefarbenen Lippenstift, sowie wundervoll geschwungene künstliche Wimpern.

Es klopfte. Mason kam mit Liam herein. Lola und ich grinsten uns vielsagend an. Sie sahen verdammt gut in ihren slimfit Anzügen aus. Sie trugen beide ihre Haare gegelt. Liam überraschte mich mit seinem Look, auch wenn er schon davon erzählt hatte. Mason gefiel mir ohnehin, auch wenn der Anzug ihn super aussehen ließ.

»Du siehst atemberaubend aus!«, sagte Mason begeistert und küsste mich auf die Wange, um das Make-up nicht zu ruinieren.

»Danke, du auch.«, antwortete ich verlegen.

»Seid ihr so weit? Sie warten auf euch«, ertönte es hinter den Jungs. Das war unser Zeichen. Wir nahmen uns bei den Händen und gingen gemeinsam Richtung rotem Teppich. Auf dem Weg dorthin wurden wir noch gebrieft, ehe wir in die Limousine stiegen, die uns das letzte Stück zum roten Teppich vors Kino fuhr. Ich hielt den Moment mit dem Handy fest. Wir fuhren in die Straße hinein und entdeckten die kreischenden Fans vor dem Kino. Die Presse reihte sich aneinander. Mir schossen gerade Unmengen Adrenalin durch den Körper.

Die Limo hielt und einer nach dem anderen stieg aus. Die Männer halfen uns beim Aussteigen mit unseren Kleidern. Die Stylisten zupften an uns herum. Es war nicht in Worte zu fassen, wie es sich anfühlte. All diese Leute waren nur unseretwegen hier! Sie kreischten und jubelten vor Freude. Aus allen Ecken rief jemand etwas. Ich stand überfordert da und lächelte. Ab und zu winkte ich in die Menge und war dankbar, dass Mason meine Hand nahm und mit mir über den roten Teppich ging. Wir gaben alle Autogramme und Interviews und posierten für Fotos mit den Fans als auch für die Presse.

»Küsst euch!«, rief jemand und die anderen stiegen in einem Sprechchor mit ein. Lola und Liam ließen sich von den anderen mitreißen und stiegen ebenfalls mit ein. Ich war sichtlich peinlich berührt, aber ehe ich wusste, wie mir geschah, küsste Mason mich auch schon und ich erwiderte den Kuss. Jubel brach aus. Ich lachte peinlich berührt und ging mit den anderen weiter, um das nächste Interview zu geben. Liam heizte dem Publikum ein und Lola machte ein Gruppenfoto von uns mit der Menschenmenge. Unglaublich! Wir wurden weitergeschoben, denn alles war streng getaktet.

»Sie sehen umwerfend aus. Von wem ist das Kleid?«, fragte mich ein Journalist.

»Oh, danke schön. Kyle Smith, ein Freund von mir, hat es für mich entworfen. Er studiert in New York Modedesign.«, antwortete ich stolz.

»Ein großes Talent, das ihr Freund da hat.«

»Danke, das gebe ich gerne weiter.«

Wie in einem Rausch gingen wir weiter über den roten Teppich. Die Premiere war der Wahnsinn. All die Aufmerksamkeit. Ich genoss jeden einzelnen Moment und freute mich riesig, wie gut der Film bei den Fans des Buches ankam. Aber ich war auch froh, als die Premiere zu Ende war, wir uns umzogen und gemeinsam etwas essen fuhren. Wir aßen bei einem exklusiven Italiener, der ausgezeichnet war. Einige Fans tummelten sich vor den Scheiben des Ladens. Wir winkten ihnen und gaben noch einmal ein paar Autogramme, dann ließen wir den Abend entspannt ausklingen und blendeten die Fotografen draußen aus.

Der Inhaber war sehr stolz, uns seine besten Empfehlungen zu servieren und ein Foto mit uns zu machen. Wir unterschrieben auf einer seiner Speisekarten.

Es wurde viel gelacht und gut gegessen. Bis spät in den Abend hinein feierten wir den Erfolg der Premiere.

»Kommst du noch mit zu mir?«, flüsterte Mason mir ins Ohr, als wir bei der Nachspeise waren. Darauf war ich nicht vorbereitet gewesen.

»Ich hab' gar keine Wechselkleidung dabei«, sagte ich.

»Das lässt sich klären.«

Wir verabschiedeten uns alle noch lange voneinander, ehe ich mit Mason zu ihm nach Hause fuhr.

Wir machten es uns auf seiner Terrasse bei einem Feuer bequem.

»Was für ein Abend!«, sagte ich und lehnte mich zurück.

»Willkommen in Hollywood«, erwiderte Mason lachend. »Du sahst heute wirklich umwerfend aus und du hast das super gemeistert.«

»Danke. Ich glaube, daran werde ich mich nie gewöhnen können.«

»Das wird schon. Ich hol mir noch was zu trinken, möchtest du auch etwas?«, fragte Mason.

»Gerne, wenn du hast eine Cola.«

Während Mason uns was zu trinken holte, checkte ich mein Handy. Die sozialen Medien und meine Nachrichten-App waren explodiert. Videos, Fotos und Beiträge zur Premiere. Ich schaute mir zuerst die privaten Nachrichten an. Lola und Liam sowie die Crew hatten mir ihre Fotos und Videos geschickt. Meine Mom, April und Georg gratulierten mir. Kyle hatte das Interview zu seinem Kleid geteilt und mit ganz vielen Herzen und grinsenden Emojis kommentiert. Ich lud ebenfalls ein Foto hoch und markierte die anderen. Durch die Premiere war meine Followerzahl auf fast zwei Millionen gestiegen, was mir die Sprache verschlug! Für manche mag das nicht viel sein, aber für mich war es unfassbar viel. Ich hatte vorher bloß meine Freunde und Familie gehabt.

Mason kam zurück und reichte mir eine eiskalte Cola, die ich dankend annahm. Wir tranken noch aus, dann gingen wir ins Bett, wo ich mir ein Shirt von Mason zum Schlafen lieh.

Am nächsten Tag fuhr ich nach dem Frühstück zurück.

Die nächsten Wochen vergingen wie im Flug. Ich hatte Uni und flog zu Events, gab Interviews und hatte Fotoshootings. April war mittlerweile aus New York zurückgekehrt, worüber ich mich sehr freute. Wir beide brachten uns bei einem Kaffe selbstverständlich erstmal auf den neusten Stand.

Kapitel 14

Es schien alles perfekt zu laufen, bis auf die Tatsache, dass ich Mason eine Weile nicht mehr gesehen hatte, da er für ein neues Filmprojekt an der Ostküste war. Aber ich sollte mich täuschen. Wie mir nur allzu früh klar werden sollte – und zwar direkt auf dem Weg zur Vorlesung. Ich war mit April auf dem Weg zu unserer Vorlesung, doch weiter als bis zum Ausgang unseres Wohnkomplexes kamen wir nicht. Ich rannte regelrecht in eine Traube aus sich aufgeregt schubsenden Paparazzi und Journalisten. Alle riefen durcheinander und wollten als erstes Bilder oder Infos von mir erhalten. Ich hatte keine Ahnung, was los war. April sah mich genauso überrascht und fragend an wie ich sie.

»Miss Sommer, was sagen Sie dazu?«, hörte ich von irgendwo.

»Miss Sommer, hier!«

»Miss Sommer!«

»Was ist dran an den Schlagzeilen aus Deutschland?«

Ich wusste nicht, wie mir geschah.

»Was für Schlagzeilen?«, fragte ich und bereute sofort, dass ich darauf eingegangen war.

»Was sagen Sie zu den Vorwürfen gegen ihren Vater?«

»Was denn für Vorwürfe?«, fragte ich, dumm wie ich war.

Mein Handy begann in der Tasche zu klingeln. April zog mich am Arm hinein und das Sicherheitspersonal der Uni versuchte die Journalisten und Paparazzi zu vertreiben. Einer von ihnen drohte mit der Polizei.

»Was zur Hölle ist hier los?«, wollte ich wissen. Mein Handy klingelte erneut.

»Geh ran«, hörte ich April sagen. Es klingelte wieder. Ich wühlte wie in Trance nach meinem Handy, ehe ich es fand und den Namen meiner Mom las.

»Mom?«

»Taylor, na endlich!«, sagte sie aufgebracht »Ich versuche schon seit Ewigkeiten, dich zu erreichen!«

»Was ist los? Was ist mit Dad?«, fragte ich panisch. Ich sah immer noch die ganzen Leute draußen vor dem Eingang. Die Polizei war mittlerweile eingetroffen. Ich kam mir vor wie in einem schlechten Film. Konnte mich bitte mal jemand aufklären, was hier gerade abging?

»Dein Vater wurde heute morgen verhaftet«, hörte ich meine Mom sagen.

»Er wurde was?!«, meine Stimme überschlug sich. Ich musste mich setzen. April schaute mich fragend an. Ich schüttelte nur den Kopf.

»Sie haben ihn heute Morgen in seinem Büro verhaftet. Ich weiß auch noch nichts Genaueres. Ich musste einiges klären, damit ich jetzt zu ihm fahren kann. Ich melde mich bei dir, wenn ich zurück bin.«

Sprachlos legte ich auf. Dicke Tränen rannen mir über die Wangen. April stellte sich schützend vor mich, um mich vor den Kameras der immer noch gierig zu mir blickenden Journalisten zu schützen.

»Was ist passiert, Tay?«, fragte sie besorgt. Sie zog mich hoch und hielt ihren Mac vor mich. »Komm, wir gehen hoch.«

Sie schob mich vor sich her und schloss unser Zimmer auf. Die Tür fiel ins Schloss. Ich ließ mich verzweifelt auf mein Bett sinken.

»Tay, was ist los?«, fragte April noch immer besorgt. Mein Handy klingelte. Ich drückte den Anruf weg, ohne zu schauen, wer es war.

»Mein Dad … sie haben ihn verhaftet …«

»Was?!«, Aprils Stimme überschlug sich nun ebenfalls. »Weshalb?«

»Keine Ahnung …«

Für mich brach gerade eine Welt zusammen. Wie konnte das passieren? Wie ging es meinem Dad? Was war passiert? Die Fragen überschlugen sich in meinem Kopf.

Es klopfte an der Tür.

»Ap, Tay, seid ihr da?« Es war Paul, der besorgt klang.

April schaute mich an. Ich zuckte gleichgültig mit den Schultern. Sie ging zur Tür und öffnete sie einen Spalt. Nachdem sie sich überzeugt hatte, dass Paul allein war, ließ sie ihn herein. Er sah besorgt aus.

»Hey, alles gut? Was ist da unten los?«, fragte er. Er sah mich wie ein Häufchen Elend auf dem Bett sitzen, schaute dann zu April.

»Wir wissen auch nur Bruchteile«, sagte diese.

»Darf ich?«, fragte Paul und deutete neben mich. Ich reagierte nicht. Dennoch setzte er sich zu mir. »Hey, es wird alles gut!«, versuchte er mich aufzumuntern. Mein Handy klingelte erneut. Ich schaltete es auf lautlos. Ich wollte jetzt mit niemandem reden!

»Wenn ich irgendwie helfen kann, lass es mich wissen«, sagte Paul.

»Danke«, antwortete ich abwesend.

»Wenn sich die Lage da draußen gebessert hat, hole ich uns Kaffee und Frühstück«, fuhr er fort. Er schaute aus dem Fenster. »Sie scheinen einige weggeschickt zu haben …«

April stand auf und ging zu ihm. Ich blieb sitzen.

Es klopfte erneut.

»Miss Sommer? Der Dekan würde gerne mit Ihnen sprechen.«, drang es dumpf von außen durch die Tür.

Immer noch nicht ganz anwesend stand ich auf und öffnete die Tür. Eine der Büroangestellten stand davor.

»Dekan Lopez wartet im Büro. Ich begleite Sie gerne«, sagte sie freundlich, aber der Stress war ihr anzusehen. Ich folgte ihr. Was hatte ich auch für eine Wahl?

»Miss Sommer, guten Morgen«, begrüßte der Dekan mich, als ich in seinem Büro ankam. »Setzen Sie sich doch bitte.«

Ich gehorchte und setzte mich ihm gegenüber.

»Ihnen ist mit Sicherheit der Trouble vor unserem Hause nicht entgangen … Ich wollte mich bei Ihnen erkundigen, was da vorgefallen ist? Die hauseigene Security musste schlussendlich um Mithilfe der örtlichen Polizei bitten …«

»Es tut mir leid, Sir. Ich …«, ich atmete tief durch und wischte mir Tränen aus dem Gesicht. Die Frau aus dem Büro reichte mir ein Taschentuch.

»Ich … Ich weiß nicht … April und ich … wir wollten zur Vorlesung und dann standen sie alle da …« Ich machte eine Pause, in der ich weitere Tränen wegwischte »Mein Vater … Er wurde wohl verhaftet … Mehr weiß ich auch nicht … Meine Mutter ist gerade auf dem Weg zu ihm …« Ich brach ab und in Tränen aus. »Es tut mir so leid. Ich wollte keine derartigen Probleme verursachen …«

»Alles gut, Miss Sommer. Es war ja nicht Ihre Absicht. Wir werden uns darum kümmern, dass die Menschenmasse verschwindet und Sie kommen erst einmal zur Ruhe«, meinte der Dekan mit ruhiger Stimme. »Sobald Sie weitere Informationen haben, bitte ich Sie, diese mit uns zu teilen.«

»Danke, das mache ich«, schluchzte ich.

»Sie und ihre Freunde sind, sofern Sie es wünschen, für die nächsten Tage freigestellt. Ich werde veranlassen, dass keiner das Wohngebäude ohne Nachweis betreten kann.«

Ich bedankte mich unter Tränen und hatte mit einer solchen Empathie und Nachsicht nicht gerechnet. Dekan Lopez und die Büroangestellte verließen den Raum und ich ging zurück in Aprils und mein Zimmer. Paul war nicht mehr da und April hatte ungeduldig auf mich gewartet.

»Und?«, fragte sie drängend.

»Nichts. Der Dekan wollte wissen, was los ist. Er hat uns, wenn wir wollen, freigestellt … Keiner darf das Gebäude mehr ohne Nachweis betreten … Ich soll mich bei ihm melden, wenn es Neuigkeiten gibt …«

»Das ist gut. Ich hatte schon mit weiteren Problemen gerechnet«, erwiderte sie gestresst.

»Ich auch.«

»Scheiße man! Das kannst du echt nicht gebrauchen!«, schimpfte April aufgebracht. »Die sollen sich gefälligst um ihren eigenen Kram kümmern!«

»Sie machen auch nur ihren Job …«, seufzte ich, auch wenn ich alles andere als begeistert von der Belagerung war.

Den Vormittag verbrachte ich aufgelöst und ungeduldig mit Warten. Ich wartete gemeinsam mit April und Paul, der mittlerweile vom

Frühstück besorgen zurück war, ungeduldig auf eine Rückmeldung meiner Mom. Und dann kam endlich ihr Anruf. Es klingelte, weil ich sie unter meinen wichtigen Kontakten abgespeichert hatte, die mich immer erreichen konnten.

»Und?«, platzte ich auch direkt heraus, nachdem ich den Anruf entgegengenommen hatte.

»Sein Anwalt war bei ihm. Es geht wohl um Steuerhinterziehung der Firma … Er wird erstmal in U-Haft bleiben …« Ich hörte meiner Mom an, wie erschöpft sie war.

»Was?« Meine Stimme brach ab. »Wie?«

»Ich weiß es nicht Tay … Sie müssen wohl noch Akten prüfen … Bis zur Gerichtsverhandlung wird es noch dauern … Michael, sein Kollege ist wohl untergetaucht … «

Ich weinte bittere Tränen. Ich fühlte mich so hilflos hier am anderen Ende der Welt. Ich wollte bei ihnen sein, für sie da sein und ich konnte nichts tun!

»Wie geht es euch?«, fragte ich schließlich mit leiser Stimme.

»Es geht … Das Telefon steht nicht mehr still, die Medienberichte überschlagen sich …«

»Es tut mir so leid …«

»Die Presse war hier schon vorher, mein Schatz … Die Polizei hat den ganzen Tag das Haus auf den Kopf gestellt … Oma und Opa passen auf Ella auf. Mach dir bitte keine Sorgen«, sagte Mom erschöpft. »Wie geht es dir denn?«

»Wie soll's mir schon gehen?«, seufzte ich traurig. »Ich wurde davon völlig überrumpelt, als April und ich zur Vorlesung wollten …«

»Es tut mir leid mein Schatz, das wird sich hoffentlich klären … Dein Vater beteuert seine Unschuld.«

Wir schwiegen.

»Sei mir nicht böse Taylor, es war ein wirklich langer Tag. Ich versuche mich etwas hinzulegen …«, sagte sie dann.

»Mach das. Ich hab' die Zeitverschiebung schon wieder total vergessen … Hab' euch lieb, Mom …«

»Wir dich auch, Süße. Es wird wieder …«

Ich legte auf. April nahm mich direkt in den Arm und drückte mich wortlos an sich. Es tat so unfassbar gut, wenigstens sie bei mir zu haben und nicht ganz allein zu sein.

»Ich lass euch besser mal alleine«, sagte Paul »Wenn was ist: Ihr wisst ja, wie ihr mich erreicht.«

»Danke«, sagte ich wirklich dankbar.

Paul ging und schloss die Tür hinter sich.

Ich erzählte April, was Mom mir gesagt hatte und leitete diese Infos schließlich ans Büro des Dekans weiter.

Ich versuchte Mason zu erreichen, doch der war nicht erreichbar. Er hatte mir einige Nachrichten hinterlassen, in denen er sich erkundigte, wie es mir ging und was los wäre. Er hatte es in den Nachrichten gesehen. Ich hinterließ ihm eine Nachricht.

Dann öffnete ich die sozialen Medien. Kommentare und Nachrichten überschlugen sich regelrecht. Fotos von meinem Dad, wie er in Handschellen aus seinem Büro geführt wurde, Fotos von April und mir heute Morgen auf dem Weg zur Uni …

»Willst du dir das wirklich antun?«, fragte April besorgt.

»Es ist doch eh schon zu spät …«, seufzte ich. Es tat weh, solche Fotos von seinem eigenen Dad in den Nachrichten zu sehen. Aber ich glaubte keine Sekunde daran, dass er schuldig war. Mein Dad war ein ehrlicher Mensch.

»Na komm, pack das Handy weg«, meinte April schließlich. »Mach dich nicht verrückt. Wir glauben alle an die Unschuld deines Dads! Was die Leute schreiben, musst du dir nicht antun!«

Sie hatte ja Recht. Im Internet hatte jeder verdammt viel Meinung dafür, dass die Wenigsten eine Ahnung hatten.

Am Abend erreichte Mason mich endlich und wir telefonierten lange. Ich hätte ihn gerade so gerne bei mir, aber er war an der Ostküste, tausende von Meilen entfernt.

Nach dem Telefonat fiel ich erschöpft ins Bett.

Am nächsten Morgen weckte mich mein Telefon. Es war meine Mom, die mich auf den neusten Stand brachte. Es sah wohl wirklich nicht gut aus. Die Firma hatte wohl im großen Stil Steuern hinterzogen. Und Papas Co-Firmeninhaber war über alle Berge verschwunden. Man versuchte nun herauszufinden, welche Anklagepunkte man hatte und wen man belangen konnte.

»Und?«, fragte April, sobald ich aufgelegt hatte.

»Es sieht nicht gut aus … Dads Kollege ist über alle Berge verschwunden und man versucht jetzt, ihn für alles zu belangen«, antwortete ich ihr traurig. Ich würde so gerne irgendwas für meinen Dad tun, aber ich wusste nicht, was. Ich saß hilflos am anderen Ende der Welt.

»Dein Papa ist ein toller Mensch, er schafft das. Seine Unschuld wird man beweisen können«, versuchte April mich aufzubauen.

»Und was wenn nicht? Oder was ist, wenn er doch etwas damit zu tun hat?«, flüsterte ich weinend.

»Das glaubst du doch selbst nicht, Süße«, sagte April erschrocken.

»Dann hat er unser aller Leben ruiniert …«

»Sag so etwas nicht. Solange er nicht verurteilt ist, gilt die Unschuldsvermutung und ihr bekommt das wieder hin!« April drückte mich fest. »Du hast es so weit geschafft, das lässt du dir doch jetzt nicht kaputt machen!«

»Ist es das nicht schon längst?«

»Nein, du wirst kämpfen und nicht aufgeben. Wo ist die Tay hin, die ich kenne? Die, die sich von nichts einschüchtern lässt? Guck dir an, was du dir in so kurzer Zeit aufgebaut hast!«

Ich wollte das im Moment nicht hören. Ich wusste ja, was ich erreicht hatte. Mehr, als ich mir je zu träumen gewagt hatte. Aber nun konnte ich nicht mal das Zimmer verlassen, ohne belagert zu werden. Die sozialen Medien explodierten noch immer, die Nachrichtenagenturen berichteten rund um die Uhr von dem Fall.

Und das änderte sich auch in den nächsten Tagen nicht. Ich hörte immer seltener von Mason, bis er mich schließlich nach circa zwei Wochen anrief.

»Hey«, meldete ich mich niedergeschlagen, als ich den Anruf entgegen nahm. Ich saß alleine auf Aprils und meinem Zimmer, da sie gerade ein Praktikum in einem der Filmstudios machte.

»Hi«, antwortete Mason. Ich merkte sofort, dass etwas nicht stimmte.

»Wie geht es dir? Ich hab lange nichts mehr von dir gehört …«, sagte ich traurig.

»Es tut mir leid, Taylor …«, begann Mason. Er schien nach den passenden Worten zu suchen. »Ich … also meine Familie und mein Management …« Er seufzte und holte einmal tief Luft. »Taylor, es ist besser, wenn wir unsere Beziehung beenden, sie kann mich meine Karriere kosten.«

Mir blieb das Herz stehen, während ich nach Worten rang. Ich hatte angenommen, dass er sich kaum gemeldet hatte, weil er einfach furchtbar viel zu tun hatte, aber deshalb?!

Ich wusste einfach nicht, was ich dazu sagen sollte. Dicke Tränen rannen mir über die Wangen. Ich war erstaunt darüber, dass mein Körper noch immer in der Lage war, Tränen zu produzieren. Es tat so unfassbar weh, wie alles nach und nach wie ein Kartenhaus in sich zusammenfiel.

»Taylor?«, drang Masons Stimme dumpf zu mir durch.

»Ich …«, schluchzte ich. »Ich dachte …«

Ich dachte, dass das, was wir hatten etwas ernstes war, auch wenn es schwer war sich kaum zu sehen, aber da hatte ich mich wohl getäuscht.

»Ich könnte die Unterstützung meines Freundes gerade echt gebrauchen, aber stattdessen machst du Schluss mit mir?«, fragte ich mit gebrochenem Herzen.

»Ich hatte gehofft, dass du es verstehen würdest.«

»Was soll ich verstehen?«, schluchzte ich. »War das alles doch nur PR für dich?«

Ich wollte nicht glauben, dass alles vielleicht nur eine große Lüge gewesen war.

»Das glaubst du doch wohl selbst nicht.«

»Ich weiß gerade nicht, was ich noch glauben soll!«

»Es tut mir wirklich leid.«

»Spar es dir!«, antwortete ich sauer und enttäuscht zu gleich. So hatte ich ihn wirklich nicht eingeschätzt, aber da hatte ich mich wohl in ihm getäuscht.

»Mach's gut«, verabschiedete Mason sich.

Ich ließ mich aufs Bett sinken und ließ meinen Tränen nun freien Lauf. Ich schluchzte wie ein kleines Kind. Ich verstand die Welt gerade einfach nicht mehr. Wie konnte er der Karriere wegen mit mir Schluss machen? Er war sogar derjenige gewesen, der mir gesagt hatte, dass man lernen musste, mit der Presse umzugehen ... Und dann hatte er nicht mal den Anstand, dass persönlich zu machen, sondern übers Telefon und dann einfach aufzulegen!

Der Boden wurde mir gerade einfach unter den Füßen weggerissen. Ich hatte so hart dafür gearbeitet, meinen Traum zu erreichen und nun löste er sich Stück für Stück in Luft auf. Einfach so zerplatzte er wie eine Seifenblase.

Frust und Verzweiflung breiteten sich in mir aus und schienen mir die Luft zu nehmen. Meine Hände zitterten und mein Blick verschwamm vor lauter Tränen. Mein Herz fühlte sich an, als ob es in tausend Stücke gerissen war.

Ich versuchte ruhig und tief ein- und auszuatmen, um keine Panikattacke zu bekommen. Mir war das alles gerade zu viel!

Ich versuchte April zu erreichen, doch sie nahm nicht ab. Ich brauchte sie gerade so dringend. Noch nie hatte ich mich so einsam und verzweifelt gefühlt.

Mein Blick fiel auf ein gerahmtes Foto von Mason und mir, das uns auf der Premiere zeigte. Ich stand auf und warf es gegen die Wand, wo das Glas zersplitterte und der Holzrahmen brach. Weitere Fotos folgten und der Druck in mir löste sich allmählich, bevor ich wieder weinend zusammenbrach.

Zu allem Überfluss klopfte es nun auch noch an der Tür. Ich ignorierte es. Das Klopfen wurde lauter.

»Miss Sommer, Dekan Lopez bittet Sie in sein Büro.«, schallte es von draußen herein. Na klasse!

Ich wischte mir übers Gesicht, bevor ich aufstand und die Tür öffnete. Ich musste aussehen wie ein Häufchen Elend.

»Ist alles in Ordnung?«, erkundigte sich die nette Sekretärin, die mich auch beim letzten Mal begleitet hatte.

»Nein«, schluchzte ich.

»Es tut mir wirklich leid, es ist wichtig«, sagte sie entschuldigend.

Ich folgte ihr mit gesenktem Kopf. Wieder und wieder wischte ich Tränen aus meinem Gesicht. Es konnte nichts Gutes verheißen, wenn der Dekan mich sehen wollte. Ich folgte ihr quer über den Campus. Vor der Bürotür blieb sie stehen und klopfte an.

»Herein«, ertönte es von drinnen.

»Ich habe Miss Sommer dabei, wie gewünscht.«

»Nehmen Sie Platz.« Dekan Lopez machte eine Geste zu den zwei Sesseln, die vor seinem mächtigen Tisch standen.

Die Sekretärin verließ den Raum, dann schloss sie die Tür hinter sich.

»Wie geht es Ihnen?«, erkundigte sich Dekan Lopez.

»Nicht besonders«, antwortete ich ehrlich.

»Bedienen Sie sich ruhig«, fuhr er mit netter Stimme fort, während er mir eine Taschentücherbox herüber schob.

»Danke.«

Ich nahm ein Taschentuch und schnäuzte mir die Nase.

»Es tut mir wirklich leid, Ihnen noch mehr Kummer bereiten zu müssen, aber wir möchten Sie bitten, mit dem Studium zu pausieren, bis sich die Angelegenheit mit Ihrem Vater beruhigt hat.«

Ich brach erneut in Tränen aus. Konnte dieser Tag noch schlimmer werden?!

»Sie sind herzlich willkommen, wenn sich alles geklärt hat, nur haben Sie bitte Verständnis dafür, dass wir auch an ihre Kommilitonen denken müssen. Dieser Medienrummel ist für niemanden hier einfach. Ich weiß, dass es insbesondere für Sie noch schlimmer sein muss ...«

Ich nickte abwesend und schluckte schwer.

»Ich denke, dass es für Sie vielleicht auch besser ist, wenn Sie sich erst einmal die Zeit nehmen und sich sammeln. Es wäre wirklich eine Schande, wenn eine so talentierte Frau wie Sie, nicht zu ende studieren würde.«

Ich griff nach einem weiteren Taschentuch, mit dem ich versuchte die Tränen zu trocknen, doch vergebens. Ich knüllte es in meiner Hand zusammen und spielte mit zittrigen Händen daran herum.

»Miss Sommer?«, fragte Dekan Lopez mit besorgter Stimme.

Ich hob den Kopf und schaute ihn mit tränenverschleiertem Blick an.

»Wir bieten Ihnen an, dass wir Ihre Studiengebühren vorerst aussetzen und Sie die Möglichkeit haben, diese weiter zu zahlen, falls Sie zurück kommen.«

»Danke«, schluchzte ich am Boden zerstört. Ich kam mir vor wie in einem schlechten Traum.

»Es tut mir wirklich sehr leid. Ich wünsche Ihnen und Ihrer Familie viel Kraft in dieser schwierigen Situation.«

»Vielen Dank, Dekan Lopez. Ich weiß das sehr zu schätzen«, antwortete ich völlig neben mir stehend.

»Misses Williams wird Sie zu Ihrem Zimmer geleiten. Die Schlüssel können Sie morgen in meinem Büro abgeben.«

Wie in Trance folgte ich Misses Williams zu Aprils und meinem Zimmer.

»Ich wünsche Ihnen das Beste, Miss Sommer«, verabschiedete sie sich mit einem mitfühlendem Blick.

Ich brach erneut zusammen. Mit zitternden Fingern und Tränen überströmt, versuchte ich meine Mom zu erreichen.

»Taylor, wie geht es dir? Ist alles in Ordnung?«, meldete sie sich.

Ich schluchzte bitterlich und bekam kein Wort heraus.

»Um Himmels Willen, was ist passiert?«, erkundigte sie sich sehr besorgt.

Ich schluchzte nur weiter. Die Tränen brannten mittlerweile auf meinen Wangen.

»Mein Schatz, was ist passiert? Du machst mir Sorgen!«

Die Sorge war ihr auch anzuhören. Ich schluchzte noch einige Male, ehe ich ihr antwortete: »Mason … die Uni …«

Meine Stimme brach.

»Was ist mit Mason und der Uni?«, fragte meine Mom sichtlich verwirrt.

»Ich hab alles verloren«, weinte ich bitter.

»Du sprichst in Rätseln, Liebling.«

Ich putze mir die Nase, die vom ganzen Ausschnauben schon

gerötet war. Ich versuchte zwischen all den Tränen Luft zu bekommen, um ihr antworten zu können.

»Mason hat Schluss gemacht …«, schluchzte ich am Boden zerstört.

»Das tut mir unfassbar leid, mein Schatz!«, versuchte Mom mir Trost zu spenden.

»Und die Uni will, dass ich pausiere wegen Dad …«

Es zerriss mir das Herz.

»Ach Mensch, es tut mir alles so unendlich leid, mein Schatz.«

»Kann ich zurück kommen?«, weinte ich, »Ich weiß, du hattest mich gewarnt, aber ich weiß sonst nicht wohin …«

»Natürlich kannst du immer zurück kommen!«, antwortete Mom.

»Ich muss morgen raus sein …«

»Es tut mir so leid. Wir sind für dich da! Sobald du weißt, wann du in Hamburg landest, sag Bescheid, wir holen dich dann vom Flughafen ab.«

»Danke«, schluchzte ich. »Gibt es was Neues?«

»Nein, mach dir darum jetzt keine Gedanken. Wir besprechen alles, wenn du zuhause bist. Ich hab dich lieb!«

»Ich dich auch, Mom«, verabschiedete ich mich und legte auf.

Es dauerte eine Weile, bis ich mich halbwegs gesammelt hatte. Ich suchte nach einem Handfeger und beseitigte die Scherben der zerbrochenen Bilderrahmen. Erneut kullerten mir einige Tränen über meine Wangen. Ich wischte sie mit meinem Handrücken weg, bevor ich meinen Mac holte und ihn öffnete, damit ich nach einem Rückflug schauen konnte.

Ich fand noch einen letzten Platz in der Business class für morgen Nachmittag um vier Uhr. Mit Tränen verquollenen Augen buchte ich das Ticket und fügte noch Gepäck hinzu. Im Anschluss packte ich meine Sachen zusammen. Ich nahm das Meiste mit, einiges ließ ich jedoch da. Das letzte bisschen Resthoffnung, wiederkehren zu würden … Zur Not konnte April es mir schicken.

Missmutig verstaute ich das letzte Shirt in meinem Koffer. *Das war es dann wohl*, dachte ich niedergeschlagen.

Tränen kullerten mir schwer über die Wangen. Ich war nicht bereit, alles hinter mir zu lassen. Absolut nicht. Aber ich hatte keine andere Wahl.

Ich wollte mich wenigstens noch verabschieden, also ging ich zu Pauls und Jamies Zimmer. Obwohl … Jamie hatte ich auch eine Ewigkeit nicht mehr gesehen, keine Ahnung, ob er überhaupt noch an der Uni war … Ich klopfte traurig an die Tür und wartete, bis Paul mir öffnete.

»Hey, komm rein«, meinte er und drückte mich fest.

»Ich wollte mich nur verabschieden«, sagte ich mit verquollenen Augen und Wasserfällen aus Tränen im Gesicht. »Ich fliege zurück …«

»Du tust was?«, fragte Paul schockiert.

»Die Uni hat mich gebeten zu pausieren, solange wie das nicht geklärt ist. Mason hat mit mir Schluss gemacht und Jamie hab' ich seit einer Ewigkeit nicht mehr gesehen oder gehört … Ich muss jetzt für meine Familie da sein«, schluchzte ich.

»Das tut mir so leid!«, bedauerte Paul und drückte mich fest.

»Wir sehen uns hoffentlich …«, seufzte ich, dann ging ich zurück zu unserem Zimmer.

Es zerriss mir das Herz, die gepackten Koffer zu sehen und nicht zu wissen, ob oder wann ich zurückkehren würde.

Ich schrieb Mom, wann mein Flug ging und wann ich in Hamburg landen würde. Die Flugnummer sendete ich gleich mit. Wieder kullerten dicke Tränen über meine Wangen. Wie hatte alles von einem Moment auf den anderen in so einer Katastrophe enden können?

Ich wollte mein Handy gerade beiseite legen, als es klingelte.

Paul: *Möchtest du noch etwas Gesellschaft haben? Ich bin gleich fertig mit Lernen.*

Ich war mir unsicher, ob ich Gesellschaft wollte, aber alleine zwischen den gepackten Koffern zu sitzen, war mehr als deprimierend. Ich antwortete also: Gern, danke.

Paul: *Holen wir uns am Pier was zu essen? Natürlich nur, wenn du bereit bist raus zu gehen …*

Ich: *Ich erinnere mich nicht, wann ich das letzte Mal gegessen habe …*

Paul: *Dann hol ich dich in 10 min. ab.*

Ich ging ins Bad, wo ich mir das Gesicht wusch und einmal über meine Haare kämmte. Ich sah schrecklich aus, also kramte ich in meiner Make-up-Tasche, die ich noch draußen stehen gelassen hatte. Ich versuchte auf die Schnelle, die verquollenen Augen mit Concealer abzudecken, aber wirklichen helfen wollte nichts. Genervt ging ich zurück ins Zimmer, wo ich meine Sonnenbrille nahm und aufsetzte. Die half wenigstens die verquollenen Augen zu verbergen. Dann nahm ich meinen blauen Cadigan vom Stuhl und zog ihn über, meine rosa Sneaker folgten. Ich nahm meine braune Ledertasche und verstaute in ihr mein Handy und Portemonnaie. Ich fand noch eine Cap von mir, die ich mir tief ins Gesicht zog.

Paul klopfte wenig später an der Tür.

»Hey …«, begrüßte ich ihn niedergeschlagen.

»Ich weiß, wir hatten uns schon verabschiedet, aber ich wollte nicht, dass du alleine Trübsal bläst.«

»Das ist lieb, danke.«

»Bist du wirklich bereit?«, erkundigte sich Paul besorgt. »Wir können sonst auch was bestellen.«

»Schlimmer kann's ja nicht mehr werden, oder?«

Ich folgte ihm zu den Rädern, dann fuhren wir schweigend nebeneinander her.

Am Pier angekommen schlossen wir die Räder an.

»Worauf hast du Lust? Geht auf mich«, sagte Paul, in dem Versuch, die Stimmung etwas zu heben.

»Weiß nicht, Hotdog?«, schlug ich vor. Ich hatte eh keinen wirklichen Hunger.

»Klingt gut.«

Zusammen schlenderten wir zum Hotdog Stand und stellten uns an. Ich betete inständig dafür, dass niemand mich erkennen würde.

»Cola?«, fragte Paul. Ich nickte bloß.

Da ging nun alles zu Ende, wo es vor nicht allzu langer Zeit alles noch zu viert angefangen hatte. Die Leute drängten sich aneinander vorbei, lachten und aßen. Aus der Ferne drangen Schreie aus der Achterbahn zu uns herüber. Mein Blick schweifte zum Riesenrad und ich erinnerte mich daran, wie April, Jamie, Paul und ich hier an unserem ersten Tag Zeit verbracht hatten. Wir waren damals voller Vorfreude auf ein neues Abenteuer. Doch auch das schönste Abenteuer ging wohl irgendwann zu Ende … Zumindest für mich, wie es aussah.

»Hier«, riss Paul mich zurück in die Realität. Ich nahm den Hotdog und die Cola dankend an. Wir suchten uns einen Platz am Strand, abseits von dem Getümmel.

»Ich erinnere mich noch genau an unseren ersten Tag hier«, sagte ich traurig. Meine Augen füllten sich schon wieder mit Tränen.

»Ich auch und solche Tage werden auch wieder kommen!«, versuchte Paul mich aufzumuntern.

»Hoffentlich«, seufzte ich niedergeschlagen.

»Dein Weg ist hier noch nicht vorbei.«

Wie gerne wollte ich seinen Worten glauben. Ich starrte auf den Pazifik hinaus und wünschte mir aus tiefstem Herzen, dass er all meine Probleme fortspülen würde. Eine Welle nach der anderen zerschlug schaumig am Ufer. *Wie meine Träume*, dachte ich pessimistisch, wie ich gerade war. Ich merkte, wie die Tränen wieder hemmungslos über meine Wangen kullerten und an meinem Kinn herab tropften.

»Hey, alles wird wieder gut!«, sagte Paul aufmunternd, während er mir seine Serviette reichte, um meine Tränen trocknen zu können. Ich schnieft einmal, bevor ich die Tränen wegwischte. Paul drückte mich an sich.

»Ehe du dich versiehst, bist du wieder hier und alles ist vergessen.«

Wie konnte er sich da nur so sicher sein?

»Du hast noch gar nichts gegessen, iss was.«

Er hatte Recht, wer weiß, wann ich das letzte Mal etwas gegessen hatte. Ich nahm also einen kleinen Bissen und aß schließlich den ganzen Hotdog auf, auch wenn er schwer in meinem leeren Magen lag.

Nachdem wir eine Weile schweigend nebeneinander gesessen hatten, fragte ich Paul zögerlich, ob er wusste, wo Jamie war.

»Er ist zurück nach San Francisco«, antworte er.

Ich seufzte.

»Der beruhigt sich schon wieder.«

Ich nahm einen Schluck von meiner Cola und hoffte, dass Paul Recht behalten würden. Ich könnte es mir nicht verzeihen, wenn Jamie meinetwegen die Uni abbrechen würde.

»Ist es okay, wenn wir noch bis Sonnenuntergang bleiben?«, erkundigte ich mich nach einer Weile.

»Klar.«

»Danke. Ein letztes Mal will ich ihn noch sehen.«

»Wollen wir?«, fragte Paul und deutete aufs Meer.

»Warum nicht.« Ich krempelte meine Hose hoch und zog meine Socken und Schuhe aus.

Wir gingen gemeinsam runter ans Wasser, wo ich vorsichtig einen Fuß hinein steckte. Es war ziemlich frisch, doch nach ein paar Minuten gewöhnte man sich dran. Wir gingen ein paar Schritte.

»Und, wie sehen deine Pläne aus?«, fragte ich schließlich.

»Momentan gibt's nicht viele: Lernen, Sport und dann mal schauen, ob es mit einem Praktikum klappt.«

»Weißt du schon wo?«, fragte ich wirklich interessiert.

»Ich hatte auf Netflix gehofft.«

»Hast du dich schon beworben? Ich glaube die suchen immer fürs Folgejahr oder?«

»Ja hab ich. Ich warte auf eine Antwort. Mein Cousin kennt da jemanden, ich hatte gehofft, dass es das vielleicht etwas beschleunigt.«

»Ich drücke dir auf jeden Fall die Daumen.«

»Danke.«

Wir schlenderten zurück zu unseren Schuhen, wo wir uns in den Sand setzten. Die Sonne begann allmählich unter zu gehen und es wurde frischer. Ein letztes Mal verfolgte ich diesen atemberaubenden

Sonnenuntergang und versuchte jedes noch so kleine Detail abzuspeichern.

Wir saßen mit Blick auf den Pier und je tiefer die Sonne stand, desto dunkler lagen der Pier, das Riesenrad und die Achterbahn unter ihr. Der Himmel erstrahlte in einem tiefen Gelb und Orange, als ob er in Flammen stand. Vereinzelte Wolken waren in die gleichen Farben getüncht. Das Meer lag wie flüssiges Gold vor uns, das schaumig am Ufer zerschlug. Das Riesenrad wurde nun beleuchtet. Es erstrahlte in pink und blau. Die, in den Himmel ragenden, Palmen hinter uns warfen ihren Schatten auf uns, während sie wie Riesen vor der Stadt aussahen. Die Musik, sowie Stimmengewirr drangen vom Pier zu uns herüber.

»Diese Stadt …«, seufzte ich traurig. »Gibt es einen schöneren Sonnenuntergang?«

»Der ist wirklich beeindruckend.«

»Ich dachte wirklich, dass ich hier her gehören würde …«

»Das gehörst du auch. Sieh es als Plottwist. In jedem Film muss sich der Hauptprotagonist einer Herausforderung stellen, bevor er sein wahres Glück findet.«

Tatsächlich schlich sich ein kleines Lächeln auf meine Lippen, bei seiner Erklärung.

»Plottwist also …«, murmelte ich.

»Du wirst stärker zurückkommen und bleiben.«

Dankbar lächelte ich Paul an. In diesem Moment musste sei Optimismus für uns beide reichen.

»Danke für alles heute«, sagte ich dankbar. Ich wäre alleine in Aprils und meinem Zimmer an der Verzweiflung zerbrochen.

»Nicht dafür.«

Nach unserem Gespräch war die Sonne vollends untergegangen und ohne all die Lichter, würde die Stadt nun im Dunkeln liegen. Aber diese Stadt lebte abends nicht weniger als tagsüber. Die Lichter der Stadt leuchtete in verschiedenen Farben. Ab und an sah man am Himmel Scheinwerferlichtkegel aufblitzen. Autos hupten und Leute passierten die Straßen.

Im Wohnheim angekommen, verabschiedete ich mich wirklich zum letzten Mal von Paul.

»Wir sehen uns! Viel Glück und Kraft«, sagte Paul.

Ich drückte ihn zum Abschied noch einmal. Tränen kullerten zum millionsten Mal über mein Gesicht. Ich würde noch dehydrieren.

»Pass auf April auf«, bat ich ihn.

»Wird gemacht und du auf dich. Wir bleiben in Kontakt.«

Ich verabschiedete mich und ging mit Tränen überströmten Gesicht zurück auf Aprils und mein Zimmer.

»Hey, wo warst du?«, fragte April besorgt, als ich zur Tür herein kam.

»Ich hab mich von Paul verabschiedet ...«, schluchzte ich.

April stand auf und nahm mich fest in den Arm.

»Wieso verabschiedet?«, fragte sie verwirrt. »Ich dachte Mason hat mit dir Schluss gemacht?«

»Auch und die Uni lässt mich pausieren«, schluchzte ich bitter. »Ich bin nicht bereit dafür ...«

»Ich weiß, Süße. Ich weiß«, tröstete April mich, während sie mir über den Rücken rieb. »Ich hab deine Nachricht eben erst abgehört, es tut mir leid, es war super viel los. Irgendein Idiot hatte die Kameraakkus vergessen.«

»Ich ...«, mehr bekam ich nicht heraus.

»Es tut mir so leid! Wenn ich Mason sehe, reiße ich ihm die Eier ab!«, drohte April lautstark. »Und was soll ich hier nur ohne dich machen?«

Sie klang traurig und verzweifelt zugleich.

»Du hast noch Paul«, antwortet ich traurig.

»Das ist nicht das Gleiche und das weißt du auch! Das hier ist UNSER Traum!« Nun weinte auch April.

Wir lagen uns noch einen Moment weinend in den Armen, doch ich war so erschöpft vom ganzen Weinen, dass ich mich auf mein Bett legte. April setzte sich zu mir und schaltete den Fernseher ein. Ich schaute etwas mit ihr mit, doch dann schlief ich erschöpft vom Tag ein.

Am nächsten Morgen wachte ich vom Klingeln, von Aprils Wecker auf. Verschlafen rieb ich mir über die Augen und gähnte.

»Guten Morgen«, begrüßte April mich traurig und ebenfalls verschlafen.

»Morgen«, murmelte ich traurig zurück. Ich fühlte mich schrecklich. Ich war in Jeans eingeschlafen und hatte nicht mal mehr meine Zähne geputzt.

Keine von uns wusste so recht, was sie sagen sollte. April kam schließlich zu mir rüber und drückte mich unter Tränen.

»Versprich mir, dass du zurück kommst, ich will die Uni nicht ohne dich beenden!«

»Ich will sie doch auch mit dir beenden!«, weinte ich.

»Halt mich auf dem Laufenden, ja?«, schluchzte April.

Ich nickte nur, während April sich die Tränen aus den Augen wischte. Ich tat es ihr gleich. Wir drückten uns noch einmal fest, ehe sie aufstand.

»Ich muss mich fertig machen, aber wenn ich noch was für dich tun kann, sag bescheid«, sagte sie entschuldigend.

»Danke.«

Ich stand ebenfalls auf und ging gemeinsam mit ihr Zähneputzen. Danach ließ ich mich auf mein Bett sinken und wartete darauf, dass April fertig wurde.

An der Tür verabschiedeten wir uns noch einmal tränenreich voneinander. Es zerbrach mir das Herz, meine beste Freundin auf ungewisse Zeit zurückzulassen.

»Du fehlst mir jetzt schon«, schluchzte ich, als ich sie los ließ.

»Du mir auch«, antwortete sie traurig.

»Pass auf dich auf«, sagte ich.

»Mach ich, du auch. Meld dich, wenn du gelandet bist.«

»Versprochen.«

Ich winkte April noch, bevor sie sich umdrehte und sich auf den Weg zu ihrem Praktikum machte. Ich ging wie in Trance duschen und mich anziehen. Ich hatte meine schwarzen Yogapants und einen grauen Hoodie für den langen Flug ausgesucht. Meine Haare band ich zu einem lockeren messy bun hoch.

Ich atmete tief ein und wieder aus, ehe ich mich ein letztes Mal in unserem Zimmer umschaute. Ich hatte es nicht für möglich gehalten, dass ich die Uni unfreiwillig verlassen musste.

Emotional am Tiefpunkt nahm ich mein Gepäck, schloss hinter mir ab und ging zum Büro des Dekans, um meine Schlüssel abzugeben. Ich reichte sie seiner Sekretärin und verabschiedete mich.

Es war mittlerweile später Vormittag. Ich überlegte, was ich nun machen sollte, bis mein Flug ging. Mit dem Gepäck wollte ich auch nicht ewig herum laufen. Ich schob also meine große Sonnenbrille auf die Nase, in der Hoffnung unerkannt zu bleiben. Dann bestellte ich mir im Campus Café einen Kaffe zum Mitnehmen. Draußen setzte ich mich weit ab von allen anderen auf eine Bank und trauerte meinem Traum hinterher.

Als es soweit war, machte ich mich in einem Taxi auf zum Flughafen.

Kapitel 15

Da saß ich also nun. Ich lehnte meinen Kopf an die kleine Fensterscheibe des Flugzeuges und starrte gedankenverloren hinaus. Die Sonne schien warm am Himmel, während ich ein letztes Mal die Palmen bestaunte, die mächtig in den Himmel ragten.

Eine dicke Träne kullerte mir über die Wange, während *Hollywood Hills* von Sunrise Avenue ft. 21st Century Orchestra über meine Kopfhörer lief. Das Lied passte einfach perfekt zur Situation …

Ich konnte nicht fassen, dass tatsächlich alles so einfach zu Ende sein sollte …

Stunden später landete ich in Hamburg.

»Miss Sommer, wir waren so frei und haben ein paar unserer Sicherheitsmitarbeiter gebeten, Sie zu Ihrem Auto zu geleiten«, ertönte die freundliche Stimme einer Stewardess neben mir. »Wenn Sie so weit sind, könnten Sie nun als erstes das Flugzeug verlassen.«

»Vielen Dank!«, bedankte ich mich aus tiefstem Herzen, denn mit so einer netten Geste hatte ich definitiv nicht gerechnet.

Ich zog mir die Kapuze vom Hoodie tief ins Gesicht und schob die große Sonnenbrille auf meine Nase. Ich versuchte mit aller Kraft, die ich noch hatte, nicht erneut zusammenzubrechen.

In meinen Gedanken redete ich mir gut zu, dass ich das schon überstehen würde. Es gab

Schlimmeres …

»Miss Sommer?«, riss mich die Stewardess aus meinen Gedanken.

»Ja?«

»Ich weiß, das ist nicht sehr professionell … Aber dürfte ich Sie noch um ein Autogramm für meine Tochter bitten? Sie ist ein großer Fan und es tut uns wirklich leid, was Sie gerade durchmachen.«

Ich nickte nur, denn ich kämpfte wieder gegen meine Tränen an. Ich nahm den Stift, den sie mir reichte, entgegen und unterschrieb mit einer netten Grußbotschaft auf dem Block.

Ich wollte nicht unhöflich sein, aber ich wollte hier einfach nur raus, ab in mein Bett und die Bettdecke über den Kopf ziehen.

Die Stewardess bedankte sich bei mir, dann wurde auch schon vom übrigen Personal gedrängt, dass wir uns beeilen sollten, da sie nicht ewig warten könnten …

Ich wurde also über den Flughafen begleitet. Um ehrlich zu sein, wusste ich nicht mal, wohin und ob überhaupt jemand an mein Gepäck gedacht hatte … Ich folgte einfach nur den Anweisungen des Personals.

Die Journalisten standen bereits in Scharen am Ausgang. Ich atmete tief durch und eilte mit gesenktem Kopf zwischen den Sicherheitskräften zum Hauptausgang.

Irgendwo hörte ich die Stimme meiner Mom. Ich schaute kurz auf. Da stand sie vor einem großen schwarzen SUV.

»Ab hier übernehme ich«, hörte ich sie und wurde auf die Rückbank des Autos geschoben. Ich hatte nicht einmal die Zeit, mich zu bedanken. Ich hoffte, dass meine Mom das für mich tun würde. Eine Tür knallte ins Schloss, dann eine zweite. In dem Moment hörte ich nur ein quietschiges »TAY!« neben mir. Erschrocken schaute ich auf und sah meine kleine Schwester neben mir sitzen. Heulend fiel ich ihr in die Arme. Ich hatte sie so lange nicht mehr gesehen, außer über FaceTime.

»Hey, mein Schatz«, ertönte die Stimme meiner Mom vom Beifahrersitz »Wie geht es dir?«

Ich antwortete nur mit einem kräftigen Schluchzen. Wie sollte es mir schon gehen? Innerhalb kürzester Zeit wurde mein kompletter Lebenstraum zerstört, für den ich nicht hätte härter arbeiten können.

Auch Daniel, der vorne auf dem Fahrersitz saß, begrüßte mich freundlich. Ich grüßte nur knapp zurück. Ich war nicht in der Stimmung für eine höfliche Vorstellungsrunde.

Die Fahrt nach Hause kam mir wie eine Ewigkeit vor und als ob nicht alles schon beschissen genug war, lauerten selbst vor unserem Grundstück Fotografen.

Daniel hupte laut und forderte sie auf, zu verschwinden. Irgendwann ließen sie uns wenigstens passieren und Daniel konnte das Auto in der Garage parken.

»Es tut mir leid«, schluchzte ich. Meine Mom war jeher dagegen gewesen, dass ich nach LA gehe und meine Mom hatte mich gewarnt. Doch ich wollte nicht auf sie hören und nun setzte ich sie einer solchen Belastung aus. Als ob sie selbst nicht genug zu verarbeiten hatte …

Ich war meiner Mom, Daniel und Ella mehr als dankbar, dass sie das für mich taten.

»Es ist alles gut, Schätzchen«, antwortete mir meine Mom und nahm mich fest in den Arm, nachdem wir ausgestiegen waren. »Alles ist gut.«

Nichts war gut!

Ich ließ mich im Haus nur auf das Sofa sinken und heulte weiter. Es wunderte mich, dass mein Körper überhaupt noch in der Lage war, weitere Tränen zu produzieren.

Mom und Ella setzten sich neben mich und nahmen mich fest in den Arm. Ich hatte das Gefühl, fast zu ersticken, war mir aber nicht sicher, ob von der festen Umarmung oder von dem ganzen Schluchzen. Daniel hatte sich zwischenzeitlich in den Küchenbereich zurückgezogen, um uns ein wenig Privatsphäre zu lassen.

Ich hatte keine Ahnung, wie lange ich weinend auf dem Sofa in der Umarmung meiner Mom und Schwester gesessen hatte, ehe meine Mom mich fragte, ob ich langsam vielleicht etwas essen wolle.

»Daniel hat Essen aus seinem Restaurant mitgebracht. Er dachte, es würde dich vielleicht etwas aufheitern.«

»Danke, aber ich habe keinen Hunger«, murmelte ich, die Enttäuschung schnürte mir die Kehle zu. »Ich würde gerne in mein Zimmer gehen, wenn das okay ist …«

»Natürlich. Falls du doch etwas essen möchtest, weißt du ja, wo du uns findest«, antwortete sie.

Da stand ich nun in meinem alten Zimmer. Es war alles noch haargenau so, wie ich es hinterlassen hatte, bis auf eine Änderung. Meine Mom hatte eine große Collage neben meine eigene gestellt. Ich hatte damals ein Memoboard mit meinen Träumen und Zielen gebastelt, um sie immer vor Augen zu haben. Bilder von Los Angeles und den Hollywood Hills sowie dem Walk of Fame und dem Oscar waren darauf zu sehen – und eine Villa mit Meerblick. Die von meiner Mom daneben zeigte hingegen alles, was ich bisher erreicht und erlebt hatte, seitdem ich nach LA gegangen war. Fotos von mir und April mit Freunden aus der Uni, Fotos von uns vor dem Hollywoodsign, von unserem Ausflug zum Walk of Fame und nach Santa Monica, vor dem LAX und dem UCLA-Schriftzug, Zeitungsausschnitte, Premierenfotos …

Erneut kullerten mir dicke Tränen über die Wangen. All das war weg und ich hatte umso mehr das Gefühl, dass alles nur ein Traum war, aus dem ich gerade aufwachte und in die bittere Realität zurückkehrte. In diesem Moment wusste ich nicht, worüber ich trauriger war: Über all das, was ich verloren hatte, oder darüber, dass meine Mom endlich meinen Traum akzeptierte und scheinbar stolz auf mich war. Sonst hätte sie diese Collage wohl nicht gemacht. Und ich hatte sie enttäuscht … So fühlte ich mich zumindest. Ich glaubte nicht, dass sich das ganze Thema so hartnäckig in den Medien halten würde, wenn ich nicht berühmt wäre … Abgesehen davon fühlte ich mich, als ob ich versagt hatte. Was für einen Preis zahlte ich nun dafür? Ich hatte meine Familie zurückgelassen, hatte die Freundschaft zu Jamie verloren und meine Beziehung zu Mason und jeder, der mit mir zu tun hatte, musste zweimal überlegen, was er tat, denn es könnte immer irgendwo in den Medien auftauchen …

Die negativen Gedanken überschlugen. Was mich aber am meisten belastete, war noch immer, wie es mit Jamie gelaufen war. Er war zu einem der wichtigsten Menschen in meinem Leben geworden und ich dumme Kuh hatte es geschafft, ihn so sehr zu verletzen, dass er mir nach Monaten immer noch nicht verzeihen konnte …

Ich ließ mir ein heißes Bad einlaufen, wollte einfach nur vergessen. Mit dem heißen Wasser und dem Duft meines Lieblingsbadeschaums die Emotionen wegwaschen.

Ich schaffte es natürlich nicht, ganz im Gegenteil. Ich weinte eine gefühlte Ewigkeit in der Wanne. Das Badewasser mischte sich unlängst mit meinen Tränen.

Mein Handy klingelte. Ich trocknete meine Hand ab und schaute aufs Display.

April: *Hey, ich hoffe du bist gut angekommen. Melde dich mal. Ich vermisse dich. Alles wird wieder gut, versprochen! <3*

Ich schluckte den Kloß im Hals runter und schrieb, dass ich gut angekommen war und entschuldigte mich dafür, dass ich vergessen hatte ihr zu schreiben. Anschließend duschte ich mich ab und zog mir Shorts und ein T-Shirt an. Dann legte ich mich ins Bett und schlief ein.

Das Klopfen an meiner Tür weckte mich. Meine Mom kam vorsichtig herein. Der Duft von warmen Schokocroissants und Kaffee erfüllte die Luft.

»Wie geht es dir, mein Schatz?«, fragte sie, während sie sich aufs Bett setzte. Ich antwortete nicht. Mir ging es beschissen, aber ich glaube, das war mir auch mehr als deutlich anzusehen.

»Ich habe hier deinen Lieblingskaffee und frisch gebackene Schokocroissants …«, fuhr sie fort und reichte mir einen großen Becher und eine Tüte. »Ich dachte, wir zwei könnten zusammen frühstücken.«

»Danke«, antwortete ich. Ich atmete tief ein und der angenehme Geruch erfüllte meinen Körper mit Wärme.

»Guten Appetit«, wünschte mir Mom und biss von ihrem Frühstück ab. Der warme Karamell-Macchiato in der Hand fühlte sich unfassbar gut an und ein wenig Frieden breitete sich in mir aus, während ich einen Schluck nahm.

»Es tut mir sehr leid, mein Schatz. Ich bin immer für dich da. Wir bekommen das gemeinsam wieder hin, okay?«

Meine Augen füllten sich wieder mit Tränen. Meine Mutter stellte ihr Frühstück auf meinem Nachttisch ab und drückte mich fest an sich.

»Alles wird wieder gut. Papas Anwalt ist ausgezeichnet, er wird Papa da rausholen und ehe du dich versiehst, bist du wieder in Los Angeles und lebst deinen Traum weiter.« Ich sah meine Mom aus Tränen verschleierten Augen an und sah, dass auch sie gegen die Tränen ankämpfte.

»Ich kann mir nicht im Geringsten vorstellen, wie es für dich sein muss …«, fuhr sie fort und verlor den Kampf gegen die Tränen. »Es wird sich alles wieder einrenken.«

Wie sehr ich ihr doch glauben wollte.

»Ich bin so unfassbar stolz auf dich. Schau nur, was du alles erreicht hast. Es tut mir leid, dass ich dich vorher nicht genügend unterstützt habe.«

Sie hatte keine Ahnung, was mir diese Worte bedeuteten.

»Ich muss gleich zur Arbeit, kommst du zurecht?«, fragte Mom nach einer Weile des Schweigens.

»Ja, ich komme zurecht«, sagte ich.

»Okay, ansonsten ruf mich an, dann komme ich nach Hause.«

»Danke.«

Ich verbrachte den Tag im Bett, genauso wie den nächsten und den darauffolgenden. Ab und an ging ich hinunter zum Essen, das war alles.

Am Ende der Woche stand Georg unangekündigt bei uns vor der Tür.

»Lässt du mich rein?«, fragte er irgendwo hinter etlichen Bechern *Ben & Jerry's*-Eiscreme. »Ich hab' auch Nervennahrung dabei.«

»Dann habe ich wohl keine Wahl«, scherzte ich. Es war das erste Mal, dass ich seit dieser ganzen Sache einen Scherz machte.

»Sorry, dass ich es nicht eher geschafft habe. Es war so viel im Autohaus zu tun«, entschuldigte sich Georg.

»Danke, dass du überhaupt vorbeischaust.«

»Aber sicher!«

Wir setzten uns in die Küche und Georg präsentierte mir seine *Ben*

& Jerry's-Auswahl. Wir entschieden uns für je eine Sorte, der Rest wanderte ins Eisfach.

»Du weißt, was hilft«, stellte ich fest und nahm einen großen Löffel von meiner Lieblingssorte: *Dulce De-lish.*

Georg erkundigte sich, was vorgefallen war und wie es mir ging. Ich berichtete ihm alles und löffelte weiter Eis in mich hinein. Wenn etwas Gefühle betäuben konnte, dann das.

Am Abend kamen Mom, Daniel und Ella nach Hause. Sie hatten Essen aus Daniels Restaurant mitgebracht. Georg aß noch mit uns. Es schmeckte köstlich, auch wenn ich nach dem ganzen Eis nicht mehr viel herunter bekam.

»Danke für das super leckere Essen«, bedankte ich mich schließlich.

»Sehr gerne«, erwiderte Daniel. »Ihr seid immer herzlich willkommen im Restaurant.«

»Danke.«

Daniel war wirklich in Ordnung und ich wollte ihm eine Chance geben. Er schien Mom gutzutun und Ella mochte ihn offenbar auch sehr. Ich hingegen musste ihn erst noch kennenlernen.

Nach dem Essen schauten wir gemeinsam einen Actionfilm. Es war der erste Abend, der sich halbwegs normal anfühlte. An dem wir nicht pausenlos daran dachten, wie es Dad ging, wie wir ihn entlasten konnten, wo ich nicht an Mason dachte oder an Los Angeles … oder an Jamie.

Kapitel 16

Mittlerweile war ich seit einer ganzen Weile in Hamburg. Doch ich hatte irgendwie nicht so wirklich das Gefühl, hierher zu gehören. Ich liebte meine Heimat, aber mein zu Hause hatte ich in Los Angeles gefunden, auch wenn es nur ein einfaches Unizimmer gewesen war. Es hatte sich richtig angefühlt, als ob ich dort sein sollte. Doch hatte es nicht sein sollen.

Freunde und Schauspielkollegen meldeten sich ab und zu via Textnachrichten. Mason dagegen meldete sich gar nicht mehr und auch Jamie hatte sich nach wie vor nicht bei mir gemeldet. Ich vermisste ihn und hasste mich immer noch dafür, wie sehr ich ihn vor den Kopf gestoßen hatte. Aber war es wirklich meine Schuld gewesen?

April ging es gut, sie hatte viel Spaß bei ihrem Praktikum, wie sie schrieb – und mit Kyle lief es auch immer noch bestens. Ich freute mich für sie, dass bei ihr alles gut lief und hoffte so sehr, sie bald wieder sehen zu können. Fast täglich telefonierte meine Mom mit dem Anwalt meines Dads, um auf dem neuesten Stand zu sein. Positive Neuigkeiten gab es aber immer noch keine zu verkünden.

»Kannst du mich zum Friseur fahren?«, fragte ich meine Mom am Frühstückstisch.

»Wann denn?«

»Ich hab' in einer Stunde einen Termin.«

»In einer Stunde schon?« Sie war sichtlich überrascht. Ich fragte mich, worüber sie mehr überrascht war: dass ich so schnell einen Termin bekommen hatte oder darüber, dass ich das Haus verlassen wollte.

»Das sollte ich vor der Arbeit noch schaffen. Abholen kann ich dich aber nicht.«

»Kein Problem, danke Mom«, sagte ich und nahm einen Schluck vom Latte Macchiato.

Nach dem Frühstück machte ich mich rasch fertig und packte mein Handy und Portemonnaie sowie ein Buch und Kopfhörer in meine Tasche. Ich setzte eine große Sonnenbrille auf und zog die Kapuze meines Hoodies tief ins Gesicht.

Meine Mutter ließ mich beim Friseur raus und verabschiedete sich. Ich betete inständig, dass mich niemand erkennen würde und senkte den Kopf.

Meine alte Friseurin Lara begrüßte mich direkt freundlich. Sie war damals eine gute Bekannte geworden.

»Komm mit, ich hab' dir ganz hinten einen Platz freigehalten«, meinte sie.

»Danke.« Ich war froh, dass sie so aufmerksam war.

»Gern. Magst du was trinken?«

»Erstmal nicht, danke.«

»Okay, sonst sagst du einfach Bescheid. Was machen wir heute?«, fragte sie, ohne auch nur einmal irgendeine der Schlagzeilen anzudeuten.

»Haare ab.«

»Wie viel? Die Spitzen?«

»Nein, ich will sie kurz«, sagte ich fest entschlossen.

»Tay, du hast so wunderschöne lange Haare.«

»Ich weiß, aber ich brauche eine Veränderung.«

»Wie Coco Chanel einmal sagte: *Eine Frau, die sich die Haare schneiden lässt, will ihr Leben verändern.*«

»Genau«, antwortete ich. Ich wollte mein Leben an sich nicht verändern, ich wollte es zurück. Aber ich brauchte eine Veränderung.

»Ich respektiere deine Entscheidung, Tay. Aber was hältst du von einem Kompromiss? Wir schneiden dir einen kinnlangen Bob und hellen sie noch mehr auf?«

»Ich vertraue dir, aber das Blond soll ein kaltes sein.«

»Das bekommen wir hin!«

Wenn jemand blondieren konnte, dann Lara!

Lara legte mir einen schwarzen Friseurkittel um und holte ihr

Equipment. Sie schnitt meine Haare ab –nun gab es kein Zurück mehr. Auf dem Boden lag die erste circa dreißig Zentimeter lange Haarsträhne. *Bleib tapfer, du hast es dir selbst ausgesucht!*

Die nächsten Strähnen folgten. Als Lara fertig war mit dem Schneiden, rührte sie eine noch hellere Blondierung an und trug sie auf. Es ging so viel schneller mit kurzen Haaren als mit den langen.

Während die Farbe einwirkte, besorgte sie mir einen Eiskaffee. Ich nahm ihn dankend an und las mein Buch. Das Einzige Medium, wo ich nicht von Nachrichten, Bildern, Posts oder sonst etwas abgelenkt werden konnte.

Lara spülte die Farbe aus und ließ noch eine Silberkur einwirken, um den Blondton richtig schön kalt hinzubekommen. Wie ich den Duft ihrer Produkte vermisst hatte. Sie dufteten herrlich süß.

Die Kur wurde ausgewaschen und Lara föhnte und stylte mir die neue Frisur. Es war eine krasse Umgewöhnung, aber das Ergebnis gefiel mir.

»Fertig. Gefällt es dir?«, erkundigte sich Lara und hielt einen Spiegel hinter mir hoch.

»Es sieht klasse aus. Danke!«

Ich folgte ihr zur Kasse und gab ihr ein ordentliches Trinkgeld. Sie bedankte sich mehr als glücklich.

Dann setzte ich wieder meine Sonnenbrille auf und verließ den Friseursalon. Einen Moment lang überlegte ich, ob ich wie früher den Bus nehmen sollte, aber ich rief mir stattdessen ein Taxi. Ich wollte keine Fotos machen oder Autogramme geben. Außerdem hatte ich durch den Film genug Geld, um mir diesen kleinen Luxus zu leisten.

Das Taxi brachte mich nach Hause, wo ich mich mit einer Kuscheldecke in den Garten setzte und in meinem Buch weiterlas.

»Tay?«, rief meine Mom nach mir.

»Ich bin hinten im Garten«, rief ich zurück. Ich hatte gar nicht mitbekommen, dass es schon Nachmittag geworden war.

»Hier ist Besuch für dich!«, rief sie.

»Ich erwarte niemanden!«, rief ich verwirrt zurück.

Mom kam durch die Terrassentür heraus in den Garten. Ich traute meinen Augen nicht, als ich sah, wer hinter ihr durch die Tür trat. Ich sprang auf und rannte los. Ich lief, als ob ich um mein Leben rennen würde, an meiner Mom vorbei und fiel ihm um den Hals. Ich war in Tränen aufgelöst und drückte ihn so fest ich konnte an mich.

»Es tut mir so leid!«, schluchzte ich an seiner Brust, da er ein Stück größer war als ich. »Ich wollte dich nicht verletzen!«

Er sagte nichts, hielt mich einfach nur fest. Die Wärme, die sein Körper ausstrahlte und sein Parfum, lösten ein wohliges Gefühl des Vertrauten aus.

»Was machst du hier?«, fragte ich Jamie schließlich und ließ ihn los, auch wenn sich alles in mir dagegen sträubte. Ich wischte die Tränen aus meinem Gesicht und schaute ihn ungläubig an. Ich konnte es wirklich nicht fassen, dass er hier war. Er war der Letzte, mit dem ich hier gerechnet hätte.

»Ich musste dich einfach sehen«, antwortete er.

»Wieso? Du wolltest die ganze Zeit über nicht ein Wort mit mir wechseln …«, erwiderte ich geknickt.

»Ich brauchte Abstand …«

»Es tut mir wirklich so unendlich leid!«, beteuerte ich mit neuen Tränen in den Augen. »Ich hab' dich so vermisst!«

»Ich dich auch«, antwortete er und lächelte.

»Woher wusstest du, wo ich bin?«

»Paul – und April hat mir deine Adresse gegeben …«

»Na, die kann was erleben!«

»Soll ich wieder gehen?«, fragte Jamie verwirrt.

»Nein! Nein! Sie hat mir nichts gesagt, obwohl sie wusste, dass du kommst?!«

»Sie sollte nichts sagen … Ich dachte, du könntest gerade einen guten Freund gebrauchen …«, fuhr Jamie fort und versuchte sich an einem Lächeln.

»Ich kann es immer noch nicht fassen …«, sagte ich noch immer fassungslos. Nach all der Zeit, in der er mich ignoriert hatte, hatte ich damit wirklich nicht gerechnet.

»Deine neue Frisur steht dir«, sagte Jamie. »Aber die schönen langen Haare …«

»Danke, ich brauchte eine Veränderung …«

Wir sprachen lange im Garten und vertrugen uns, auch wenn er mir, glaube ich, schon vorher verziehen hatte. Sonst hätte er diesen langen Weg sicherlich nicht auf sich genommen.

Meine Mom, die irgendwann wortlos nach drinnen verschwunden war, steckte den Kopf zur Tür heraus und fragte, ob wir mit ihnen zu Abend essen wollten. Ich schaute Jamie an, nachdem ich übersetzt hatte. Er nickte.

Also aßen wir zusammen mit Mom, Daniel und Ella zu Abend.

»Deine Haare sehen hübsch aus. Aber ich werde eine Weile brauchen, um mich daran zu gewöhnen«, meinte Mom.

»Danke«, antwortete ich und füllte mir Essen auf. Ich stellte Jamie meiner Familie vor und umgekehrt. Immer wieder schaute ich zu ihm, um mich selbst davon zu überzeugen, dass es kein Traum war.

Es war irgendwie ein komisches Gefühl, mit meiner Familie und Jamie zusammen zu essen. Außerdem hatte ich noch so viele Fragen an ihn, die ich ihm unbedingt noch stellen wollte.

Daher war ich dankbar, als wir endlich fertiggegessen hatten, auch wenn sich alle gut verstanden hatten. Ich räumte noch kurz mit ab, ehe ich mit Jamie in meinem Zimmer verschwand.

Jamie stand in der Tür und schaute sich um. Ihm fielen die Collagen auf.

»Darf ich?«, fragte er.

»Ja.«

Er ging auf die Collagen zu und schaute sie sich an.

»Sie stimmen ziemlich gut mit deinem Leben überein«, stellte er fest.

»Sie *stimmten* überein …«, entgegnete ich traurig.

»Tut mir leid, ich wollte nicht …«

»Es ist ja nicht deine Schuld«, unterbrach ich ihn.

»Ich hab' mich aber auch nicht gerade vorbildlich verhalten«, meinte Jamie und kam auf mich zu. »Es hat mich verletzt, das Video zu sehen und danach die ganzen Kommentare und Schlagzeilen.«

»Ich …« Ich hatte zu meiner Verteidigung nichts zu sagen. Auf unschönere Art hatte er davon kaum erfahren können, auch wenn ich ihm keine Rechtfertigung schuldig war.

»Hab' mir den Film angeschaut …« Jamie grinste.

»Du hast was?«, fragte ich überrascht.

Also mit ihm stimmte wirklich etwas nicht. Wer schaute sich denn im Kino einen Film an, in dem die Frau spielte, die einem das Herz gebrochen hatte und dann auch noch der Typ, der mit ein Grund dafür war?!

»Du hast die Rolle wirklich gut gespielt.«

»Danke«, erwiderte ich verlegen, denn ich kannte ja den Film und wusste, was er alles gesehen hatte.

»Ich glaube, ich sollte auch langsam mal ins Hotel«, sagte Jamie.

»Soll ich dich fahren?«

»Quatsch, es ist nicht weit.«

»Du kannst auch hier übernachten. Wir haben ein Gästezimmer«, schlug ich vor.

»Danke, aber das Hotel ist schon bezahlt.«

»Okay«, sagte ich. »Danke, dass du hergekommen bist.« Ich konnte es immer noch nicht glauben.

»Ich hätte viel eher mit dir reden sollen.«

»Ist wieder alles gut zwischen uns?«, fragte ich.

»Alles gut«, entgegnete Jamie. »Sehen wir uns morgen?«

»Klar, wenn du willst, gerne. Komm doch morgen früh vorbei«, antwortete ich glücklich.

»Dann sehen wir uns morgen. Gute Nacht«, sagte Jamie. Ich brachte ihn noch zur Tür und verabschiedete ihn.

Kaum war die Tür zu, stand Mom auch schon mit einem vielsagenden Grinsen hinter mir.

»Was?«, fragte ich sie.

»Nichts.«

»Na los, sag, was du nicht lassen kannst.«

»Ich wollte nichts sagen. Es ist nur das erste Mal seit langem, dass du mal wieder glücklich wirktest. Du musst ihm wirklich wichtig sein, wenn er für dich diesen langen Weg auf sich nimmt.«

»Ja.« Sie hatte recht. Jamie hatte diese Art an sich, dass man alles um einen herum für einen Moment vergessen konnte.

»Wollte er nicht bleiben?«, fragte meine Mom.

»Ich habe ihm das Gästezimmer angeboten, aber das Hotel ist schon bezahlt.«

»Na ja, dann schlaf gut, ich muss jetzt mal langsam ins Bett«, meinte sie und verabschiedete sich zum Schlafen. Ich saß noch eine Weile in der Küche und aß noch etwas von dem riesigen Eisvorrat. Während ich das Eis löffelte, schrieb ich April.

Ich: *Du Verräterin!*

Wie konnte sie von Jamies Vorhaben wissen und mir nichts davon sagen? Sie wusste, wie sehr ich darunter gelitten habe, dass er mich ignoriert hatte.

Dann schickte ich ihr ein Foto von meiner neuen Frisur.

Ihre Antwort ließ nicht lang auf sich warten.

April: *Gern geschehen. ;-P*

Wow, was ist mit deinen Haaren passiert? Sieht aber super aus.

Ich: *Wie lange wusstest du es schon? :-O*

April: *Ein paar Tage …*

Ich schickte ihr ein kopfschüttelndes GIF. Dann ging auch ich mit einem positiven Gefühl schlafen.

Kapitel 17

Am nächsten Morgen klingelte Jamie bei uns. Ich öffnete die Tür und freute mich, dass wir endlich wieder miteinander redeten. Er trug einen lässigen grauen Hoodie, darüber eine schwarze Bikerjacke und dazu schwarze Jeans und Lederboots. Die Kapuze hatte er auf und verbarg seine Augen hinter einer Sonnenbrille.

»Undercover?«, fragte ich lachend, denn wirklich stark schien die Sonne nicht.

»Vielleicht«, antwortete Jamie verschmitzt lächelnd.

»Komm rein, ich bin gleich fertig«, meinte ich und trat einen Schritt beiseite.

Dann nahm ich meine Lederjacke von der Garderobe und griff ebenfalls nach meiner Sonnenbrille sowie nach meiner Tasche.

»Selbst undercover?«, zog Jamie mich auf.

»Ja.«

»Ich vermisse das Wetter in LA jetzt schon«, seufzte er, als wir das Haus verließen.

»Willkommen in Hamburg«, grinste ich. Es war ein kühler Tag im Frühling, einige wenige Sonnenstrahlen hatten sich immerhin durch die Wolkendecke gekämpft. Wir konnten ja schon froh sein, dass es trocken und windstill war.

»Was willst du als erstes sehen?«, fragte ich »Den Hafen, die Alster …?«

»Die was?«, fragte Jamie verwirrt.

»Die Alster«, lachte ich. »Fangen wir damit an. Dort kommen wir mit dem Rad gut hin.«

Jamie war mit einem Leihrad vom Hotel zu mir gefahren und ich holte meines aus der Garage. Wir fuhren eine Weile, ehe wir bei der Alster ankamen und unsere Fahrräder anschlossen.

»Den Rest zeige ich dir zu Fuß«, verkündete ich und bedeutete ihm, mir zu folgen. »Das ist die Binnenalster.« Ich zeigte auf den Fluss. »Hier ist die Europa Passage, da drüben gibt es einige Restaurants und Cafés sowie weitere Geschäfte. Dort vorn befindet sich das Rathaus. Das kann ich dir auch zeigen, wenn du willst. Auf dem Weg dorthin kommen wir an den teuren Geschäften Hamburgs vorbei … Oder wir gehen um die Alster spazieren und holen uns einen Kaffee und was zu essen.«

»Dann wäre ich doch für den Kaffee und was zu essen«, erwiderte Jamie lachend.

»Du Kulturbanause«, entgegnete ich und ging los. Wir kamen am *Alex* vorbei und gingen zu Starbucks. Ich hoffte, dass wir unerkannt bestellen konnten.

»Hi, ich nehme einen Caramel Latte Grande und einen Bagel mit Mozzarella und Tomaten zum Mitnehmen bitte«, gab ich meine Bestellung auf. »Und was willst du?«, fragte ich, an Jamie gewandt.

»Ich nehme das Gleiche wie immer.«

»Und welchen Namen darf ich drauf schreiben?«, erkundigte sich der Barista, nachdem ich für Jamie bestellt hatte.

»Ehm Tay und Jamie«, sagte ich unentschlossen.

»Okay, eure Bestellung könnt ihr dann gleich da vorne abholen.«

»Super, danke«, erwiderte ich und wartete ungeduldig mit Jamie auf die Bestellung.

»Zwei Caramel Latte Grande und zwei Bagels zum Mitnehmen für Tay und Jamie«, rief eine andere Barista.

Hastig nahm ich die Bestellung und verschwand mit Jamie aus dem Laden.

»Wollen wir uns ans Wasser setzen?«, fragte ich.

»Können wir machen«, antwortete Jamie, während er mir seinen Teil der Bestellung abnahm. Er folgte mir auf die andere Straßenseite, wo wir noch ein paar Meter gingen und uns auf eine freie Bank setzten, etwas Abseits vom Trouble an den Geschäftsstraßen.

»Guten Appetit«, wünschte ich Jamie.

»Danke, dir auch«, antwortete Jamie.

»Und, wie findest du Hamburg bisher?«, erkundigte ich mich.

»Gut, aber ich bin mir sicher, du wirst mir noch mehr zeigen.«

»Ja, den Hafen musst du gesehen haben und falls wir es schaffen, dann gehen wir noch auf den Dom.« Ich erklärte ihm noch, was der Hamburger Dom war.

»Klingt nach einem Plan«, sagte Jamie daraufhin.

Wir frühstückten zusammen und ich genoss das Gefühl, dass alles für einen Moment wie früher war. Kein Streit, keine Probleme, kein Trouble. Für diesen Augenblick vergaß ich all meine Probleme und war unglaublich dankbar, dass sich wenigstens dieses Problem gelöst hatte.

»Wenn du willst, können wir jetzt noch zum Hafen fahren, ich hab' eh nichts mehr vor«, sagte ich schließlich, als ich fertig war.

»Gerne, mein Terminkalender ist ebenfalls leer«, meinte Jamie breit grinsend.

»Gut, es sind circa zehn Minuten mit dem Rad.«

Wir schmissen unseren Müll in einen Mülleimer und gingen zu unseren Fahrrädern. Auf mein Anraten hin fuhren wir dann doch noch am Rathaus vorbei und passierten später die Elbphilharmonie. Von da aus war es nicht mehr weit zu den Landungsbrücken.

»Hast du Lust auf eine Hafenrundfahrt?«, fragte ich, als wir angekommen waren.

»Klar.«

Wir gingen uns also Karten besorgen und warteten auf das nächste Schiff.

»Hey, könnten wir ein Foto machen?«, fragten plötzlich zwei Mädchen verlegen. Ich fühlte mich zuerst gar nicht angesprochen. Es war immer noch ungewohnt, dass Leute sich plötzlich für einen interessierten.

»Ja, klar, sorry«, sagte ich dann. Jamie machte ein Foto von mir mit ihnen. Anschließend bedankten sie sich und ließen uns dann auch in Ruhe. Ein paar weitere folgten zwar noch, aber es hielt sich in Grenzen. Typisch Hamburg.

Auf dem Schiff stellten wir uns oben an die Reling. Ich hatte ewig keine Hafenrundfahrt mehr gemacht und genoss sie trotz der kühlen Brise sehr.

»Bekomme ich auch ein Foto?«, fragte Jamie lächelnd mit einem Hundeblick.

»Aber sicher«, antwortete ich. Jamie machte ein Foto von uns beiden mit dem Hafen und den großen Kränen im Hintergrund. Ich zog mir die Kapuze etwas tiefer ins Gesicht und schloss meine Jacke, es war ordentlich windig auf dem Schiff.

»Wenn wir schon hier sind, musst du später unbedingt noch ein Fischbrötchen essen. Das ist eine echte Hamburger Spezialität«, meinte ich irgendwann zu Jamie.

»Wir können uns ja später eins zum Mittag holen«, schlug er vor.

»Wie lange bleibst du eigentlich?«, fragte ich zögernd. Ich war mir nicht sicher, ob ich die Antwort hören wollte.

»Solange du willst.«

Ich lächelte ihn dankbar an.

Nach der Hafenrundfahrt holten wir uns dann noch jeweils ein Fischbrötchen und schlenderten an den Anlegern vorbei.

»Ich besuche morgen meinen Dad. Möchtest du mit?«, fragte ich unsicher, als wir wieder bei unseren Rädern ankamen.

»Ist das denn auch in Ordnung?«, fragte Jamie.

»Klar.«

»Wenn du möchtest, kann ich dich begleiten«, sagte er.

»Ich würde mich freuen.«

Schließlich fuhren wir zurück: Jamie ins Hotel und ich nach Hause.

In meinem Zimmer angekommen, schrieb ich April und erkundigte mich, wie es ihr ging und wie die Uni und das Praktikum liefen. Ihre Antwort kam nur wenige Minuten später. Alles laufe bestens. Was anderes hatte ich aber auch nicht erwartet.

Ich setzte mich auf mein Bett und schrieb danach Jamie.

Danke!

Er hatte wirklich keine Ahnung, wie dankbar ich ihm war und was es mir bedeutete, dass er mir verziehen hatte.

Am nächsten Tag fuhren Jamie und ich mit dem Auto meiner Mom gemeinsam zu Dad. Es war alles andere als schön, seinen Vater im Gefängnis zu besuchen und ich hatte Angst, was Jamie denken würde. Doch er sagte nichts und ließ sich auch nichts anmerken.

»Bist du bereit?«, fragte er stattdessen mit warmer und ruhiger Stimme, während er mich prüfend musterte.

»Nein«, erwiderte ich. Ich war ganz und gar nicht bereit. Aber ich fühlte mich verpflichtet, meinen Dad zu besuchen und ihm in dieser heiklen Situation beizustehen.

»Wenn du noch nicht bereit bist …«

»Es ist egal, ob ich es bin oder nicht. Mein Dad ist unschuldig und ich will ihn unterstützen«, unterbrach ich ihn. Jamie nickte. Er zögerte einen Moment, ehe er mir zögerlich seine Hand entgegenstreckte.

»Ich bin für dich da«, sagte er, während er mir noch immer seine Hand ausgestreckt hinhielt. Ich ergriff sie und atmete tief durch, ehe wir weitergingen.

Wir mussten drinnen zuerst durch die Sicherheitskontrolle und die Anmeldung. Im Anschluss wurden wir in einen Besuchsraum geführt. Ich fühlte mich unbehaglich. Alles sah so kalt und abweisend aus. Nichts hier wirkte auch nur ansatzweise einladend.

Man ließ uns ein paar Minuten warten, in denen ich mich immer unwohler fühlte. Jamie drückte derweil aufmunternd meine Hand. Endlich führten sie Dad herein. Ich lief auf ihn zu und wollte ihn in die Arme schließen, doch einer der Beamten stoppte mich vorher.

»Keinen körperlichen Kontakt!«, sagte er kühl. Abrupt blieb ich stehen. Es war mir zu viel, Papa in Gefängniskleidung und Handschellen zu sehen. Mein Vater hatte seine Fehler wie jeder andere auch, keine Frage. Er hatte die Arbeit oft über die Familie gestellt, bis es meiner Mom irgendwann gereicht hatte. Aber ein Verbrecher war er nie im Leben!

»Dad, ich …«, meine Stimme versagte, dicke Tränen kullerten mir über die Wangen. Meine Hände zitterten und Jamie drückte meine Hand erneut.

»Es tut mir so leid, mein Schatz«, sagte mein Dad. »Aber es wird alles wieder gut!«

Ich schluchzte bloß und konnte ihn nicht einmal ansehen, weil ich diesen entwürdigenden Anblick nicht ertrug.

»Guten Tag, Mr. Sommer. Ich bin Jamie, ein guter Freund von Taylor«, stellte Jamie sich auf Englisch vor. »Ich hoffe, es ist für Sie in Ordnung, dass ich sie begleite?«

»Aber sicher. Es freut mich, dich kennenzulernen.«

»Wie geht es Ihnen, Sir?«, erkundigte Jamie sich äußerst höflich.

»Den Umständen entsprechend«, antwortete Dad. »Aber nenn mich doch bitte Frank. Es tut mir sehr leid, dass wir uns unter solchen Umständen kennenlernen. Das hinterlässt sicher nicht gerade den besten Eindruck.«

»Taylor hat immer nur positiv über Sie gesprochen.«

Mein Vater schaute zu mir. »Ich bin unfassbar stolz auf dich. Sieh, was du alles erreicht hast, mein Mädchen! Du hast nie aufgehört, an deinen Traum zu glauben. Fang jetzt bitte nicht damit an. Und hör auch nicht auf, an mich zu glauben.«

Ich weinte noch immer und versuchte verzweifelt, mir die Tränen wegzuwischen, die jedoch schneller nachkamen, als ich wischen konnte.

»Ich will, dass du hier rauskommst!«, schluchzte ich wie ein kleines, trotziges Mädchen. »Ich will, dass du das alles erlebst!« Die Tränen brachen nur so aus mir heraus wie bei einem Staudamm, der nachgab. Jamie reichte mir ein Taschentuch und drückte mich an sich. Ohne ihn hätte ich diesen Besuch nicht überstanden.

»Das werde ich! Versprich mir, dass du weitermachst. Meine Dummheiten sollen dich nicht von deinen Träumen abhalten! Ich hätte Michael nicht vertrauen dürfen …«

»Aber wie soll ich weitermachen? Die Uni hat mich gebeten, nicht wiederzukommen, bis sich das alles beruhigt hat …« Meine Stimme versagte.

»Könnte ich das rückgängig machen, würde ich es tun, glaub mir. Es wird einen Weg geben.« Ich wollte ihm so sehr glauben.

»Und was ist mit Michael? Haben sie ihn?«

»Nein, er ist wohl untergetaucht und hat mich als Bauernopfer benutzt. Du musst mir glauben, ich hatte keine Ahnung von dem ganzen Mist!«

»Ich glaube dir. Aber irgendwie müssen wir deine Unschuld doch beweisen können …«

»Mein Anwalt kümmert sich um alles und bis zur Gerichtsverhandlung müssen wir einfach abwarten.«

Ich weiß nicht, wie mein Dad so gelassen bleiben konnte. In mir herrschte ein Hurricane aus Gefühlen.

»Gib nicht auf«, sagte er.

»Ihre Zeit ist um«, mischte sich einer der Beamten ein.

»Danke, dass ihr da wart. Mein Anwalt kommt auch noch. Vielleicht hat er ja gute Neuigkeiten.«

»Pass auf dich auf, Papa«, sagte ich. Ich stand auf und schaute noch einmal zu ihm. »Ich hab' dich lieb.«

»Ich dich auch, meine Kleine.«

Dann wurden wir hinausbegleitet. Meine Gefühle überkamen mich erneut, denn es fiel mir nicht leicht, meinen Dad hier zurückzulassen. Er konnte hier nicht einfach so wie wir hinausspazieren und nach Hause kommen.

»Hey, alles wird gut«, meinte Jamie und drückte mich an sich. Er strich mir sanft über den Rücken. Mein Gesicht lag an seiner Brust. Er strahlte Wärme aus und sein Herzschlag ging ruhig und regelmäßig. Ich lauschte ihm, in der Hoffnung, mich zu beruhigen.

»Danke«, flüsterte ich an seine Brust gelehnt. Jamie hatte keine Ahnung, wie dankbar ich ihm war, dass er jetzt bei mir war und mir beistand – nach allem, was er meinetwegen durchgemacht hatte. Ich hatte das Gefühl, all diese Nettigkeit und Fürsorge von ihm nicht verdient zu haben.

Jamie nahm mein Gesicht sanft in seine Hände und wischte mir die Tränen vorsichtig mit seinen Daumen von den Wangen.

»Lass uns zurückfahren, dann kannst du dich etwas ausruhen. Es muss belastend für dich sein.«

Wir gingen zu Moms Auto und fuhren nach Hause. Die Fahrt über schwiegen wir. Es war niemand zu Hause, als wir zurückkamen.

Ich holte *Ben & Jerry's* aus dem Eisfach, bevor wir in mein Zimmer gingen und einen Film an machten. Action tat jetzt gut, um die Gedanken abschweifen zu lassen.

»Du bist so ein Klischee«, meinte Jamie lachend.

»Wieso?«, fragte ich verwirrt.

»*Ben & Jerry's* vertreibt Kummer und Sorgen.«

Ich schmiss einen Löffel nach ihm.

»Hey!«, beschwerte er sich.

»Dir macht es gleich eher Kummer und Sorgen«, drohte ich ihm im Spaß an.

»Du würdest dein Eis dafür nicht verschwenden«, erwiderte er selbstsicher.

»Nein, aber deins«, grinste ich frech.

»Wag es ja nicht!« Er lachte.

»Nein, das hat das Eis nicht verdient«, antwortete ich und reichte ihm den zweiten Becher.

»Du machst mich noch fett«, scherzte er.

»Keiner zwingt dich. Ich nehme auch beide.«

Er schüttelte nur lächelnd den Kopf.

Wir saßen auf meinem Bett und schauten den Film. Irgendwann hatte ich aber wirklich genug Eis und brachte es zurück ins Eisfach.

Während wir noch einen zweiten Film schauten, diesmal eine romantische Komödie, lehnte ich meinen Kopf irgendwann an seine starke Schulter. Ich spürte seinen Blick auf mir, schaute aber weiter den Film. Es gab wirklich niemanden in meinem Leben, der so eine beruhigende Ausstrahlung auf mich hatte wie Jamie. Er erdete mich, wenn ich aufgelöst war, war aber auch für jeden Spaß zu haben. Bis zu dem Tag, als ich seine Gefühle mit Füßen getreten und ihm das Herz gebrochen hatte. Umso mehr tat es gut, dass er wieder an meiner Seite war. Ich wusste wirklich nicht, womit ich das verdient hatte und was ihn seine Meinung hat ändern lassen.

»Du?«, fragte ich.

»Ja?«, erwiderte er und schaute mich an.

»Wieso tust du das für mich?«

»Einen Film schauen?«, zog er mich auf.

»Nein, du weißt, was ich meine«, erwiderte ich und boxte ihm leicht auf die Schulter.

»Weil ich nicht will, dass du so traurig bist und das alleine durchmachen musst.«

»Du bist der Beste, das weißt du, oder?«, fragte ich ihn.

»Ich weiß«, entgegnete er lachend. Ich verdrehte als Antwort die Augen. Ein wohliges Gefühl breitete sich in mir aus.

Kapitel 18

Die Woche war schnell vorüber und ich traf mich am Abend mit Jamie. Wir wollten mit Georg und seiner neuen Freundin, die er uns vorstellen wollte, auf den Hamburger Dom. Es war der letzte Abend, an dem der Dom noch stattfand. Wir trafen uns auf St. Pauli vor dem Medienbunker.

»Hey, wie gehts euch?«, begrüßte ich Georg und seine Freundin, als sie auf uns zu kamen. »Freut mich, dich kennenzulernen«, sagte ich an Georgs Freundin gewandt, die wirklich hübsch war, mit ihren langen braunen Haaren und großen rehbraunen Augen. Sie trug schlichte helle Jeans, dazu eine sommerliche Bluse und eine Jeansjacke.

»Hey, danke. Ich freu mich auch«, erwiderte sie verlegen.

»Ich bin Taylor und das ist Jamie«, stellte ich uns vor. Es verstand sich von selbst, dass wir uns auf Englisch unterhielten, damit Jamie uns verstand.

»Ich weiß«, antwortete sie immer noch etwas verlegen. »Ich bin Natalie.«

»Natalie ist großer Fan vom Buch und Film«, sagte Georg. Sie schaute ihn vorwurfsvoll an.

»Ich bin auch ein großer Fan des Buches«, entgegnete ich. Ich hoffte sehr, dass sie keine Vorurteile gegen mich hatte wegen der Schlagzeilen der letzten Wochen.

»Der Film war auch wirklich klasse«, meinte Natalie lächelnd.

»Danke.« Jetzt war ich diejenige, die verlegen war.

»Ach ja, ihr kennt euch ja auch noch gar nicht!«, fiel es mir plötzlich ein. Georg war ja zu dem Zeitpunkt in Los Angeles gewesen, wo Jamie und ich keinen Kontakt zueinander hatten. »Sorry!«

Ich stellte sie einander vor, dann gingen wir über den gut besuchten Dom. Ich wusste schon, warum ich nicht allzu oft da war. Die Menge drängte sich dicht an dicht.

Wir gingen in ein paar Fahrgeschäfte, bevor wir uns etwas zu trinken und essen besorgten. Natalie und ich holten uns je eine große Zuckerwatte und eine Cola, die Jungs aßen Wurst und tranken ein Bier.

Im Anschluss fuhren wir eine Runde mit dem Riesenrad. Von oben hatte man eine gute Aussicht über die Hamburger Innenstadt. Ich musste unweigerlich an den Santa Monica Pier denken, als wir – April und ich – vor einigen Monaten mit Paul und Jamie im Riesenrad saßen.

»Ziehen wir gleich noch weiter auf den Kiez?«, fragte Georg.

»So kommen wir doch in keinen Club«, antwortete ich und deutete auf unsere Klamotten. Wir waren für den Dom mit unseren sportlich-legeren Outfits zwar passend angezogen, aber nicht für Clubs.

»Dann ab nach Hause und dort wieder treffen?«, schlug er vor. Ich schaute fragend in die Runde.

»Ich wäre dabei«, antwortete Natalie.

»Was ist mit dir?«, fragte ich Jamie und erklärte ihm, was der *Kiez* ist.

»Klar, warum nicht.«

Also war es beschlossene Sache. Nachdem wir aus dem Riesenrad ausgestiegen waren, fuhren wir zurück und verabredeten uns für in etwa eineinhalb Stunden auf dem Kiez.

Ich plünderte meinen Schrank zuhause, ehe ich mich für einen kurzen schwarzen Lederrock und ein weißes Tanktop entschied, dazu hohe rote Stiefel und eine kurze Lederjacke.

»Mom, ich bin noch mal los«, rief ich ihr beim Herausgehen zu. Ehe sie widersprechen oder Fragen stellen konnte, knallte die Tür schon ins Schloss.

Draußen stand bereits Jamie und wartete auf mich. Wie zur Hölle war der so schnell fertiggeworden und hierhergefahren?

Er trug dunkle Jeans, ein dunkles Shirt, schicke Sneaker und seine Lederjacke. Ich musste lachen, als er bei meinem Anblick anerkennend pfiff. Ohne arrogant oder eingebildet klingen zu wollen, wusste ich, dass ich in dem Outfit heiß aussah. Dennoch war ich Komplimenten gegenüber nicht abgeneigt.

»Sexy«, sagte er grinsend. »Und gewagt.«

»Danke«, erwiderte ich selbstsicher grinsend, denn es war eines meiner Lieblingsoutfits zum Feiern.

»Passender Lippenstift zu den Stiefeln?«, fragte er. Wie aufmerksam er doch war!

»Klar, was denn sonst«, antwortete ich lachend und hakte mich bei ihm unter. Wir fuhren mit der Bahn und mussten unterwegs einmal am Hauptbahnhof umsteigen. Auf der Reeperbahn angekommen, winkten Georg und Natalie schon von weitem. Georg trug komplett schwarz und sah wirklich gut aus und Natalie … – da verschlug es mir die Sprache. Georg hatte sich echt eine supernette und hübsche Freundin ausgesucht. Sie hatte ihre braunen Haare zu einem hohen Zopf zusammengebunden und trug ein eng anliegendes silbernes Kleid mit schwarzen Ankleboots. Ihr Make-up ähnelte meinem.

»Du siehst mega aus!«, sagte ich zu ihr.

»Danke, du auch. Echt sexy, die roten Stiefel!«

Ich bedankte mich ebenfalls. Ich mochte Natalie jetzt schon sehr gern.

Wir gingen in einen der Clubs und kamen sehr schnell herein, da wir direkt an der protestierenden Schlange vorbei gewunken wurden.

Die Musik dröhnte laut durch den Club und die aufgedrehten Bässe ließen den Boden vibrieren. Der Club war gut besucht und der DJ spielte aktuelle Hits.

Ich zog Natalie direkt mit auf die Tanzfläche.

Wir tanzten ausgelassen zum Rhythmus der Musik. Ich ließ in diesem Moment alles hinter mir und vertraute auf die allzu oft gehörten Worte der anderen. *Alles wird gut werden!* Und im Moment konnte ich sowieso nichts an der Situation ändern. Warum also nicht einfach die Sorgen für ein paar Stunden vergessen und Spaß haben? Natalie und ich ließen die Hüften kreisen und ich sah aus dem Augenwinkel die Jungs, die zu uns herübersahen. Ich grinste Georg und Jamie zu und hätte zu gern gewusst, was sie einander zuraunten.

Als andere Typen uns antanzten, waren die beiden dann aber doch schneller als wir gucken konnten auf der Tanzfläche und machten ihnen eine klare Ansage. Natalie und ich sahen uns lachend an. Wir wären auch allein mit ihnen klargekommen. Dennoch fand ich es irgendwie süß von den beiden.

»Eifersüchtig?«, ärgerte ich Jamie und bereute den Satz sogleich. »Tut mir leid. Das war dumm von mir.«

»Vielleicht.« Seinen Gesichtsausdruck konnte ich dabei nicht deuten.

Ich konnte nicht einschätzen, was Jamie momentan für Gefühle mir gegenüber hatte. Ob er immer noch etwas für mich empfand oder wirklich nur noch ein guter Freund sein wollte ... Aber ich muss gestehen, dass er mir langsam wirklich ans Herz gewachsen war und ich nicht wollte, dass er wieder zurückflog. Ohne mich ... Allein, dass er aus den USA eingeflogen war, um für mich da zu sein, sagte so viel über ihn und sein gutes Herz aus. Ich begann mich zu fragen, ob ich damals nicht einen großen Fehler gemacht hatte ...

»Woran denkst du?«, rief Jamie gegen die Musik an und riss mich aus meinen Gedanken.

»Hmm?«

»Du hast aufgehört zu tanzen ... Ich wollte wissen, woran du denkst.«

»Ob ich einen Fehler gemacht habe«, antwortete ich und versuchte die Musik mit meiner Stimme zu übertönen.

»Was für einen Fehler?«, wollte Jamie wissen. Ich kam mir komisch vor, auf der Tanzfläche zu stehen, ohne zu tanzen, also reichte ich ihm meine Hand und begann wieder zu tanzen. Er schaute mich noch immer fragend an, bewegte sich aber auch allmählich wieder zur Musik.

»Mit uns!« Ich hatte es ausgesprochen, bevor ich drüber nachgedacht hatte und nun hatte ich Angst vor seiner Reaktion.

»Was meinst du?«, wollte Jamie wissen.

»Ich habe mich gefragt, warum ich dich so sehr für den Kuss gehasst habe. Ich wollte keine Gefühle für dich haben, weil du mein bester Freund warst ... Ich hab' mir da also nie Gedanken drüber gemacht, ob auch mehr zwischen uns sein könnte ... Du hast es nicht verdient, dass du so behandelt wurdest!« Ich hatte keine Ahnung, ob er auch nur ein einziges Wort bei der Lautstärke verstand.

»Und jetzt?«, fragte Jamie in seiner direkten Art.

»Und jetzt ...«, sagte ich, während ich einen Schritt auf ihn zu machte, »glaube ich, dass ich verdammt dumm war.«

Ich schaute ihn an und wartete auf eine Reaktion. Ich wollte ihm die Möglichkeit geben, auf Abstand zu gehen, wenn es das war, was er wollte.

Es ertönte der Song *Meant to be* von Bebe Rexha und Florida Georgia Line. Ich liebte den Song und als ob der DJ gewusst hatte, dass der Song perfekt unsere Story beschrieb, spielte er ihn.

Ich sang Bebes Part mit.

»Wirklich jeden Song, oder?«, fragte Jamie kopfschüttelnd.

»Jap.«

Nun war es Jamie, der ein Stückchen dichter kam. Ich legte meine Arme um seinen Nacken und bewegte mich weiter zur Musik. Jamie legte seine Hände auf meine Hüfte und bewegte sich mit mir. Unsere Gesichter waren nun nur noch wenige Zentimeter voneinander entfernt. Mein Herz raste wie wild, als ich mich dazu entschloss, ihn zu Küssen und mit allen Konsequenzen, die es mit sich brachte, zu leben. Nun war ich diejenige, die Angst vor der Zurückweisung hatte. Doch Jamie wies mich nicht zurück. Im Gegenteil: Er zog mich dichter zu sich heran und erwiderte meinen Kuss. Aus diesem erst zögerlichen Kuss wurde ein immer sehnsüchtigerer. Ein Gefühl von Wärme erfüllte meinen Körper, während unsere Lippen sich aufeinander bewegten.

»Hey, wir holen uns was zu trinken, wollt ihr auch etwas?«, holte Natalie uns ins Hier und Jetzt zurück.

»Ehm, ja, ich würde auch was nehmen«, sagte ich. Ich fühlte mich etwas ertappt.

»Ich auch.«

Ich griff nach Jamies Hand und folgte Natalie zu Georg, der bereits an der Bar stand.

»Ich werde einfach nicht beachtet«, murrte er.

»Lass mich mal«, meinte ich lachend und schob ihn beiseite.

»Hey, vier Whisky-Cola bitte!«, rief ich dem Barkeeper zu.

»Sehr gerne.«

»So ein …«, brummte Georg.

»Sorry«, lachte ich, denn ich wusste, dass man als Frau doch deutlich schneller die Aufmerksamkeit bekam. Ich schob die Gläser zu den anderen herüber und bezahlte.

»Auf einen unvergesslichen Abend und tolle Freunde«, sagte ich und hob mein Glas.

»Auf den Abend und tolle Freunde!«, echote der Rest, während wir anstießen. Ich kippte den Drink herunter und zog Jamie zurück auf die Tanzfläche.

Wir tanzten noch bis in die frühen Morgenstunden. Natalie und Georg hatten sich auch wieder zu uns gesellt. Ich hatte nicht gewusst, dass Jamie so ein guter Tänzer war, denn bisher hatten wir nur einmal an Silvester – auf der verhängnisvollen Party bei Kyle – zusammen getanzt. Ich tanzte vor ihm, während er sich von hinten an mich schmiegte und seine Hände auf meiner Hüfte lagen. Ich bewegte mich im Rhythmus der Musik und genoss den Moment der Normalität.

Bis spät in die Nacht tanzten wir. Doch dann fuhren wir mit der Bahn zurück. Am Hauptbahnhof verabschiedeten wir uns von Georg und Natalie, denn sie mussten in die andere Richtung. Jamie kam noch mit mir mit.

Vor dem Gartentor blieb ich stehen.

»Kommst du mit rein?«, fragte ich ihn. »Meine Mom ist schon wieder los, bevor wir wach sind. Sie bringt Ella übers Wochenende zu Oma.«

»Wenn du willst.«

»Idiot, hätte ich sonst gefragt? Spar dir das Geld fürs Hotel, bei uns ist wirklich genug Platz.«

»Aber nur, wenn es wirklich niemanden stört.«

»Quatsch! Mom arbeitet eh die meiste Zeit. Wenn es dich beruhigt, frage ich sie später.«

»Mach das.«

»Also kommst du nun mit rein?«, fragte ich.

»Ja.«

Ich griff nach seiner Hand und zog ihn hinter mir her.

»Wehe, du weckst jemanden. Meine Mutter bringt mich um, wenn sie mich in dem Outfit sieht!«, ermahnte ich ihn. Er grinste schelmisch. Mom erlaubte mir einiges, aber das Freizügige sah sie nicht gerne.

Ich hinterließ ihr einen Zettel auf dem Küchentresen, dass ich heil zurück war und ihr und Ella einen schönen Tag wünschte. Dann schlich ich leise mit Jamie in mein Zimmer, wo ich vorsichtig die Tür hinter uns schloss. Dann ließ ich mich todmüde auf mein Bett fallen und zog die Stiefel aus.

»So sehr ich sie liebe, sie killen mich jedes Mal«, lachte ich. Jamie hatte inzwischen seine Jacke ausgezogen und über meinen Schreibtischstuhl gelegt. Daneben hatte er ordentlich seine Schuhe abgestellt.

»Vorbildlich«, meinte ich lachend und zog anerkennend eine Augenbraue hoch.

»Kann man von dir nicht gerade sagen«, antwortete er und deutete auf meine Stiefel, die ich achtlos in den Raum geschmissen hatte.

»Verbring du erstmal eine ganze Nacht in den Dingern.« Ich setzte mich auf und zog meine Jacke aus. »Sieh hin: Ich hänge sie auch ganz vorbildlich in den Schrank.«

Ich ging hinüber zu meinem Schrank und hängte sie auf einen Bügel, auf dem Weg hatte ich die Schuhe eingesammelt und stellte sie zu den anderen.

»Siehst du? Gar nicht so schwer«, neckte Jamie mich.

Ich verdrehte die Augen und verschwand mit meinen Schlafsachen im Badezimmer. Ich machte mich bettfertig, putze mir die Zähne und schminkte mich ab.

»Auf welcher Seite schläfst du? Oder willst du im Gästezimmer schlafen?«, fragte ich Jamie, als ich aus dem Bad kam.

»Ich schlafe da, wo du Platz für mich lässt.«

»Gut, dann schläfst du links.«

»Soll mir recht sein.«

»Ich habe dir eine frische Zahnbürste und ein Handtuch im Bad zurecht gelegt.«, sagte ich.

Jamie bedankte sich und verschwand dann ebenfalls kurz im Bad. Als er zurück kam zog er sein Shirt aus und legte es ebenfalls über den Stuhl, darüber ordentlich die Hose und die Socken. Man, mir war nie aufgefallen, wie ordentlich er war.

Er legte sich wie »befohlen« auf die linke Seite und deckte sich zu. Ich schaltete das Licht aus und legte mich zu ihm ins Bett.

Ich drehte mich zu ihm herum und sagte: »Danke für den schönen Abend, ich hatte wirklich Spaß.«

»Ich auch.«

»Ich hab dich echt vermisst.«, gestand ich ihm.

»Ich dich auch.«, antwortete Jamie und kam ein Stück näher. Er hielt inne und zögerte. Ich konnte es ihm nicht verübeln, nachdem ich erst jetzt meine Meinung geändert hatte. Ich kam ihm also das letzte Stück entgegen und küsste ihn. Er nahm mein Gesicht in seine Hand und erwiderte den Kuss. Ich kam noch ein Stückchen näher und küsste ihn leidenschaftlicher. Unsere Küsse wurden immer leidenschaftlicher und drängender. Sie steckten voller Verlangen. Meine Hand wanderte über seinen nackten trainierten Oberkörper, während seine Lippen sanft über meinen Hals streiften und ihn mit Küssen übersäten. Ein leises Seufzen kam mir über die Lippen. Jamies Hände wanderten unter mein Schlaftop und zogen es mir aus. Er bedeckte nun mein Dekolleté mit Küssen, dann wanderte er sanft mit seinen Lippen meinen Bauch abwärts. Eine Gänsehaut breitete sich auf meinem Körper aus und ich würde noch den Verstand verlieren, wenn seine Lippen noch weiter abwärts wandern würden, was sie dann auch taten. Er zog mir meine Hose aus und bedeckte nun meine Innenschenkel mit Küssen. Das Verlangen war kaum noch auszuhalten. Mein Rücken bog sich ihm entgegen, während er mit seinen Lippen wieder aufwärts wanderte und meinen Intimbereich liebkoste. Ich versuchte ein Stöhnen zu unterdrücken, damit uns keiner hörte. Heilige .... Mir lief ein Schauer durch den Körper. Lange hielt ich das nicht mehr aus. Ich griff in seine Haare und biss mir auf die Unterlippe, um nicht laut los zu stöhnen, während er mit seiner Zunge weiter machte. Ich zog ihn zu mir hoch und küsste ihn voller Verlangen. Seine Zunge drang in meinen Mund ein und umspielte meine Zunge. Es waren keine sanften Küsse mehr, sie waren wild und leidenschaftlich. Reine Begierde lag in ihnen.

»Hast du …«, fragte ich keuchend zwischen den Küssen.

Jamie nickte und löste sich von mir. Widerwillig ließ ich es zu. Er streckte sich nach seiner Jeans aus und holte ein Kondom aus der Hosentasche. Ich hörte das Päckchen knistern und kurz darauf war er wieder bei mir. Ich zog ihn wieder zu mir heran und küsste ihn sehnsüchtig weiter. Er stützte sich mit seinen trainierten Oberarmen neben mir ab und drang in mich ein. Schon kurze Zeit später wurden seine Bewegungen schneller und er drang noch tiefer in mich ein. Unsere Körper bewegten sich im Einklang miteinander. Ich vergrub meine Fingerspitzen in seinem Rücken. Pure Lust erfüllte meinen Körper. Auch Jamie entfuhr ein leises Stöhnen, welches ich mit einem Kuss erstickte.

Während wir kamen wurden unsere Bewegungen abgehackter, bis er sich schließlich neben mich fallen ließ. Außer Atem lag ich bloß grinsend neben ihm. Seine trainierte Brust hob und senkte sich schnell. Mein Herz raste noch immer.

»Das war unglaublich«, sagte ich noch immer außer Atem, während ich mich zu ihm drehte. Jamie stimmte mir ebenfalls außer Atem zu und küsste mich noch einmal innig.

Wir lagen noch eine Weile so da, ehe ich mir meine Sachen überzog und kurz im Bad verschwand. Kopfschüttelnd, aber grinsend sprang ich kurz unter die Dusche. Schon bald umhüllte mich der herrliche Duft meines Shampoos. Das warme Wasser ran an meinem Körper hinunter, während meine Gedanken um die letzten Minuten kreisten.

Ich drehte das Wasser ab und wickelte mir ein Handtuch um die Haare und ein anderes um den Körper. Leise schlich ich zurück in mein Zimmer, wo ich mir frische Unterwäsche und einen frischen Pyjama aus Satin anzog.

Ich schaute glücklich zu Jamie herüber, der aufgerichtet in meinem Bett saß und ebenfalls grinsend zu mir schaute. Lächelnd kroch ich zu ihm ins Bett und deckte mich zu.

»Ich würde auch kurz mal im Bad verschwinden.«, sagte er.

»Wenn du was brauchst, bedien dich einfach.«

Während Jamie kurz im Bad war, machte ich es mir schon einmal im Bett bequem. Ich musste gähnen, es war wirklich ein langer Tag gewesen.

»Gute Nacht«, wünschte ich ihm, als er zurück zu mir ins Bett kam und gab ihm einen Gute-Nacht-Kuss, den er erwiderte. Jamie legte einen Arm um mich und wünschte mir ebenfalls eine gute Nacht.

Es dauerte keine fünf Minuten, bis ich glücklich eingeschlafen war.

Es war bereits Mittag, als wir aufwachten. Ich drehte mich auf die Seite zu Jamie um, der mich mit verwuschelten Haaren und verschlafenen Augen angrinste.

»Guten Morgen«, sagte er und streckte sich.

»Guten Morgen. Gut geschlafen?«

»Ja, sehr gut sogar.«

»Das freut mich«, erwiderte ich.

Jamie zog mich zu sich herüber und küsste mich. Ich lag noch eine Weile in seinen Armen, bevor wir aufstanden und runter in die Küche gingen, um etwas zu essen.

Ich backte ein paar Brötchen auf und machte uns zwei Latte Macchiato. Während wir darauf warteten, dass die Gläser voll liefen, standen wir eng umschlungen in der Küche.

»Wollen wir draußen essen?«, fragte ich schließlich, denn die Sonne schien herrlich zum Fenster herein.

»Können wir gerne machen. Kann ich dir beim Heraustragen helfen?«

»Ja, warte. Wir haben hier irgendwo ein Tablett stehen«, meinte ich und suchte danach. Ich fand es schließlich in einem der Schränke und legte Aufschnitt, Geschirr, Besteck und die fertigen Brötchen darauf. Er nahm das Tablett, ich die Getränke.

Jamie und ich setzten uns auf die Terrasse und frühstückten bei bestem Frühlingswetter, dass sich mit angenehm warmen achtzehn Grad und Sonnenschein wirklich sehen lassen konnte. Vögel zwitscherten und die Sonnenstrahlen wärmten uns.

Lächelnd schaute ich zu ihm rüber.

Jamie nahm einen Schluck von seinem Latte Macchiato, ehe er

mich ebenfalls lächelnd anschaute und sagte: »Komm zurück mit mir.«

Ich schaute ihn überrascht an.

»Komm mit zurück, Tay. Beende mit mir zusammen die Uni.«

»Aber …« Ich seufzte. Ich wollte nichts mehr als das, aber ich konnte meine Familie nicht in dieser Situation zurücklassen und ich wusste nicht, ob die Uni mich schon zurücknehmen würde und wie es überhaupt in LA weitergehen würde. War inzwischen genug Zeit vergangen oder würde man mich direkt wieder belagern? Würde mir jemand aus der Filmbranche noch eine Chance geben oder hatte mein Ruf schon zu viel Schaden genommen?

»Ich würde so gerne, das weißt du …«, sagte ich traurig »Aber ich bin nicht sicher, ob es der richtige Zeitpunkt ist …«

»Du wirst es nicht wissen, wenn du es nicht probierst.« Jamie nahm meine Hand. »Denk wenigstens drüber nach.«

Ich schaute ihn bloß aus traurigen Augen an. Es gab nichts, was ich mehr wollte. Ich wollte ihn nicht schon wieder gehen lassen, wollte mir meinen Traum von LA nicht nehmen lassen. Meine Augen füllten sich mit Tränen.

»Nicht weinen«, sagte er beschwichtigend und kam um den Tisch herum, um mich in die Arme zu schließen. »Ich stehe an deiner Seite, hörst du? Egal was passiert!«

Verdammt, ich wollte nicht weinen, aber wollte ich meine Familie oder mich selbst im Stich lassen?

»Hallo«, rief plötzlich meine Mom aus dem Haus. Sie kam zu uns heraus auf die Terrasse. »Ist alles in Ordnung?«, fragte sie besorgt.

»Ja, alles gut«, erwiderte ich und wischte mir die Tränen weg.

Mom schaute uns skeptisch an.

»Soll ich lieber gehen?«, fragte Jamie.

»Nein«, sagte ich entschlossen. Meine Mom wartete immer noch darauf, dass jemand sie aufklären würde.

»Jamie hat mich bloß gefragt, ob ich mit ihm zurückkomme …«, sagte ich. Ich kämpfte gegen meine Gefühle an.

»Und?«, fragte meine Mom verwirrt.

»Ich will nichts mehr als das, aber ich kann euch doch jetzt nicht im Stich lassen«, sagte ich verzweifelt.

»Du lässt hier doch niemanden im Stich, mein Schatz!«, antwortete meine Mom entschieden. »Du kannst nichts an der Situation ändern. Papa kommt schon klar. Wenn du zurück nach Los Angeles willst, dann geh. Ich stehe dir nicht noch einmal im Weg.«

Überwältigt stand ich auf und fiel meiner Mom erleichtert um den Hals. Die Tränen liefen hemmungslos über mein Gesicht.

»Danke!«

»Denk jetzt an dich. Du bist mitten in deinem Studium, für das du so hart gearbeitet hast. Beende es. Ich halte dich in der Zwischenzeit auf dem Laufenden. Versprochen.«

»Danke«, wiederholte ich bloß und hoffte, dass man mich überhaupt an der Uni zurücknehmen würde.

»Wie war denn euer Abend?«, fragte meine Mom schließlich.

»Gut«, erwiderte ich und schaute Jamie verschwörerisch an. Er grinste zurück. Die Bilder in meinem Kopf verdrängte ich lieber schnell.

»Ach so, Mom?«, fragte ich dann noch.

»Ja?«

»Kann Jamie bis zur Abreise bei uns bleiben?«

»Klar. Es spricht nichts dagegen.«

»Danke schön«, bedankte ich mich. »Dann können wir ja später deine Sachen abholen«, meinte ich an Jamie gewandt.

Und so war es dann auch beschlossene Sache.

Wir räumten den Frühstückstisch ab und im Anschluss schrieb ich eine Mail an die UCLA und erkundigte mich, ob ich zurückkommen könne.

Ich klappte meinen Mac zu und machte mich fertig, damit wir loskonnten.

»Tschüss, Mom«, rief ich noch, bevor wir das Haus verließen und zu dem Hotel fuhren, in dem Jamie zurzeit wohnte.

Er packte seinen Koffer, wovon ich ihn ein wenig abhielt, denn ich bedeckte seine Lippen immer wieder mit Küssen.

»Tay, was wird das?«, fragte er, als ich ihn mit mir zu dem Hotelbett zog.

»Was wird was?«, fragte ich gespielt unschuldig und setzte mich auf seinen Schoß. Mit um seinen Nacken gelegten Armen küsste ich ihn verlangend weiter.

»Ich nutze nur die Gelegenheit …«, grinste ich unverschämt.

»Erst nichts von mir wissen wollen und jetzt die Finger nicht von mir lassen können«, zog Jamie mich auf.

»Outch.«, sagte ich gekränkt.

Er strich eine meiner Haarsträhnen hinters Ohr und legte seine Arme um mich.

»Du weißt, dass das so nicht gemeint war.«

»Ich habs ja nicht anders verdient.«, sagte ich und er hatte ja auch recht.

»Tut mir leid, ich wollte dich nicht kränken.« , sagte Jamie entschuldigend.

»Alles gut.«, sagte ich und stand auf. Jamie folgte mir und griff nach meiner Hand.

»Hey, sei bitte nicht sauer auf mich.«

»Bin ich nicht. Wirklich nicht.«

»Sicher?«, fragte Jamie.

»Ja, ich bin mir sicher. Nun pack schon deine Sachen zu Ende.«

Jamie packte also seine Sachen zu Ende und ich war ein wenig gekränkt wegen der indirekten Abfuhr, auch wenn ich ihm glaubte, dass er es nicht böse gemeint hatte.

Er nahm meine Hand, nachdem er sich versichert hatte, dass er alles hatte. Gemeinsam fuhren wir mit dem Aufzug herunter.

In der Lobby checkte er aus und hatte Glück, dass er nur noch für heute Zahlen musste, weil sie so viele Anfragen hatten.

»Kann ich es mit 'nem Kaffe wieder gut machen?«, erkundigte sich Jamie, dem meine Laune wohl doch nicht entgangen war. Ich nickte bloß.

Wir setzten uns also ins nächste Kaffee, wo wir uns beide einen großen Kaffee bestellten und wo meine Laune sich allmählich wieder aufhellte.

Im Anschluss fuhren wir zu mir nach Hause, wo Jamie sein Gepäck in mein Zimmer brachte und wir uns anschließend in den Garten setzten.

Später kam Ella noch dazu, die etwas Schaukelte.

Gemeinsam mit Mom und ihr aßen wir zu Abend, da Daniel noch in seinem Restaurant zu tun hatte. Es war schön, gemeinsam zu essen und sich ausgelassen zu unterhalten.

Nach dem Essen, verabschiedete sich Ella ins Bett und Mom folgte ihr. Ich räumte mit Jamie den Tisch ab, ehe wir auch rein gingen und etwas den Unistoff büffelten, den wir versäumt hatten.

»Kommt es mir nur so vor oder ist es verdammt viel, was wir nachzuholen haben?«, seufzte ich irgendwann.

»Nein, es kommt dir nicht nur so vor …«, seufzte auch Jamie.

Wir lernten noch circa eine Stunde, bevor auch wir beschlossen, uns Bettfertig zu machen.

Gerade, als ich es mir in meinem Bett gemütlich gemacht hatte und eigentlich noch etwas Lesen wollte, kündigte mein Handy eine hereingekommene E-Mail an. Sie war von der Uni. Nervös öffnete ich sie und las sie schnell durch. Mir viel ein Stein vom Herzen, dass man mir die Genehmigung gab zurückzukommen, obwohl es noch keine offizielle Klärung gibt. Die Presse hatte sich aber verzogen und der normale Alltag war in LA wieder eingekehrt. Unter Vorbehalt durfte ich also zurückkehren.

Ungläubig informierte ich Jamie darüber, der die E-Mail ebenfalls erstmal las. Glücklich fiel ich ihm um den Hals.

»Das ist doch super, dann kannst du mit mir gemeinsam zurück kommen!«, freute sich auch Jamie riesig. Ich konnte mein Glück kaum fassen und bekam langsam wieder etwas Hoffnung, dass sich alles zum Guten wenden würde.

Sofort schickte ich April die guten Neuigkeiten und sie freute sich riesig für mich und konnte es kaum abwarten uns beide wiederzusehen.

Kapitel 19

Da standen wir zwei nun ein paar Tage später mit gepackten Koffern am Flughafen und warteten auf den Check-in. Ich war überglücklich, dass die Uni mir ihr *Okay* gegeben hatte, obwohl sich noch immer nichts endgültig geklärt hatte.

»Bereit?«, erkundigte sich Jamie.

»Ja.«

Endlich waren wir an der Reihe und checkten ein. Dann ging es weiter zum Security-Check und in den Wartebereich für Flugreisende.

Ich stand am Aussichtsfenster und schaute gedankenverloren auf die Startbahn. Unser Flugzeug stand bereits da. Wir hatten einen langen Flug vor uns. Durch die Spiegelung sah ich, dass Jamie zu mir kam. Er legte seine Arme von hinten um mich und drückte mich fest an sich.

»Ich bin so froh, dass du mit mir zurückkommst«, flüsterte er und küsste mich auf den Hinterkopf.

»Und ich erst.«

Ich hatte meinen Dad noch einmal besucht, bevor wir nun zurückflogen, um mich davon zu überzeugen, dass es ihm gut ging und um mich zu versichern, dass es wirklich richtig war, wieder zurück nach LA zu gehen. Er hatte mir versichert, dass alles gut sei. Also stand ich nun hier. Auch wenn mir der Abschied von meiner Familie schwergefallen war.

Ich schaute weiter aus dem Fenster, verfolgte mit meinem Blick die startenden Flugzeuge und malte mir aus, wohin sie flogen und was die Leute wohl vorhatten. Flughäfen hinterließen bei mir immer das Gefühl von Neuanfängen, Reisen, Zielen und traurigen oder glücklichen Geschichten der Reisenden. Die einen starteten in ein neues Leben oder Abenteuer, waren aufgeregt und freuten sich, andere wiederum ließen ihre Liebsten zurück und waren zutiefst traurig.

Wieder andere freuten sich auf ihre Liebsten mehr als auf alles andere … Jeder hier hatte seine ganz eigene bewegende Geschichte und wir sahen nur einen Bruchteil von ihr.

Wir setzten uns und ich reichte Jamie einen meiner Kopfhörer. Meine Playlist lief und ich lehnte mich bei ihm an, während wir aufs Boarding warteten.

Nach einer gefühlten Ewigkeit wurde schließlich unser Flug aufgerufen. Wir gingen an Board und suchten unsere Plätze. Das Handgepäck war verstaut und wir machten es uns bequem.

Der erste Flug ging bloß bis Paris Charles de Gaulle, wo wir einen zweistündigen Zwischenstopp haben würde, ehe es endgültig zurück nach Los Angeles weiterging.

Wir teilten uns meine Kopfhörer und hörten Musik, sobald das Flugzeug abgehoben war.

Zum Glück hatten wir gutes Wetter und klare Sicht, sodass wir beim Landen von oben auf Paris herunterschauen konnten. Am Flughafen angekommen setzten wir uns in ein Flughafencafé und bestellten uns etwas zu trinken und einen Snack.

Vor dem Check-in für den Anschlussflug nach LA musste ich noch schnell auf die Toilette. Lieber auf dem Flughafen als direkt auf die winzige Flugzeugtoilette.

Im Flugzeug verstauten wir erneut unser Handgepäck und machten es uns wieder bequem. Jamie holte sein Tablett heraus, nachdem die Stewardessen ihre Sicherheitsanweisungen vorgetragen hatten. Wir schauten uns den neuesten Teil von *The Fast and the Furious* an. Damit vertrieben wir uns in etwa die ersten zwei Stunden des Fluges. Im Anschluss las ich mich in das aktuelle Vorlesungsmaterial hinein, welches April mir geschickt hatte und versuchte es zu verstehen.

Beim Lernen wurde ich von einer der Stewardessen unterbrochen, die uns das ausgewählte Mittagessen brachte und fragte, was wir zu trinken haben wollten.

Ich machte also erst einmal eine Pause und aß mit Jamie zusammen das Essen, welches besser schmeckte als erwartet.

»Gucken wir noch einen Film?«, fragte Jamie, nachdem die Essenstabletts abgeräumt waren.

»Ja, ich hab' genug vom Unikram«, seufzte ich augenrollend.

Jamie grinste: »Kann ich mir vorstellen.«

Anstatt zu lernen, schauten wir also den nächsten Film, bis wir in LA landeten und ich nervös wurde. Jamie bemerkte es und nahm meine Hand.

»Alles wird gut laufen.«

Ich schaute ihn dankbar an und verließ mit ihm zusammen das Flugzeug. Wir warteten auf unser Gepäck, das lange auf sich warten ließ.

»Back in LA«, sagte ich beschwingt, als wir den Flughafen verließen und uns herrlichstes Wetter begrüßte.

Jamie war bester Laune und machte ein Foto von uns.

»Auf einen Neuanfang«, sagte Jamie und legte einen Arm um mich.

Mit dem Taxi fuhren wir ins Wohnheim, wo wir uns voneinander verabschiedeten, um unsere Koffer auszupacken. Der Jetlag saß einem wieder ordentlich in den Knochen. Doch wie es so schön hieß: nicht nachgeben und wach bleiben.

Ich hatte ausgepackt und schrieb April, dass wir gut angekommen waren, dann schrieb ich Jamie.

Ich: *Verrückte Idee: Kommst du mit ins Tattoo-Studio?*

Ich setzte mich und wartete auf eine Antwort, die nicht lange auf sich warten ließ.

Jamie: *Was hast du vor?*

Ich: *Ein LA-Tattoo.*

Ich wartete auf seine Antwort und dachte, dass er mich sicher für total bescheuert hielt, weil er nicht antwortete. Stattdessen klopfte es wenig später an der Tür.

»Bin bereit«, sagte Jamie, als ich öffnete.

Also fuhren wir zwei Verrückten mit den Rädern ins Tattoo-Studio, wo ich mir LA mit einem kleinen Herzen hinters Ohr tätowieren ließ. Es sah einfach klasse aus.

»Was hältst du von einem Dreamer-Tattoo dazu?«, fragte Jamie.

Ich schaute ihn verwundert an.

»Ein Tattoo, dass uns daran erinnert, was wir wollen und dass wir immer unseren Weg dahin zurückfinden. Und weil du doch meine kleine Träumerin bist«, fuhr er enthusiastisch fort. »Einen Kompass vielleicht?«

Der Tätowierer hörte ihm zu und nahm sich seinen Skizzenblock. Er zeichnete je einen halben Kompass, bei der linken Hälfte war der Strich für den Süden verlängert und über ihm stand *DREAMER*, bei der rechten Hälfte war der Strich für den Norden verlängert und darüber stand ebenfalls *DREAMER*. Er hob den Block und zeigte Jamie die Zeichnung.

»Das sieht supercool aus. Aber können wir da noch was hinzufügen?«

»Klar«, erwiderte der Tätowierer.

Jamie überlegte einen Moment, bevor er darum bat, die Koordinaten von Los Angeles in die Kompasshälften einzufügen.

»*No matter what, no matter where?*«, überlegte ich laut.

Erneut hob der Tätowierer den Skizzenblock hoch und ließ uns an seiner Vorstellung teilhaben. Nun hatte er in den Ringen um den Kompassstern die Koordinaten 34° 3'N 118° 15'W hinzugefügt und bei der linken Hälfte unter dem verlängerten Strich das *No matter what* hinzugefügt und auf der rechten Hälfte *no matter where*.

»Ich finde es perfekt!«, rief ich begeistert.

»Also tun wir's?«, fragte Jamie.

»Tun wir's«, sagte ich entschlossen. Wie verrückt waren wir bitte, dass wir ganz spontan ein matchendes Tattoo entworfen hatten und es uns nun stechen lassen wollten.

»Da habt ihr Glück, dass mir heute noch jemand abgesprungen ist«, meinte der Tätowierer. »Wer von euch fängt an und wer will welche Hälfte?«

»Ladys first, du sitzt ja eh schon auf dem richtigen Platz«, sagte Jamie.

»Kein Problem, ich nehme die rechte Seite«, entgegnete ich selbstsicher und hielt dem Tätowierer meinen Arm hin.

»Auf den Arm also?«, fragte der Tätowierer.

»Ich denke schon, was meinst du?«, fragte ich an Jamie gewandt.

»Hätte ich jetzt auch gesagt.«

Der Tätowierer übertrug die Skizze also auf eine Transferfolie und legte sie auf.

»Passt es so?«, fragte er. Ich nickte und er begann mit dem Stechen. Als das Tattoo fertig war, tauschte ich mit Jamie den Platz.

»Das ist echt mega geworden«, bestaunte ich das zweite Tattoo begeistert. »Wehe du machst jetzt einen Rückzieher«, mahnte ich Jamie danach, doch der hielt dem Tätowierer bereits seinen Arm hin und bekam die linke Hälfte des Tattoos gestochen.

Schließlich war auch er fertig. Es war ebenso wie meine Hälfte super geworden. Leicht geschwollen und gerötet, aber das war ja normal.

»Machst du ein Foto davon?«, fragte Jamie unseren Tätowierer.

»Klar, wenn ihr Lust habt, markiert uns auf Insta.«

Er machte ein Foto, wie wir stolz unsere Tattoohälften in die Kamera hielten und noch eines von meinem kleinen Tattoo hinter dem Ohr.

Wir bedankten uns und zahlten, nachdem die Tattoos gut mit Folie abgedeckt waren und wir ermahnt wurden, die Stellen die nächsten Tage vor Wasserkontakt zu schützen.

»Bekomme ich auch noch ein Erinnerungsfoto?«, fragte der Tätowierer und zeigte auf eine Wand mit Promifotos, die bereits Kundschaft hier gewesen waren.

»Selbstverständlich«, antwortete ich und er holte eine Polaroidkamera hervor. Ein Mitarbeiter machte ein Foto von uns dreien und im Anschluss verabschiedeten wir uns.

»Haben wir das gerade echt gemacht?«, fragte ich lachend, als wir wieder draußen waren.

»Das bleibt jetzt wohl für immer«, grinste Jamie.

»Für immer«, wiederholte ich und meinte es ernst. Ich wollte Jamie nicht noch einmal verlieren und ich fühlte mich noch immer schlecht, dass ich so blöd gewesen war und nicht gesehen hatte oder nicht sehen wollte, wie perfekt er zu mir passte. Jamie hatte diese Art an sich, die es einem kaum möglich machte, in seiner Gegenwart schlechte Laune zu haben oder sich unwohl zu fühlen. Er gab einem immer das Gefühl, wichtig zu sein.

»Ich hab' den Strand vermisst«, sagte ich. »Lass uns hinfahren.«

»Sollten wir die frischen Tattoos nicht etwas schonen?«

»Es ist Folie drum und ich wollte weder baden gehen noch mich im Sand wälzen«, antwortete ich.

»Nicht?«, lachte Jamie.

»Nope. Also?«

»Dann ab aufs Rad.«

Wir radelten die letzten Meter bis zum Strand hinunter, wo wir uns in den herrlich warmen Sand setzen und auf den Pazifik schauten. Im Wasser wurde geschwommen und gesurft, am Strand spielte eine Gruppe Beachvolleyball, andere wiederum sonnten sich oder joggten.

»Immer noch mein Lieblingsort«, seufzte ich und ließ mich in den Sand nach hinten fallen. Eine warme Brise wehte mir um die Nase und die warmen Sonnenstrahlen lösten ein Gefühl von Glück in mir aus.

»Danke, dass du mich zurückgeholt hast«, sagte ich, während ich meinen Kopf zu Jamie drehte. Er lag ebenfalls im Sand und schaute versonnen zu mir hinüber.

»Ohne dich fehlte was.«

Ich konnte noch immer nicht glauben, dass wir zwei uns gerade ein Partner-Tattoo hatten stechen lassen. Und ich wusste auch beim besten Willen nicht, wo wir nach dem Flug noch die Energie für das alles hergenommen hatten. Es war verrückter als beim ersten Mal in LA. Die Stadt schien auf einen abzufärben …

Am Abend fuhren wir zurück. Ich war wirklich erschöpft von der langen Reise und dem ereignisreichen Tag.

Vor Aprils und meinem Zimmer verabschiedete Jamie mich mit einem Gute-Nacht-Kuss und verschwand zu seinem Zimmer.

April fiel mir um den Hals, sobald ich durch die Tür war.

»Ich hab' dich so vermisst!«

»Ich dich auch«, antwortete ich.

»Zeig mal her«, sagte April, nachdem sie mich losgelassen hatte. »Ich habs in eurem Status gesehen. Ihr seid ja total verrückt!«

»Sind wir«, lachte ich.

Stolz präsentierte ich ihr meine neuen Tattoos.

»Die sehen mega gut aus!«

»Danke, ich finde sie sind wirklich super geworden.«

Auch wenn ich eigentlich nur noch schlafen wollte, erzählte ich April alles: von Deutschland, von meinem Dad, von Jamie. Dann machte ich mich erschöpft bettfertig und schlief glücklich ein.

Am nächsten Morgen wurde ich von meinem Wecker geweckt. Ich wollte nicht aufstehen und am liebsten weiterschlafen, aber ich hatte schon genug Vorlesungen verpasst. Also stand ich widerwillig auf und machte mich für die Uni fertig. April ging nach mir ins Bad. Ich nutzte die Zeit, um meiner Mom zu schreiben und meine Tasche zu packen.

»Kommst du? Wir müssen los«, rief ich nach April.

»Bin schon da«, sagte sie und schnappte sich ihre Tasche. Vor dem Wohnhaus stießen wir auf Paul und Jamie.

»Guten Morgen«, begrüßte Jamie uns und gab mir einen Kuss.

»Uuuuh«, raunte Paul. Ich lachte kopfschüttelnd und nahm meinen Latte Macchiato, den die beiden Jungs netterweise für April und mich besorgt hatten, dankend entgegen.

»Du bist der Beste«, meinte ich an Jamie gewandt.

»Das weiß ich doch.«

Ich nahm einen großen Schluck aus meinem Becher und spürte, wie der warme, süße Geschmack meinen Körper mit Leben füllte.

Zu viert gingen wir los.

Während der Vorlesungen hatte ich damit zu kämpfen, nicht einzuschlafen. Ich versuchte verzweifelt durchzuhalten und der Vorlesung zu folgen. Es war wirklich ein Kampf.

Nach dem gemeinsamen Mittagessen mit Paul, Jamie und April versuchte ich noch etwas zu lernen und mich auf die schon bald folgenden Klausuren vorzubereiten.

Kapitel 20

Einige Wochen waren inzwischen vergangen und endlich kamen die Nachrichten aus Deutschland, dass mein Dad mit einem blauen Auge davonkam, da sein Anwalt endlich beweisen konnte, dass sein Geschäftspartner Michael der Täter war. Mein Dad hatte nichts davon gewusst. Endlich konnte er freigesprochen werden. Ich war mehr als glücklich, dass dieser Alptraum endlich ein Ende hatte und ich mich wieder auf die Uni konzentrieren konnte.

Ich rief sofort meinen Dad an und wir telefonierten eine Weile, ehe er noch zu einem Termin mit seinem Anwalt musste. Es sollte geprüft werden, ob Michael, den man mittlerweile gefasst hatte, eine Entschädigung zahlen musste und wie er ihn aus der Firma schreiben lassen konnte. Nach dem Telefonat mit meinem Dad rief ich sofort Jamie an und berichtete ihm von den guten Neuigkeiten. Er freute sich riesig für mich.

Zur Feier des Tages ging unsere Vierer-Clique abends essen. Wir probierten ein nettes Restaurant in Downtown aus. Das Essen war großartig und es war ein klasse Abend. Die Stimmung war ausgelassen. Es war der erste Abend, den wir alle zusammen verbrachten, seit Jamie und ich zurück waren. Manchmal kam es mir so surreal vor, dass ich wieder hier in LA war und obwohl eigentlich alles beim Alten war, war es doch ganz anders. Wir waren die gleiche Clique wie zuvor, nur waren Jamie und ich nun zusammen und nicht mehr nur Freunde. Die Zeit dazwischen versuchte ich zu verdrängen. Ich war Jamie so unendlich dankbar für alles, was er für mich getan hatte, und dass er mich nicht aufgegeben hatte. Denn auch wenn ich eine wirklich schöne Zeit mit Mason hatte, hatte ich das Gefühl, dass es von vornherein Jamie und ich hatten sein sollen. Ich hätte es nur viel früher bemerken müssen und ihm eine Chance geben sollen.

»Auf Taylors Dad und darauf, dass wir das erste Jahr erfolgreich hinter uns gebracht haben«, rief April aus und riss mich aus meinen Gedanken.

Wir erhoben unsere Gläser und stießen an.

»Auf ein hammer zweites Jahr!«, fügte Paul hinzu.

»Auf uns«, sagte ich und schaute in die Runde. Mein Blick blieb bei Jamie hängen, der mich ebenfalls anschaute.

»Auf eine unvergessliche Zeit«, fügte er hinzu.

Wir saßen noch eine Weile zusammen im Restaurant, bevor Jamie sagte, dass wir losmüssten. Ich schaute ihn verwundert an.

»Haben wir noch was vor?«, fragte ich verwirrt.

»Ja«, meinte er nur geheimnisvoll und griff nach meiner Hand. Fragend schaute ich zu April und Paul, doch sie waren genauso überrascht wie ich.

»Dann euch noch einen schönen Abend«, grinste Paul.

Wir gingen zahlen und verließen anschließend das Lokal.

»Verrätst du mir auch, was wir noch vorhaben?«, fragte ich, an Jamies Auto angekommen.

»Wirst du noch früh genug sehen«, antwortete er und hielt mir galant die Beifahrertür auf. Ich stieg ein und schnallte mich an. Er kam ums Auto herum und startete den Motor. Wir fuhren durch die Stadt und schließlich aus dieser heraus. Aufgrund des regen Verkehrs kamen wir nur stockend voran. Ich nutzte die Zeit, um die beleuchteten Wolkenkratzer zu bestaunen. Es dämmerte bereits und das Nachtleben LAs erwachte allmählich. Wir fuhren am Elysian Park vorbei Richtung Griffith Park. Ich schaute Jamie an, der bisher, ohne etwas zu sagen, gefahren war.

»Griffith Observatory?«, fragte ich hoffnungsvoll.

»Ja.«

Die Vorfreude stieg. Bisher waren wir nur tagsüber da gewesen, aber bei Dunkelheit musste es mindestens genauso atemberaubend sein.

Auch wenn wir eine Weile kaum vorankamen, freute ich mich riesig und war bereit, für die spektakuläre Aussicht falls nötig auch zu warten.

Schließlich kamen wir endlich oben an und hatten einen freien

Parkplatz etwas weiter unten gefunden. Jamie hatte eine Decke und Hoodies sowie einen Rucksack dabei. Wie lange hatte er das schon geplant?

Wir gingen zum Griffith Observatory herüber und fanden nach einiger Zeit ein freies Teleskop. Der Blick war unglaublich. Ich überließ Jamie das Teleskop und schaute mich ein wenig um.

Ich machte oben vom Dach ein paar Fotos. Es war eine klare Nacht und man konnte über ganz LA schauen. Die bunten Lichter leuchteten im Dunkeln des Abends und erhellten alles um sie herum. Weit hinten hoben sich einige Wolkenkratzer empor. Man könnte diese Aussicht noch so detailliert beschreiben, doch man muss sie selbst gesehen haben, um diese Magie zu spüren. Wie die Stadt winzig und glitzernd unter einem liegt und so ruhig und friedlich wirkt. Die Autos sahen aus wie sich bewegendes Glitzer.

Ich entdeckte oben am Himmel den Mond, der sich in seiner vollen Pracht zeigte, wenn auch noch nicht in voller Stärke. Es war Vollmond und man konnte jeden einzelnen Krater erkennen. Der Mond stand recht tief und leuchtete anziehend. Er hatte mich direkt in seinen Bann gezogen. Eine so schöne mondhelle und sternenklare Nacht hatte ich bisher noch nicht erlebt.

Jamie legte seine Arme von hinten um mich und gab mir einen zärtlichen Kuss auf die Wange.

»Atemberaubend oder nicht?«, sagte er.

»Ich habe mich immer noch nicht an die Schönheit dieses Ortes gewöhnt«, flüsterte ich. Mir wird mit Sicherheit nicht jeder zustimmen, denn Los Angeles gehörte, wie viele andere Städte, zu den Orten, die man entweder liebte oder hasste, aber für mich strahlte die Stadt in diesem Moment einfach nur ein Gefühl von Zufriedenheit und Geborgenheit aus. Ich hatte dieses tiefe Gefühl, hierher zu gehören und fühlte mich zu Hause. An keinem anderen Ort hatte ich dieses Gefühl bisher verspürt. Doch in diesem Moment, während Jamie mich in seinen Armen hielt und seine Wärme mich umhüllte, fühlte es sich einfach nur perfekt an. Es ist nicht in Worte zu fassen, was diese Stadt einem geben, aber auch genauso schnell wieder nehmen konnte. Es gibt wohl keinen Ort auf der Welt, der so voller Träume und Hoffnung ist wie dieser. Nicht umsonst nannte man ihn *Die Traumfabrik*.

Schließlich setzten wir uns auf die Ladefläche von Jamies Pick-Up. Er breitete die Decke aus und gab mir einen seiner Hoodies. Aus seinem Rucksack holte er zwei Flaschen Cola, Twizzlers, Cookies und Chips.

»Der Abend ist wirklich perfekt«, sagte ich und biss von einem Twizzlers ab.

»Das war der Plan. Ich weiß doch, wie sehr du diese Stadt liebst.«

»Nicht so sehr wie dich«, sagte ich. Er schaute mich überrascht an und küsste mich. »Ich liebe dich auch, Tay.« Ich wusste, dass er nicht mit dieser Antwort gerechnet hatte. Es war das erst Mal, dass ich jemandem meine Liebe gestand. Und ich meinte es ernst.

Wir beobachteten noch eine Weile die Sterne und den Mond, während die Leute an uns vorbei fuhren, zurück in die Stadt.

»Sollen wir auch langsam?«, fragte Jamie, als es langsam auf Mitternacht zuging. Ich nickte und hüpfte von der Ladefläche.

Entspannt fuhren wir zurück zum Wohnheim, wo er mich noch bis zu Aprils und meinem Zimmer begleitete.

»Gute Nacht«, sagte er und zog mich an sich heran.

»Gute Nacht. Danke für den wunderschönen Abend«, antwortete ich und stellte mich leicht auf meine Zehenspitzen, um ihm einen Gute-Nacht-Kuss geben zu können.

Kapitel 21

Das zweite Jahr an der UCLA ging vorüber wie im Flug. Wir vier hatten ein paar Projekte gehabt, mit denen wir uns beschäftigten. Ich hatte wieder ein paar Jobangebote gehabt, es waren zwei kleinere Filmrollen dabei gewesen und ein paar Werbekampagnen. April hatte ihr Praktikum bei der Produktionsfirma mit Jobaussicht beendet und die Semesterferien immer mit Kyle verbracht, der in New York nach wie vor erfolgreich sein Modestudium absolvierte. Paul jobbte ebenfalls hin und wieder bei kleineren Produktionen. Auch sein Praktikum bei *Netflix* hatte er bekommen, was ihm riesigen Spaß gemacht hatte. Jamie hatte ein meiner Meinung nach wirklich gutes Drehbuch begonnen und in den Semesterferien ein Praktikum bei *Universal* gemacht. Das zweite Jahr lief also für uns alle wirklich gut, denn wir hatten uns vorgenommen, keine größeren Projekte anzunehmen, da wir uns auf das letzte Jahr und unseren Abschluss vorbereiten wollten. Jede freie Minute, die wir hatten, verbrachten wir entweder zu viert oder Jamie und ich verbrachten sie gemeinsam. Während der Semesterferien zwischen dem Sommer- und dem Herbstsemester besuchten wir Jamies Eltern für ein paar Tage und genossen die freie Zeit. Die restliche Zeit der Semesterferien verbrachten wir in LA am Strand.

Und so begann unser drittes Jahr in LA. Ich hatte das Gefühl, dass wir uns alle komplett eingelebt hatten. Es war, als ob wir schon immer hier gelebt hätten. Trotzdem hatte ich immer wieder Momente, in denen ich innehielt und mich daran erinnern musste, dass das Ganze kein Traum war. Es war zwar mein Traum, aber statt ihn zu träumen, *lebte* ich ihn. Da ich aufgrund meiner damaligen Hauptrolle und der kleineren Projekte keinem Nebenjob mehr nachgehen musste, um die Uni zu finanzieren, hatte ich mehr Zeit für Dinge, die mir Spaß machten und um mit meiner Familie und Georg zu telefonieren.

Jamie und ich joggten heute am Strand, ehe wir für die Klausuren lernten, die wieder anstanden. Am Abend las ich in seinem Drehbuch und konnte es gar nicht beiseitelegen, da es extrem spannend war. Es war ein Drehbuch für einen Actionfilm. Hin und wieder klebte ich ihm ein paar Notizen hinein. Entweder waren es Verbesserungsvorschläge oder Hinweise auf Passagen, die mir besonders gut gefielen.

Ich las es noch bis spät in die Nacht hinein, ehe ich schlafen ging.

Unsere Tage verliefen fast alle gleich: Wir besuchten die Vorlesungen, lernten, gingen unseren Projekten inner- und außerhalb der Uni nach und verbrachten die freie Zeit, die wir hatten, gemeinsam oder lernten zusammen.

»Ich bin fertig mit Lesen und es ist super«, sagte ich zu Jamie in der Mittagspause und hob sein Drehbuch hoch. »Du solltest es nochmal gegenlesen lassen und dann einsenden!«

»Ehrlich?«

»Ja, ich würde dich doch nicht anlügen. Ich habe meine Notizen eingeklebt, nach Farben sortiert. Rot sind Verbesserungsvorschläge und Grün sind Stellen, die mir besonders gut gefallen haben.«

»Du bist die Beste, danke.«, bedankte er sich glücklich.

»Danke, dass ich es als Erstes lesen durfte.«

»Wer, wenn nicht meine Freundin?«

Ich lächelte und nahm einen Bissen von meinem Mittagessen.

»Schick es ein!«, sagte ich danach noch einmal eindringlich zu ihm.

»Mache ich.«

Nach dem Essen gingen wir in unseren *Screenplay* Kurs. Ich öffnete mein Schreibprogramm und legte eine neue Datei für den Kurs an, der über ein paar Vorlesungen ging. Ich füllte sie mit den Informationen, die wir bekamen, und würde sie nach der Vorlesung wie immer überarbeiten und mit Bildern, Grafiken und Hinweisen versehen. Es war einer der Kurse, auf die ich mich wirklich freute.

Nach der Vorlesung trafen April und ich uns noch zum Lernen und gingen einen Kaffee trinken.

»Meinst du, unsere Familien kommen zu unserem Abschluss?«, fragte sie irgendwann. Ich schaute von meinen Notizen auf dem Mac auf und antwortete, dass ich es hoffte. Aber ich konnte natürlich nicht verlangen, dass sie sich dafür extra Urlaub nahmen und den weiten Flug auf sich nehmen würden.

»Ich hoffe es auch …«, erwiderte April, denn wie auch meine Mom noch zu Anfang waren ihre Eltern nicht sonderlich überzeugt von unserer Berufswahl, wobei sie sich mittlerweile damit abgefunden hatten.

»Gehen wir demnächst was zum Anziehen für den Abschluss kaufen?«, fragte ich sie.

»Klar! Passt dir nächste Woche?«

»Klingt gut.«

So war es dann beschlossene Sache, dass wir nächste Woche für den Abschluss shoppen würden.

Wir lernten noch ein paar Stunden, bevor wir uns abends mit Paul, Jamie und ein paar anderen aus der Uni trafen.

Es war ein ausgelassener Abend mit leckerem Essen und starken Drinks.

Ich tanzte mit April zu einem unserer Lieblingssongs.

»Kommt Kyle zum Abschluss?«, fragte ich sie über die laute Musik hinweg.

»Nein, die Abschlüsse liegen ziemlich zeitgleich, aber ich fliege danach zu ihm«, antwortete sie.

»Mist. Aber schön, dass ihr euch dann danach seht.«

»Ja, ich kann es kaum abwarten. Wir haben uns so lange nicht mehr gesehen.«

Ich fühlte mich plötzlich schlecht, dass ich so ein Glück hatte, eigentlich jeden Tag mit Jamie verbringen zu können, bis auf ein paar Ausnahmen, während sie nur mit Kyle facetimen konnte oder ihn in den Semesterferien sah. Ich hoffte, dass sie nach der Uni eine gute Lösung finden würden. Da fiel mir ein, dass Jamie und ich uns darüber auch überhaupt noch keine Gedanken gemacht hatten. Irgendwie hatte die ganze Zeit über der Fokus nur auf den Vorbereitungen für die nahenden Abschlussprüfungen gelegen. Ich beschloss, die Tage mal mit Jamie darüber zu reden. Aber für heute Abend wollte ich einfach nur Spaß haben.

Ein paar Tage später als geplant gingen April und ich shoppen, da uns das Wetter in die Quere gekommen war und es die letzten Tage viel geregnet hatte. Wir fanden beide schöne, elegante Sommerkleider und hohe Sandaletten für den Abschluss. Ich betrachtete meine Auswahl gerade im Spiegel. Das Kleid war rot und hatte zarte Spaghettiträger. Es war sehr figurbetont und reichte mir bis etwas oberhalb der Knie.

»Da drinnen hast du einen J-Lo-Hintern!«, platzte es aus April heraus. Ich musste lachen, aber sie hatte Recht, das Kleid schmeichelte meinen Kurven wirklich sehr. Die hohen beigen Sandaletten taten den Rest.

April drehte sich nun ebenfalls einmal vor dem Spiegel. Ihr luftiges Sommerkleid schwang mit ihrer Bewegung mit. Es war ein hübsches grünes Kleid mit etwas breiteren Trägern. Es reichte ihr bis etwas über die Knie. Sie trug wie ich beige Sandaletten dazu, die sie einige Zentimeter größer machten.

Die Roben und Absolventenhüte hingen bereits gebügelt in unseren Zimmern.

Nachdem wir zurück in unserem Wohnheim waren, verabschiedete ich mich mit meinem Mac in der Hand von April und ging in einen der Lernräume, wo ich mir einen ruhigen Platz in der Ecke suchte und meine Kopfhörer einstöpselte.

Ich hatte eine Überraschung für April, Jamie und Paul zum Abschluss geplant. Ich arbeitete an Erinnerungsfilmen über unsere Zeit an der UCLA. Deshalb hatte ich auch über die drei Jahre oft die Kamera dabeigehabt und zahlreiche Fotos und Videos gemacht. Jeder sollte seinen eigenen persönlichen Film bekommen. An manchen Stellen ähnelten sie sich, da wir vieles gemeinsam erlebt hatten, aber einige Momente hatte ich auch jeweils nur mit ihnen alleine erlebt. Ich arbeitete schon seit einer Weile an den Erinnerungsfilmen. Ich hatte bereits für jeden eine Filmdose bestellt, in welche ich den jeweiligen fertigen Film auf einem Stick hineinlegen wollte. Dazu hatte ich für jeden einen Schlüsselanhänger bestellt, an dem eine Absolventenkappe und unser Abschlussjahr in Form eines Anhängers hingen, sowie der jeweilige Name.

Ich arbeitete mich gerade durch die ganzen Fotos und Videos hindurch. Bei manchen Erinnerungen musste ich unwillkürlich lächeln, bei anderen hingegen wurde ich traurig. Es war wie eine kleine Zeitreise mit Höhen und Tiefen. Ich arbeitete mich durch die Fotos und Videos beginnend bei unserem Abschluss weiter zu denen vom Flughafen in Hamburg und vor dem LAX-Zeichen, vor der UCLA, am Strand, dem Walk of Fame und allen anderen Ausflügen. Zahlreiche private Schnappschüsse waren ebenfalls dazwischen wie beispielsweise, als ich beim Lernen bei Jamie und Paul eingeschlafen war oder welche, die Jamie im Disneyland gemacht hatte oder vom Dekorieren für Weihnachten. Außerdem gab es einige Fotos von Jamie und mir in Hamburg und von der gemeinsamen Ankunft in LA.

Die einzigen Fotos und Videos, die ich nachträglich würde hinzufügen müssen, waren die vom bevorstehenden Abschluss.

Ich beschriftete die Filmdosen mit *Following our dreams*. Darunter befanden sich die Jahreszahlen.

Gerade beendete ich den letzten Film und zog die Dateien auf die Sticks, bevor ich sie in Seidenpapier in die Dosen legte und mit einem roten Band zuband. Die Anhänger befestigte ich ebenfalls an der Schleife. Fertig! Ich verstaute die Geschenke in meiner Tasche und versteckte sie dann in meinem Koffer, während April unter der Dusche war.

Den Abend verbrachte ich spontan mit Jamie. Wir lernten und schauten im Anschluss einen Film. Ich hatte es mir bei Jamie auf dem Bett gemütlich gemacht und verfolgte den Film, als sein Handy klingelte. Ich pausierte, als er das Telefonat annahm.

»Nein, nicht dein Ernst!«, hörte ich ihn ungläubig sagen. Ich hätte zu gerne gewusst, was die Person am anderen Ende der Leitung gesagt hatte.

»Mega! Danke, bis dann«, antwortete Jamie nach einer Weile und legte auf, bevor er vor Freude ausrastete.

»Die nehmen es! Kannst du es glauben?!«, rief er. Voller Freude hob er mich hoch, bevor er mich durch die Luft wirbelte und mir einen dicken Kuss gab. Ich brauchte einen Moment, um ihm zu folgen, ehe ich verstand, dass das die Zusage für sein Drehbuch gewesen sein musste.

»Was? So schnell? Ehrlich?«, fragte ich begeistert.

»Ja, es hat sie überzeugt!«

Ich fiel ihm um den Hals und küsste ihn überschwänglich. »Gratulation! Das hast du dir verdient.«

»Ich kann es nicht fassen!«, sagte Jamie kopfschüttelnd.

»Das Drehbuch war erstklassig. Sie wären verrückt, es nicht zu nehmen«, erwiderte ich lächelnd.

Statt den Film zu Ende zu schauen, riefen wir April und Paul an und gingen gemeinsam feiern. Wir fuhren nach Downtown in eine Bar und bestellten Drinks.

»Auf meinen super talentierten Freund und darauf, dass das Drehbuch ein Riesenerfolg werden wird!«, meinte ich mit erhobenem Glas.

»Auf Jamie«, sagte Paul und April stieß mit an.

Ich konnte gar nicht in Worte fassen, wie sehr ich mich für Jamie freute und wie stolz ich auf ihn war, denn ich kannte dieses Gefühl, wenn man eine Zusage bekam. Es war überwältigend und komplett surreal.

Wir feierten bis in den späten Abend hinein und waren am Morgen dementsprechend müde. Aber das war es definitiv wert gewesen.

Nach der Vorlesung suchte ich nach Jobangeboten, wobei ich mir immer noch nicht sicher war, in welche Richtung ich gehen wollte. Wollte ich mich als Regisseurin probieren oder doch lieber als Drehbuchautorin oder Schauspielerin? War eine Kombination daraus möglich? Ich rief kurzerhand bei meiner Agentur an und fragte, ob es neue Aussichten gab – und tatsächlich waren gerade ein paar neue Angebot für Castings hereingekommen. Es war sehr kurzfristig und ich hatte kaum Zeit mich darauf vorzubereiten, deshalb war ich mir nicht sicher, ob es Sinn machte. Aber ich wurde überzeugt, es zu probieren. Die relevanten Daten schickte man mir per Messenger zu. Wollte ich mir den Stress wirklich antun, während ich für die Prüfungen lernte? Ich war mir nicht sicher. Doch ich wusste, dass ich in dieser Branche Fuß fassen wollte und dass ich dafür jede sich bietende Gelegenheit nutzen musste.

Somit fuhr ich also am nächsten Tag zu den Castings und sprach vor. Es waren viele andere zum Vorsprechen da und ich malte mir angesichts der Konkurrenz keine allzu großen Chancen aus. Was die Verantwortlichen von meiner Leistung hielten, würde sich zeigen, da sie sich keine Reaktionen anmerken ließen, was mich frustrierte. Doch ich hatte keine Zeit, mir darüber Gedanken zu machen, da ich mit einem Uber weiter zum nächsten Casting fuhr, wo ich das vorgegebene Material probte. Auch hier war die Konkurrenz zahlreich. Die Tür zum Castingraum öffnete und schloss sich, wieder und wieder. Manchmal schnell, manchmal dauerte es eine Weile. Schließlich wurde ich aufgerufen und sprach auch hier vor. Bei beiden Vorsprechen handelte es sich jeweils um eine Hauptrolle. Bei diesem hier sogar um eine Trilogie. Mir sagte diese Rolle mehr zu, denn sie würde mich vor Herausforderungen stellen, da es sich dabei um eine Rolle mit mehr Action handelte, dennoch aber eine Liebesgeschichte mit dabei war, wohingegen das erste Casting nur für einen klassischen Liebesfilm war. Ich gehörte zu denjenigen, bei denen das Vorsprechen etwas länger dauerte. Es konnte gut oder schlecht sein, doch ich fasste es als ein gutes Zeichen auf.

Ich bedankte mich am Ende und fuhr geplättet zurück zum Wohnheim, wo ich mir eine halbstündige Pause gönnte, bevor ich mich auf die Prüfungen vorbereitete.

Ein paar Tage später sollte ich noch einmal zu einem weiteren Vorsprechen für das zweite Casting. Ich fuhr also nach der Vorlesung noch einmal quer durch LA, um erneut vorzusprechen. Dieses Mal wurde mir ein Partner zugeteilt. Nachdem ich kurz Zeit bekam, mich in die Szene einzulesen, begann bereits das Vorspielen. Ich bekam ein paar Anweisungen und musste sie noch einmal wiederholen.

»Okay, danke, das wars«, sagte der Regisseur, nachdem er »Cut« gerufen hatte.

»Danke, dass ich noch einmal Vorsprechen durfte«, bedankte ich mich und wollte mich schon auf den Weg zur Tür machen, denn ich hatte nicht den Eindruck gehabt, dass noch irgendetwas folgen würde. Ich hatte die Rolle abgeschrieben, denn ich hatte keine einzige Reaktion in ihren Gesichtern ausmachen können. Doch als ich gerade zur Tür hinauswollte, rief mich der Regisseur zurück.

»Ja?«, fragte ich verwirrt.

»Wir sind einstimmig zu dem Entschluss gekommen, dass die Rolle, von keiner anderen besser gespielt werden könnte«, meinte er.

Ich schaute alle nur fassungslos an.

»Wir schicken alle Unterlagen an die Agentur, wenn du die Rolle haben willst«, sagte der Produzent.

»Wenn ich die Rolle haben will?«, echote ich ungläubig. »Na klar will ich sie haben!« Ich konnte es nicht glauben. Wie hoch war die Chance gewesen, dass ich so schnell wieder so eine große Rolle bekommen würde? Sie war verschwindend gering gewesen. Andere kämpften jahrelang, um nur eine mickrige Nebenrolle zu bekommen! Ich konnte mein Glück nicht fassen. Das hieß drei Aufträge auf einen Schlag!

»Dann herzlichen Glückwunsch. Wir freuen uns auf die Zusammenarbeit. Alle Details werden dir zeitnah zugeschickt.« Mit diesen Worten wurde ich verabschiedet.

Ich lief hinaus und rief direkt Jamie an.

»Ich wurde für die Trilogie gebucht!«, rief ich freudig aus und grinste über das ganze Gesicht.

»Echt?«, fragte Jamie »Das ist ja klasse! Ich bin total stolz auf dich!«

»Danke! Ich freue mich mega. Gleich für drei Filme als Hauptrolle!« Ich machte Freudensprünge, ehe ich zurück quer durch LA fuhr. Ich fuhr auf direktem Weg zu Jamie, der mich direkt überschwänglich begrüßte.

»Du musst mir alles erzählen!«, sagte er, als er mich wieder auf den Boden ließ.

»Ich weiß selbst kaum etwas. Meine Agentur bekommt die Unterlagen und leitet sie dann an mich weiter.«

»Unfassbar, dass du schon wieder eine Hauptrolle hast!«, freute sich Jamie.

»Ja, ich kann es auch noch nicht glauben!«, antwortete ich »Aber da ist noch etwas, was ich mit dir besprechen wollte.«

»Ja?«, fragte Jamie und schaute mich fragend an.

»Wie machen wir das nach der Uni? Wir haben da irgendwie noch gar nicht drüber gesprochen.«

»Was meinst du?«

»Ziehen wir zusammen? Suchen wir uns jeweils was eigenes? Falls ja wo?«

»Wenn du möchtest, suchen wir uns was zusammen«, antwortete Jamie. »Ich denke, im Raum Los Angeles wäre es wohl ideal. Allein jobtechnisch.«

»Du musst nicht mit mir zusammenziehen, wenn du das nicht willst. Ich … Mir ist nur neulich, als ich mit April über Kyle gesprochen habe aufgefallen, dass wir uns da noch gar keine Gedanken drüber gemacht haben, weil wir so auf die Abschlussprüfungen fixiert sind …«

»So war das absolut nicht gemeint! Es tut mir leid, wenn es so rüberkam. Natürlich würde ich mich riesig freuen, mit dir zusammenzuziehen!«, erwiderte Jamie und gab mir einen innigen Kuss. »Wenn du deinen Vertrag auf dem Tisch hast, können wir ja schauen, was wir uns leisten können. Abgemacht?«

»Das klingt gut«, erwiderte ich lächelnd.

Und so kam es, dass wir uns einige Tage später, der Vertrag mit meiner üppigen Gage war mittlerweile eingetroffen, die ersten Immobilien anschauten. Wir schauten uns sowohl Häuser am Strand an wie beispielsweise in Manhatten Beach als auch Häuser in den Hills. Jene Objekte, die in Strandnähe waren, lagen leider alle recht nah beieinander. Dafür waren es nur wenige Minuten bis an den Strand, den wir beide liebten. Die Häuser in den Hills hingegen waren weiter weg vom Strand, dafür hatten sie eine atemberaubende Aussicht über die Stadt und in der Regel besaßen sie einen tollen Pool mit einem erstklassigen Blick. Das machte die Entscheidung absolut nicht leichter. Wir durften außerdem die auf uns zukommenden monatlichen Nebenkosten nicht unbeachtet lassen.

Wir pausierten also erst einmal mit der Suche und konzentrierten uns auf die anstehenden Prüfungen. Ich war total aufgeregt und hatte Angst, sie nicht zu bestehen. Aber so viel, wie wir gelernt und uns vorbereitet hatten, dürfte es eigentlich unmöglich sein, durchzufallen.

Kapitel 22

»Bestanden!«, schrien wir gleichzeitig, als wir die Aushänge sahen. Ich fiel April um den Hals, die neben mir stand, dann Jamie und Paul. Alle von uns hatten es mit *sehr gut* geschafft! Wir hüpften vor Freude und ich musste mir ein paar Freudentränen wegwischen.

In diesem Moment hatte ich alles, was ich mir erträumt hatte: Ich hatte einen unfassbar tollen Freund, gerade meinen Abschluss an der UCLA geschafft und zusätzlich meine nächste Hauptrolle für gleich drei Filme ergattert. Die Dreharbeiten standen schon bald an.

»All die harte Arbeit zahlt sich aus«, seufzte April erleichtert und bekam das Grinsen ebenfalls nicht aus dem Gesicht.

Bester Laune verschwanden wir auf unseren Zimmern und machten uns für die Zeugnisübergabe zurecht. April und ich zogen unsere neuen Kleider an und legten Make-up auf. Meine Haare waren mittlerweile wieder schulterlang und ich trug sie offen mit Beachwaves. Im Schlaf- und Wohnraum setzte ich mich auf mein Bett und schlüpfte in meine Sandaletten. Ich schaute mich um. Unsere Sachen waren schon gepackt und mussten nur noch herausgetragen werden. April zog erst einmal für ein halbes Jahr zu Kyle nach New York, ehe sie sich hier etwas suchen wollten. Jamie und ich hatten uns noch nicht entscheiden können, also würden wir erst einmal in ein Airbnb ziehen und in Ruhe weitersuchen. Ein Haus in der Preisklasse wollten wir nicht überstürzt kaufen oder mieten.

Als es Zeit war loszugehen, zog ich meine Robe an und setzte die Absolventenkappe vorsichtig auf.

»Ich kann es nicht glauben, dass wir die wirklich tragen«, sagte ich ungläubig zu April, die ihre gerade ebenfalls aufsetzte.

»Ich auch nicht.«

Wir machten ein Foto von uns, dann nahmen wir uns bei der

Hand und ich griff noch schnell nach meiner Tasche und der Geschenktüte.

Gemeinsam gingen wir zur Zeugnisübergabe, wo wir auf Jamie und Paul trafen. Jamie trug eine dunkelblaue Anzugshose und ein hellblaues Hemd unter seiner Robe, dazu weiße Sneaker und die Absolventenkappe. Paul stand neben ihm in beiger Anzugshose und weißem Hemd. Darüber die Robe. Unter seiner Absolventenkappe schauten ein paar seiner Locken hervor.

»Du siehst wunderschön aus«, sagt Jamie bewundernd, als er mich sah.

Ich errötete und bedankte mich für das Kompliment.

»Ich hab' noch etwas für euch«, sagte ich und griff in die Geschenktüte. »Eine für dich«, begann ich und reichte April ihre Filmdose.

»Was ist das?«, fragte sie.

»Eine Erinnerung an die letzten drei Jahre«, sagte ich und nahm die Nächste raus. »Die ist für dich.«

Ich reichte sie Jamie, der sich bedankte und mir einen Kuss gab. Die letzte reichte ich Paul.

»Damit ihr euch immer an die wundervolle gemeinsame Zeit an der UCLA erinnert«, sagte ich, während die drei ihre Geschenke auspackten. »Die Abschlussfeier füge ich euch später hinzu.«

»Du bist zu süß«, meinte Jamie, der den Anhänger gerade entdeckt hatte und mit der Schleife weitermachte. »Das werde ich mir definitiv nachher anschauen.«

April und Paul waren ebenfalls am Auspacken. April machte ihren Anhänger direkt an ihrem Schlüssel für Kyles Apartment fest. Die Jungs befestigten ihre an ihren Autoschlüsseln.

»Ich habe auch noch eine Kleinigkeit für dich«, meinte Jamie zu mir. Er griff in seine Hosentasche unter der Robe und holte eine kleine Schachtel heraus. Vorsichtig öffnete ich ihren Deckel. Zum Vorschein kam eine wunderschöne Goldkette mit einem Herzanhänger, auf dem unsere Initialen standen.

»Sie ist wunderschön«, entfuhr es mir staunend. Jamie nahm sie aus ihrer Schachtel und legte sie mir um den Hals.

»Auf der Rückseite steht noch etwas«, sagte er.

»Was denn?«, wollte ich wissen, da ich es nun nicht mehr sehen konnte.

»*For the love of my life*«, flüsterte er mir ins Ohr.

Ich war zutiefst gerührt, drehte mich zu ihm um und gab ihm einen innigen Kuss.

»Ich liebe dich«, sagte ich.

»Und ich liebe dich«, erwiderte er. »Aber die eigentliche Überraschung müsste jeden Moment kommen.«

Ich schaute ihn verwirrt an.

»Was meinst du?«

Er grinste nur schelmisch. Ich schaute in die Richtung, in die er blickte, dann sah ich ungläubig zu ihm zurück.

»Wie hast du ...?« Mir hatte es die Sprache verschlagen. Ich gab ihm einen Kuss voller Dankbarkeit. Dann rannte ich los und hoffte, mir nicht die Füße in den Sandaletten zu brechen. April rannte in diesem Moment ebenfalls los.

»Was macht ihr denn hier?«, fragte ich überwältigt, während ich meiner Mom und dann meinem Dad sowie Ella und Daniel um den Hals fiel. Tränen der Freude rannen mein Gesicht hinab.

Aus dem Augenwinkel sah ich, dass April gerade ihren Eltern um den Hals fiel und ebenfalls voller Freudentränen war.

»Wir verpassen doch nicht den Abschluss unserer Tochter«, meinte Dad und drückte mich noch einmal.

»Wieso habt ihr nichts gesagt? Ich hab' euch doch so oft gefragt!«, sagte ich vorwurfsvoll.

»Es sollte eine Überraschung werden.«

Ich war überwältigt. Damit hatte ich wirklich nicht im Geringsten gerechnet. Jamie hatte scheinbar einen Hang zu großen, unerwarteten Überraschungen.

»Danke!«, formte ich mit den Lippen. Er nickte zufrieden und begrüßte seine Eltern, die ebenfalls eingetroffen waren.

»Ich weiß gar nicht, was ich sagen soll!«, sagte ich, während ich noch immer mit Freudentränen kämpfte.

»Wir sind sehr stolz auf dich«, sagte meine Mom stolz. Daniel überreichte mir einen großen Blumenstrauß. Ella drückte ich noch einmal fest an mich.

»Du hast mir so gefehlt!«

»Du mir auch«, rief sie. Sie sah bezaubernd aus in ihrem rosa Tüllkleid und den goldenen Ballerinas.

Viel schneller als mir lieb war musste ich mich vorerst verabschieden, denn die Zeugnisübergabe begann. Wir Studenten saßen in den ersten Reihen, während unsere Eltern weiter hinten saßen. Sie saßen alle beieinander. Ich winkte ihnen freudestrahlend zu. Jamie griff nach meiner Hand.

»Du hast keine Ahnung, was mir das bedeutet!«, raunte ich.

»Ich weiß, wie sehr du es dir gewünscht hast.«

Wir wurden alle nacheinander aufgerufen, um unser Abschlusszeugnis abzuholen. Bei jedem Einzelnen wurde applaudiert.

Als alle ihre Zeugnisse in den Händen hielten, warfen wir unsere Kappen in die Höhe und feierten unseren Uniabschluss. Da hielt ich meinen Bachelor of Arts in den Händen und war so unfassbar stolz und dankbar.

Unsere Eltern machten etliche Fotos, während sie ebenfalls zu Tränen gerührt waren.

Wir brachten nach der Feier unsere Roben auf unsere Zimmer und fuhren dann gemeinsam mit unseren Familien nach Downtown, wo wir sie zum Essen einluden.

Es war unfassbar schön, dass wir vier gemeinsam mit unseren Familien unseren bestandenen Abschluss feiern konnten und auch auf unsere neuen Jobs anstoßen konnten.

Ich wollte alles wissen. Wie es meiner Familie ergangen war, wie es meinem Dad nun ging, wie lange sie bleiben würden, wo sie schlafen würden und noch so vieles mehr. Ich hatte mit ihrem Besuch überhaupt nicht gerechnet und morgen mussten wir aus unserem Wohnheim raus. Das hieß, Abschied von April zu nehmen und ins Airbnb zu ziehen. Ich musste ein Haus oder eine Wohnung mit Jamie finden und mich auf den Dreh vorbereiten, Jamie ebenfalls.

»Wie lange bleibt ihr und wo kommt ihr unter?«, fragte ich also.

»Wir haben ein Hotel für diese Woche, dann gehts zurück«, antwortete Mom.

»Okay, ich freu mich zwar total, dass ihr hier seid, aber da ich damit nicht gerechnet habe, habe ich leider ein bisschen was zu tun …«, sagte ich entschuldigend. »Jamie und ich haben das Airbnb nur für diesen Monat und dann beginnen unsere Dreharbeiten. Bis dahin wollten wir ein echtes Zuhause haben … Und ich muss das Drehbuch lernen … Aber ich versuche, so viel Zeit wie möglich für euch zu haben!«

»Alles gut, mach dir keinen Kopf. Wir wollten uns sowieso die Stadt anschauen«, sagte Daniel.

»Wonach sucht ihr denn?«, erkundigte sich Jamies Dad Dan.

»Wissen wir selbst noch nicht genau«, antwortete Jamie. »Wir haben uns bisher Häuser am Strand und außerhalb in den Hills angeschaut.«

»Strandhäuser und Hills? Dann läuft es jobtechnisch wohl nicht schlecht«, meinte Dan anerkennend.

»Dad …«, sagte Jamie vorwurfsvoll.

»Wir kaufen nichts, was wir uns nicht leisten können«, erwiderte ich.

»Und wir konnten uns damals bloß eine winzige Wohnung leisten«, meinte mein Dad lachend.

»Dafür haben wir uns auch den Arsch aufgerissen«, mischte sich nun April ins Gespräch ein. Sie musste ihre Eltern leider enttäuschen, da ihr Flieger schon morgen Abend ging. Aber es war nicht ganz so schlimm, weil sie nur einen Tag länger blieben. Mehr Urlaub hatten sie nicht bekommen. Umso mehr rechnete ich es ihnen an, dass sie extra diesen langen Flug auf sich genommen hatten.

Paul fuhr mit seinen Eltern für zwei Wochen in die alte Heimat, bevor er seinen Job bei Netflix als *Picture Specialist* anfing. Er hatte ja bereits ein Praktikum bei ihnen gemacht und dabei wohl überzeugt.

Ich war so unfassbar stolz auf meine Freunde und was sie erreicht hatten. Ich war mir sicher, dass wir alle noch so viel mehr erreichen würden.

Es war kein langer Abend mit unseren Familien, denn sie hatten alle ordentlich mit ihrem Jetlag beziehungsweise der langen Anreise zu kämpfen. Wir verabredeten uns für den nächsten späten Vormittag, um gemeinsam nach Venice Beach zu fahren.

Für unsere Familien hieß es ab ins Hotel und schlafen. Wir hingegen machten uns auf ins Nachtleben, um unseren Abschluss angemessen zu feiern.

Wir feierten bis in die frühen Morgenstunden mit den anderen Kommilitonen. Die Drinks liefen und alle ließen die Sau raus.

»Du hast keine Ahnung, wie stolz ich auf dich bin!«, hauchte Jamie mir zu, während wir engumschlungen tanzten.

»Danke«, sagte ich und legte meinen Kopf an seine Brust. »Danke für die Überraschung und danke dafür, dass du mich nie aufgegeben hast!«

»Wie hätte ich denn?«, antwortete Jamie. Er strich mir eine Haarsträhne hinters Ohr und küsste mich liebevoll.

Ich konnte es gar nicht abwarten, endlich mit ihm zusammenzuziehen, auch wenn wir uns in naher Zukunft schon wieder für einige Wochen voneinander verabschieden mussten.

Am späten Vormittag trafen wir wie verabredet am Hotel ein und holten meine und Aprils Familie sowie Jamies Eltern und Pauls Familie ab, um den Tag wie verabredet mit ihnen am Strand zu verbringen.

Ich war zwar überglücklich, meiner Familie endlich meine neue Heimat zeigen zu können, aber ich war gleichzeitig unfassbar müde von letzter Nacht und gestresst, weil ich wusste, was alles noch in nächster Zeit erledigt werden musste.

Auf dem Weg hielt Jamie zum Glück bei Starbucks an und ich holte mir gleich zwei große Lattes, um wach zu werden. Jamie neckte mich, während ich mit den zwei großen Bechern auf dem Schoß neben ihm saß. Wir hatten vielleicht zwei Stunden Schlaf gehabt und ich brauchte jetzt einfach eine ordentliche Dosis Koffein.

Am Strand angekommen, staunten unsere Familien nicht schlecht.

»Willkommen an einem meiner Lieblingsplätze«, sagte ich, während ich die große Picknickdecke ausbreitete und wir es uns bequem machten.

Das Wetter war heute herrlich, nachdem wir die letzte Zeit auch ordentlich Regen gehabt hatten und ich genoss die Zeit, die ich mit meiner Familie und meinem Freund hatte, ehe der ganze Stress des Drehs wieder losgehen würde.

Während wir Frauen es uns gemütlich machten, liefen die Männer ins Wasser und nahmen Ella mit, die sich so sehr auf das Baden gefreut hatte.

Meine Mom rieb sich gerade mit Sonnencreme ein, während Rose sich noch einmal nach unserer Haussuche erkundigte.

»Habt ihr euch das alles denn auch gut überlegt? Wollt ihr nicht lieber noch etwas warten, bis ihr von euren Jobs zurück seid? Ihr habt doch so schon genug um die Ohren.« Sie meinte es gut und das wusste ich auch, denn sie hatte mir nie vorgehalten, dass ich vor Jamie mit Mason zusammen gewesen war. Sie war einfach nur glücklich, dass ich mich doch noch für ihren Jamie entschieden hatte und wir beide verstanden uns wirklich gut miteinander. Ich hatte seine Eltern schon bei unserem ersten Besuch in mein Herz geschlossen.

»Irgendwo müssen wir unsere Sachen lassen und ich möchte ehrlich gesagt wissen, wohin ich nach dem Dreh zurückkehren werde. Airbnb oder Hotels sind ja für eine kurze Zeit ganz nett, aber wir wollen ein Zuhause haben, wohin wir immer zurückkehren können. Wo wir wissen, dass der jeweils andere dort auf einen wartet.«

»Das verstehe ich. Ich dachte nur, in so kurzer Zeit ein Haus zu finden, könnte sich schwierig

gestalten …«

»Wir haben tatsächlich schon ein paar tolle gesehen. Wir waren uns einfach noch nicht sicher, ob wir lieber etwas Kleineres am Strand wollen oder doch etwas Besonderes außerhalb. Aber wir haben ja morgen noch eine Besichtigung. Vielleicht ist es ja das Richtige.«

»Ihr findet schon was Schönes. Bitte achtet aber darauf, dass ihr euch nicht übernehmt«, mahnte meine Mom.

»Das werden wir nicht, Mom. Wir sind ja alt genug und bisher habe ich ja wohl vorbildlich gezeigt, dass ich für meine Finanzen wunderbar alleine aufkommen kann.«

»Das hast du tatsächlich«, gab sie zu.

Jamie kam nass auf uns zu gerannt und schüttelte sein nasses Haar über mir aus.

»Hey!«, protestierte ich. Doch das beeindruckte ihn wenig. Er ließ sich neben mich fallen und drückte mich.

»Worüber redet ihr?«, erkundigte er sich.

»Über die Haussuche.«

»Denk dran, wir müssen noch unsere Sachen aus dem Wohnheim holen«, meinte er zu mir.

»Jap, heute Abend.« Es war ein erleichterndes und zugleich seltsam wehmütiges Gefühl, dass wir nun aus unseren Zimmern im Wohnheim ausziehen würden. Schließlich hatten wir mehr oder weniger die kompletten letzten drei Jahre mit kurzen Unterbrechungen dort verbracht. Ein weiterer Abschnitt in unserem Leben ging zu Ende und auch wenn es anstrengend und hart war und wir unsere Höhen und Tiefen gehabt hatten, war die Zeit an der UCLA im Großen und Ganzen unfassbar toll gewesen.

Einen Moment hing ich meinen Gedanken nach, doch dann ging ich ebenfalls noch eine Runde mit Ella schwimmen, die sich unfassbar freute, hier zu sein.

»Ich hab' dich vermisst, kleine Maus«, sagte ich und spritzte sie etwas nass. »Gefällt es dir hier?«

»Ich dich auch. Und wie, es ist super hier. Ich verstehe, warum du unbedingt hierher wolltest.« Ich lächelte sie an. Das eine war die Schönheit dieses Ortes, das andere aber dieser riesige Traum, den ich einfach nie bereit war, aufzugeben.

»Wenn Mom es erlaubt und wenn Jamie und ich ein Haus gefunden haben, dann kannst du uns gerne mal besuchen kommen«, schlug ich vor.

»Oh ja, ich mag Jamie. Er ist lustig und nett«, erwiderte Ella.

»Das ist er«, sagte ich mit einem Lächeln auf den Lippen, während ich zu ihm hinüberschaute.

»Hast du schon viele Promis gesehen?«, fragte Ella neugierig, als wir uns ins flache Wasser setzten.

»Ein Paar«, sagte ich. »Aber sie sind wie du und ich. Sie wollen auch bloß einkaufen gehen, einen Kaffee trinken oder schwimmen …«

»Du bist ja auch ein Star«, meinte Ella stolz. »Ich hab' ein Poster von dir in meinem Zimmer hängen und die anderen Mädchen in meiner Klasse finden dich richtig cool.«

»Du hast ein Poster von mir?«, fragte ich erstaunt und lachend zugleich. »Aber das sind doch keine Filme für euer Alter.«

»Ich weiß«, entgegnete Ella schelmisch grinsend. »Kommst du uns denn auch mal wieder besuchen?«

»Ich versuche es so bald wie möglich, okay? Aber erstmal bin ich jetzt ein paar Wochen an einem Filmset. Später kommen dann Promotermine, die Premieren und so weiter dazu. Aber hey, wenn ich eine in Hamburg oder woanders in Deutschland haben sollte, dann kann ich ja mal fragen, ob ich dich und deine beste Freundin mitnehmen darf.«

»Das würdest du tun?«, fragte Ella ungläubig und unfassbar aufgeregt zugleich.

»Na klar!«

Der Tag mit unseren Familien ging viel zu schnell vorbei, doch wir mussten unsere Sachen heute aus dem Wohnheim schaffen und ins Airbnb einziehen. Also verabschiedeten wir uns von unseren Familien und verabredeten uns mit ihnen für den übernächsten Tag, um ihnen LA und die Hills zu zeigen. Nur für April hieß es komplett Abschied zu nehmen. Sie bedankte sich noch einmal bei ihren Eltern, dass sie den weiten Weg auf sich genommen hatten, dann verabschiedete sie sich auch von unseren Familien.

Gemeinsam fuhren wir vier dann zu unserem Wohnheim, wo wir unsere Sachen aus unseren Zimmern trugen. Draußen verabschiedeten auch wir uns dann von April und Paul.

»Ich wünsch dir ganz viel Spaß in New York!«, verabschiedete ich mich bei April.

»Danke, euch ganz viel Erfolg bei euren Filmdrehs.«

»Danke. Grüß Kyle von mir.«, sagte Jamie.

»Mach ich.«

»Hab einen guten Flug und wir hören voneinander!«, sagte ich und drückte April noch ein letztes Mal an mich. Paul und Jamie folgten. Dann bog auch schon Aprils Taxi in die Straße. Wir halfen ihr noch beim Verstauen ihres Gepäcks. Sie stieg ein und ich winkte ihr hinterher. Was würde ich nur ohne sie machen …

Als April außer Sichtweite war, verabschiedeten Jamie und ich uns auch erst einmal von Paul.

»Wir sehen uns und ganz viel Spaß bei Netflix!«, sagte ich. Ich freute mich riesig für ihn, dass er diese Chance geboten bekommen hatte. Er hatte wirklich großes Talent und er brachte so viel Freude und Leidenschaft in seine Arbeit ein.

»Danke. Ich freu mich echt schon mega.«

»Das glaube ich. Wir schreiben.«, sagte Jamie zum Abschied.

Ich drückte Paul nochmal an mich, doch dann stieg auch er in seinen Wagen ein und fuhr davon.

Jamie und ich standen nun also alleine vor seinem Auto, in das wir gerade die letzten Kisten aus dem Wohnheim räumten. Unsere Schlüssel hatten wir abgegeben und die neuen für das Airbnb in der Hand.

Dieses lag in West Hollywood, hatte ein Schlafzimmer, ein Wohnzimmer mit Wohnküche sowie ein modernes Badezimmer und das Highlight war die grandiose Aussicht über Downtown.

Es dauerte nicht lange, bis Jamie in die Auffahrt fuhr und sein Auto parkte. Ich schloss die Tür auf, während Jamie schon die ersten Sachen hineintrug und an der Seite abstellte.

»Kein Wohnheim mehr«, grinste Jamie freudestrahlend. »Jetzt kann ich das hier endlich ungestört machen.« Er hob mich hoch und küsste mich leidenschaftlich. Ich lachte, doch erwiderte seinen Kuss, denn tatsächlich hatten wir bisher nicht allzu viel Zeit nur zu zweit verbracht. Entweder waren unsere Freunde dabei gewesen oder wir waren an öffentlichen Orten gewesen. Ich ließ mich von ihm aufs Sofa tragen, wo er mich absetzte und weiter küsste. Es fühlte sich so richtig an, endlich mit Jamie zusammenwohnen zu können und ich war aufgeregt, was die Zukunft und die Haussuche bringen würden.

»Ich will dich nicht unterbrechen«, keuchte ich zwischen all den Küssen, »aber wir müssen noch einkaufen gehen, wenn wir nicht verhungern wollen.«

Einen Moment hörte Jamie auf mich zu küssen und schaute mich mit einem gespielten Schmollmund an.

»Ich verspreche dir, ich entschädige dich mit einem klasse Abendessen auf der Terrasse.«

Er tat so, als ob er überlegte und stimmte schließlich zu. Ich wäre auch lieber mit ihm hier geblieben, doch einen Einkaufsservice bot unser Airbnb dann leider nicht.

Wir fuhren in den nächstgelegenen Supermarkt, wo wir uns mit Lebensmitteln, Haushaltsartikeln wie Servietten und Toilettenpapier sowie Getränken für die nächsten Tage eindeckten.

Zurück in unserer Unterkunft verstauten wir alles und ich kochte wie versprochen für uns. Es gab Steaks mit Rosmarin-Kartoffelspalten und dazu einen gemischten Salat.

Jamie deckte bereits den Tisch auf der Terrasse, während ich noch die letzten Schliffe am Essen vornahm.

»Guten Appetit«, sagte ich, als wir schließlich Platz genommen hatten.

»Danke, dir auch. Es riecht super und sieht auch klasse aus.«

Ich nahm einen Schluck meiner eiskalten Coke und freute mich über die Aussicht. Es dämmerte bereits und die ersten Lichter der Stadt funkelten vor uns.

»Wir sollten in die Hills ziehen«, sagte Jamie mit einem Mal.

»Okay«, antwortete ich. Ich liebte den Strand mit dem Pazifik so sehr wie diese Aussicht, nur hatte ich gezögert, ob es richtig war, in der Nähe meines Ex-Freundes Mason zu wohnen. Doch andererseits war West Hollywood ja auch nicht gerade ein kleiner Ort …

»Ich mein das ernst. Lass uns in die Hills ziehen. Das nächste Haus, was wir uns anschauen, ist nicht weit von hier und wir brauchen weder lange nach Downtown noch zum Strand.«

»Jeden Tag diese Aussicht genießen?«, träumte ich vor mich hin und lächelte glücklich.

»Aus einem Pool am besten«, ergänzte Jamie meine Vorstellung.

»Perfekt. Aber mir ist egal, wo wir wohnen. Hauptsache wir wohnen zusammen.«

Ein zufriedenes Lächeln schlich sich auf Jamies Lippen und erfüllte schließlich seine Augen mit einem Leuchten. Ich lächelte ebenfalls zufrieden, denn alles war gekommen, wie es kommen sollte.

Nachdem wir aufgeräumt und die Spülmaschine eingeräumt hatten, ging ich duschen und fiel erledigt ins Bett. Während Jamie unter der Dusche war, schaute ich noch etwas Fernsehen. Sobald er zurück war, kuschelte ich mich aber in seine Arme und schloss die Augen. Jamie umhüllte ein leichter Duft von seinem Duschgel.

»Hast du schon einen Wecker für morgen gestellt?«, fragte ich, an seine trainierte Brust gekuschelt.

»Ja, reicht dir 8 Uhr?«

»Das sollte reichen«, antwortete ich.

»Mach dich in Ruhe fertig. Ich werde mich für das Abendessen revanchieren und mich ums Frühstück kümmern.«

»Danke«, meinte ich und küsste ihn liebevoll.

Jamie legte seinen Arm etwas enger um mich und strich mir sanft über den Rücken, während er mir einen Kuss auf die Stirn gab.

»Weißt du eigentlich, dass du mich gerade zum glücklichsten Mann auf der Welt machst?«

Ich schaute von seiner Brust zu ihm herauf und zog eine Augenbraue fragend hoch.

»Wieso?«

»Weil ich froh bin, dich bei mir zu haben.«

Ich streckte meinen Hals, um ihn abermals küssen zu können.

»Ich bin auch froh«, sagte ich, bevor ich ihm einen weiteren Kuss gab und dieser von ihm erwidert wurde.

»Schlaf schön«, meinte Jamie, bevor er mir einen letzten Gute-Nacht-Kuss gab.

»Du auch«, antwortete ich. Es dauerte nur wenige Minuten, bis ich tief und fest schlief.

Am Morgen wurde ich vom Wecker aus dem Schlaf gerissen. Es dauerte einen Moment, bis ich realisierte, dass es Jamies Wecker war und dass wir aufstehen mussten. Ich streckte mich und rieb mir verschlafen übers Gesicht. Ich hatte herrlich in diesem Bett geschlafen und wäre am liebsten noch liegen geblieben. Aber wir hatten einen weiteren Besichtigungstermin. Ich drehte mich zur Seite, wo ich direkt in Jamies verschlafenes Gesicht schaute.

»Guten Morgen«, meinte er grinsend.

»Morgen«, murmelte ich, während ich versuchte, wach zu werden. Ich gab Jamie einen Kuss, dann kroch ich aus dem Bett und wühlte in meinem Koffer nach etwas Passendem zum Anziehen. Ich entschied mich für einen schlichten sommerlichen Jumpsuit. Ich musste nur noch mein Make-up suchen und dann huschte ich ins Bad, wo ich mich fertigmachte: Sonnencreme, simples Make-up, Haare kämmen, Zähne putzen und anziehen.

Als ich in die Küche kam, hatte Jamie bereits das Frühstück zubereitet und den Tisch auf der Terrasse gedeckt. Es roch herrlich nach frisch gekochtem Kaffee. Auf dem Tisch standen zwei Schalen mit Obst und Joghurt sowie etwas Müsli.

Die Sonne strahlte bereits und tauchte alles in ihr goldenes Licht.

»Gut siehst du aus«, sagte Jamie, als ich heraustrat. Er schob seine Sonnenbrille zurecht und rückte meinen Stuhl vor, sodass ich Platz nehmen konnte.

»Das Frühstück sieht klasse aus«, sagte ich, während ich Platz nahm. Auch ich schob meine Sonnenbrille auf meine Nase, bevor ich zu essen begann.

»Ich bin gespannt, wie das Haus sein wird. Auf den Bildern sah es ja perfekt aus«, sagte Jamie.

»Hoffentlich ist es endlich das Passende. Wir haben nicht mehr viel Zeit«, erwiderte ich etwas beunruhigt.

»Wir werden schon etwas Passendes finden«, beruhigte Jamie mich.

Nach dem Frühstück räumten wir gemeinsam ab und zogen uns die Schuhe an. Ich griff im Hinausgehen nach meiner Tasche und stieg mit Jamie in den Wagen.

Wir fuhren vielleicht eine viertel Stunde bis zwanzig Minuten, bevor wir bei der Gated Community – einer exklusiven und bewachten Wohnanlage – ankamen.

Der Makler wartete bereits auf uns und wir wurden hineingelassen. Alles sah sehr ordentlich und gepflegt sowie modern und hochwertig aus.

Wir stiegen aus und begrüßten den Makler. Er zeigte uns ein helles und modernes Luxusanwesen, das von einem hohen Zaun aus Holz und Beton umgeben war, der einem Privatsphäre zu geben schien. Ich konnte es noch immer nicht glauben, dass wir in der Lage waren, uns so eine Immobilie anzuschauen und sogar zu kaufen, wenn sie uns gefiel. Die Eingangstür wurde von einigen exotischen Grünpflanzen gesäumt.

Als wir hineingingen, standen wir in einem großen Flur, von dem aus es in ein riesiges Wohnzimmer mit offener Küche, Essbereich und einem extra Loungebereich mit Bar ging. Ich wusste gar nicht, wo ich zuerst hinschauen sollte. Ich stand in dem wohl schönsten Wohnzimmer, das ich in meinem Leben jemals gesehen hatte. Es waren offensichtlich nur die hochwertigsten Materialien und Naturtöne benutzt worden. Doch abgesehen von dem unglaublichen Interieur war ich von der Aussicht überwältigt. Entlang des gesamten Raums zog sich eine Glasfront. Wir konnten vom gesamten Raum aus über LA schauen, sahen die Hochhäuser, die Palmen, die Hills.

»Das ist unglaublich«, meinte ich, während ich den Blick kaum von der tollen Sicht abwenden konnte.

»Die Aussicht spricht für sich«, sagte der Makler. »Darf ich Sie weiterführen?«

Ich nickte und griff Jamies Hand. Der Makler führte uns hinaus auf die riesige Terrasse, die einen Infinity Pool an ihrem Ende hatte. Es gab eine Outdoorküche und einen Beamer mit Leinwand. Die Sonnenliegen waren zur Stadt hin ausgerichtet.

Was der Makler alles sagte, bekam ich kaum mit, so fasziniert war ich.

Zurück im Haus zeigte er uns noch zwei Büros und zwei Gästeschlafzimmer mit zugehörigen Bädern. Ein weiteres Bad gab es ebenfalls sowie einen Fitnessraum, ein Heimkino und einen Wäscheraum. Ich habe in meinem Leben niemals zuvor einen so schönen Ort gesehen, um seine Wäsche zu waschen und zu bügeln. Zuletzt zeigte er uns das Hauptschlafzimmer, das größer war als unser jetziges Airbnb. Es stand ein maßangefertigtes Boxspringbett gegenüber einer weiteren Glasfront, die sich auch hier über den ganzen Raum zog. Den ganzen Tag würde ich hier diese Aussicht genießen können. Das haute mich echt um. Auch das Schlafzimmer war in sehr natürlichen Tönen gehalten. Es war überwiegend in Beigetönen und Naturmaterialien gehalten. Vereinzelte Betonelemente, sowie Pflanzen ergänzten das Konzept. Vom Schlafzimmer ging es in ein riesiges Bad ab, das über eine riesige Wanne und eine Regendusche verfügte. Alles sah aus wie aus einem Luxushotel. Das Bad ließ absolut keine Wünsche offen. Jeder von uns hätte hier sein eigenes Waschbecken.

Auf der anderen Seite des Schlafzimmers gab es ein riesiges Ankleidezimmer, für das ich definitiv erstmal mächtig shoppen gehen musste, um auch nur einen klitzekleinen Teil davon füllen zu können. Alles war maßgefertigt und aus den tollsten Materialien gefertigt. Am liebsten hätte ich alles angefasst. Es gab auch hier ein großes Fenster, dass viel Licht hineinließ, obwohl das bei der wahnsinnigen Beleuchtung nicht einmal nötig gewesen wäre. In der Mitte der Ankleide stand eine riesige Insel mit Schminkbereich. Die Schränke waren mit Schmuck-, Accessoires- und Gürtel- sowie Uhreneinsätzen ausgestattet und es türmte sich Platz über Platz.

»Das ist ja wie in einer Boutique!«, staunte ich. »Wie sollen wir all das jemals füllen?«

Jamie lachte: »Na, das wirst du sicher schon hinbekommen.«

Ich verdrehte die Augen.

»Was sagen Sie zu dieser Immobilie?«, fragte uns der Makler.

»Ich bin sprachlos«, antwortete ich.

»Also ich habe nichts auszusetzen«, sagte Jamie.

»Wenn Sie mögen, lasse ich Sie zwei einen Moment allein und Sie können sich noch einmal besprechen«, bot der Makler an.

Wir nahmen sein Angebot an und gingen auf die unglaubliche Terrasse.

»Ich will es haben!«, platzte ich direkt heraus. »Ich liebe es!«

»Ich auch. Es ist wirklich toll«, erwiderte Jamie. Ich fiel ihm um den Hals und er wirbelte mich durch die Luft.

»Dann lass es uns kaufen.«

Wir gingen zurück zu dem Makler, der in der Auffahrt auf uns wartete, wo mindestens vier Autos Platz hatten.

Er nannte uns noch einmal die Details, ehe wir ihm zusagten, das Haus zu kaufen. Der Makler wollte direkt den Vertrag aufsetzten und uns noch heute zukommen lassen.

Ich freute mich riesig, dass wir nun ein Zuhause gefunden hatten – und dazu noch ein so unfassbar perfektes, das direkt bezugsfertig war.

Ich schrieb direkt April, dass wir unser Traumhaus gefunden hatten und sendete ihr ein paar Fotos. Sie war unglaublich begeistert.

Kapitel 23

Am nächsten Tag trafen wir uns wie verabredet mit unseren Familien und unternahmen eine Tour durch Los Angeles, die in den Hills bei unserem neuen Traumhaus endete, wo der Makler uns netterweise noch einmal empfing.

»Was machen wir hier?«, fragte meine Mom. »Ich glaube nicht, dass die uns hier hereinlassen«, meinte sie fort und deutete auf den Wachmann.

Ich grinste und ging zu ihm herüber. Dann begrüßte ich ihn höflich und nannte unsere Namen und dass wir einen weiteren Termin mit unserem Makler hätten. Der Wachmann öffnete nach Vorlage meines Personalausweises das Tor und ließ uns passieren.

Das Staunen und die Überraschung in den Gesichtern unserer Liebsten war unbezahlbar.

»Wir haben noch eine Überraschung für euch«, verkündete Jamie grinsend und nahm meine Hand. Die fragenden Blicke ließen mich lachen. Wir gingen die Straße ein ganzes Stück hinauf und ich hörte unsere Familien miteinander tuscheln. Jamie und ich amüsierten uns köstlich, ehe wir stehenblieben und sagten: »Da ist es!«

Wir schauten in fragende und verwirrte Gesichter.

»Wir haben ein Haus gekauft!«, rief ich unglaublich stolz.

»Ihr habt *dieses* Haus gekauft?« Jamies Mom Rose war sprachlos und hatte Tränen in den Augen. Ich ging zu ihr hinüber und nahm sie in den Arm. Ich konnte nachvollziehen, wie sie sich fühlte, denn mich überkamen auch immer noch meine Gefühle, wenn ich daran dachte, dass das alles nun unseres war.

»Wir wollten es euch unbedingt zeigen, bevor ihr alle wieder nach Hause müsst und wir zur Arbeit«, sagte ich, als ich sie schließlich losließ.

»Mom, Dad, Daniel, Ella«, sagte ich zu meiner Familie, obwohl

Jamies Eltern mittlerweile genauso meine Familie waren. Meine Mutter weinte ebenfalls und konnte es noch immer nicht glauben.

»Gratulation an euch zwei.« Dan fand als erster seine Stimme wieder.

Der Makler begrüßte alle, nachdem unsere Familien den ersten Schock überwunden hatten, dann ließ er uns hinein.

Voller Stolz zeigten wir unser Zuhause. Wir konnten es gar nicht abwarten, hier in zwei Wochen einzuziehen.

»Das ist der absolute Wahnsinn«, staunte Daniel. Er hielt sich an dem Glaszaun fest, der die Terrasse umgab. »Unglaublich.«

»Ich bin unfassbar stolz auf dich, Tay«, meinte mein Dad, während er mich in seine Arme nahm und fest drückte. Nun kamen auch mir die Tränen wieder in die Augen. Ich war so stolz und es war unglaublich schön zu hören, wie stolz auch unsere Eltern auf uns waren. »Ich wünsche euch beiden, dass ihr hier ein Zuhause gefunden habt und glücklich werdet.«

»Das haben wir, danke«, sagte ich und trocknete meine Tränen.

Unsere Eltern beglückwünschten uns noch einmal und konnten es noch immer nicht fassen, dass ihre Kinder sich so ein unfassbares Anwesen direkt nach dem Abschluss gekauft hatten. Und wer konnte es ihnen nachtragen? Es war nicht gewöhnlich, so ein Glück zu haben und sich solch eine Immobilie leisten zu können, ganz zu schweigen davon, dass wir dies direkt nach der Uni taten. Aber wir konnten sie uns durch unsere harte Arbeit leisten.

Am Ende bedankten wir uns bei dem Makler, der uns auch sogleich die Schlüssel überließ. Spontan beschlossen wir, den Abend in unserem neuen Haus zu verbringen. Wir bestellten für alle Essen und bewunderten einen atemberaubenden Sonnenuntergang.

Der Himmel war in ein sanftes Lila und warmes Pink gehüllt. Zwischendurch leuchteten einige Bereiche in einem satten und warmen Orange. Die Sonne stand tief hinter den Wolkenkratzern in Downtown. Die vielen Lichter der Häuser funkelten wie kleine Diamanten oder Sterne in der Ferne.

»Das ist einfach nur unfassbar schön«, sagte ich ehrfürchtig.

»Das hast du bald jeden Tag«, erwiderte Jamie, als er mir seinen Arm um die Taille legte.

»Ich kann es noch gar nicht glauben.«

Zwei Wochen später war es dann tatsächlich so weit. Jamie und ich hatten unser Hab und Gut in seinen Pick-up geladen und fuhren zu unserem Haus. Aufgeregt schloss ich die Tür auf. Wir trugen die wenigen Kartons, die wir hatten, hinein und räumten sie auch direkt aus. Da wir das Haus möbliert übernommen hatten, hatten wir bloß noch etwas Geschirr und Handtücher sowie Lebensmittel und Hygieneartikel kaufen müssen. Damit es etwas persönlicher aussah, stellte ich unsere Fotos und Erinnerungen auf.

Ich stand in unserer Ankleide und räumte gerade meine Kleidungsstücke ein.

»Ich fühle mich hier drinnen etwas verloren«, sagte ich, als Jamie mit einer letzten Tasche zu mir kam.

»Ja, es sieht wirklich leer aus«, lachte er. »Ich gebe dir hiermit die offizielle Erlaubnis zum Shoppen.«

»Da muss ich wohl einige Geschäfte leer kaufen …«, scherzte ich. Aber es sah wirklich erbärmlich aus, wie wenig Klamotten wir in diesem riesigen Zimmer hatten. Ich füllte nicht einmal einen Bruchteil des Schrankes und das, obwohl ich alle Kleidungsstücke, Schuhe, Accessoires und selbst die Bettsachen eingeräumt hatte.

Jamie hing gerade seine Shirts in seinen Teil des Schrankes, dann war er fertig und verstaute seine Reisetasche in einem der unzähligen Regale.

Ich war ebenfalls fertig mit dem Auspacken und schickte April eine Nachricht, dass wir eingezogen waren. Dabei schickte ich auch gleich ein paar Fotos. Anschließend suchte ich nach Jamie, den ich im Pool fand. Bei der Größe des Hauses dauerte das Finden doch etwas länger. Vielleicht sollten wir uns angewöhnen vorher Bescheid zu geben oder unsere Handys dabeizuhaben, bevor wir eine halbe Stunde nach dem anderen suchen mussten.

Ich zog mein Shirt und Hose aus und sprang nur in Unterwäsche zu ihm in den Pool.

»Hab dich endlich gefunden«, sagte ich lachend, als ich bei ihm ankam.

»Ich hab' mich nicht versteckt«, erwiderte er grinsend. Ich spritzte ihm etwas Wasser ins Gesicht.

»Hey, das wirst du büßen«, lachte er und revanchierte sich.

Nach einer Weile im Pool setzte ich mich, mit den Beinen im Wasser, an den Beckenrand und ließ meinen Blick schweifen. Jamie kam dazu.

»Das ist jetzt unseres«, sagte er, auch immer noch etwas ungläubig und stolz zugleich. »Ich habe alles, wovon ich je geträumt habe, erreicht. Es ist immer noch unglaublich.«

Ich schaute zu ihm und war glücklich, ihn so zufrieden zu sehen.

»Du sagst es. Mir geht es genauso«, erwiderte ich und lehnte mich an ihn. Dankbarer und zufriedener hätte ich in diesem Moment nicht sein können.

Die nächsten Tage vergingen leider viel zu schnell und ein erneuter Abschied nahte. Nur dieses Mal wusste ich, dass wir, wann immer es ging telefonieren würden. Anschließend könnten wir wieder gemeinsam die Zeit in unserem neuen Traumhaus verbringen. Dennoch fiel mir der Abschied nicht leicht. Doch so hatten wir uns unser Leben nun einmal ausgesucht. Jamie würde einige Zeit am Set des Films verbringen, für den er das Drehbuch geschrieben hatte und ich würde den ersten Teil der Trilogie drehen. Wir hatten bereits genaue Pläne gemacht, wer den anderen wann besuchen würde und zum Glück waren es auch nur ein paar Wochen.

Aufgeregt und traurig zugleich verabschiedeten wir uns also voneinander. Ich fuhr zum Flughafen und Jamie mit dem Auto in die Produktionsfirma.

Der Flug verging schnell und ich freute mich auf die Zeit am Set. Ich rief Jamie direkt an, als ich in meinem Trailer angekommen war. Er war etwas im Stress, da sie die Drehzeiten geändert hatten, wie er gerade erfahren hatte. Somit musste er eher los als geplant.

Wir telefonierten in den nächsten Tagen so viel es ging und einmal schafften wir es sogar, uns in der Mitte für ein Wochenende zu treffen, welches allerdings viel zu schnell vorüber war. Und so verging ein um die andere Woche: arbeiten am Set, zwischendurch zurück, dann wieder ans jeweilige Set und in die Produktionsstudios.

Wir hatten beide viel Spaß und viel zu tun bei der Arbeit. Aber wir waren auch überglücklich, als die Zeit sich dem Ende näherte und wir wussten, dass wir uns in wenigen Tagen wiedersehen würden. Und so fieberte ich meinem Rückflug entgegen, obwohl ich wusste, dass Jamie erst einen Tag nach mir wiederkommen würde.

Die letzten Szenen wurden abgedreht und ich begann, meine Sachen allmählich zu packen.

Den letzten Abend am Set verbrachte ich mit dem Cast und der Crew in einem Restaurant. Dieses Mal fiel der Abschied etwas leichter als bei meinem ersten Film, weil ich wusste, dass es zwei weitere Fortsetzungen gab, die auf ihren Dreh warteten, und weil ich wusste, dass ich zuhause Zeit mit Jamie verbringen konnte. Dennoch war es ein emotionaler Abschied. Es wurde viel gelacht und geweint.

Am nächsten Tag stand ich dann mit gepackten Koffern am Flughafen und wartete auf meinen Flieger zurück nach LA. Ich vertrieb mir die Wartezeit mit einigen Nachrichten an geliebte Menschen und mit Lesen, ehe ich endlich in den Flieger steigen konnte.

Ich konnte es absolut nicht mehr abwarten, in unser atemberaubendes Haus zurückzukehren und meine Taschen auszupacken.

Gott sei Dank hatte mein Flug keine Verspätung und ich kam nur wenige Stunden später in LA an.

Mit dem Taxi fuhr ich zu unserem Haus und schloss die Tür auf. Die Koffer stellte ich an der Seite im Flur ab. Ich war ziemlich verwundert, Jamies Schuhe dort stehen zu sehen. Ich ging weiter und sah, dass die Terrassentür offen stand. Ich rief nach ihm, während ich weiterging. Rosenblüten lagen auf dem Boden verstreut, Kerzen standen daneben. Ich war etwas überfordert, denn ich hatte damit gerechnet, allein zu sein und mich aufs bequeme Sofa fallen lassen zu können. Stattdessen fand ich unser Haus wie in einem romantischen Hollywoodfilm vor. Ich folgte den Blüten und Kerzen nach draußen auf die große Terrasse, wo ich noch überwältigter war. Im Pool schwammen Kerzen, weitere Rosenblüten und mit Helium gefüllte Herzballons. Der große Esstisch war wunderschön für zwei Personen eingedeckt. Mein Lieblingsessen - italienisch - stand bereit. Es roch herrlich nach frischen Tomaten und Basilikum, sowie Pasta. Überfordert blieb ich stehen und schaute mich nach Jamie um, der in diesem Moment hinter dem Sichtschutz der Terrasse hervorkam und langsam auf mich zuging. Ich schaute ihn fragend an. Was hatte er vor – und was machte er schon hier? Er trug schicke Chinos und ein Hemd. So hatte ich ihn bisher nur selten gesehen.

»Was machst du hier?«, fragte ich ihn überwältigt, als er vor mir zum Stehen kam. »Ich dachte, du kommst erst morgen nach Hause?«

»Überraschung«, grinste er. Er nahm meine Hand und zog mich zu sich heran, um mich zu küssen. Gott, wie sehr hatte ich das vermisst!

Jamie ging einen Schritt zurück, ließ meine Hand aber nicht los. Noch immer war ich mit der Situation überfordert und wartete darauf, was noch kommen würde. Denn so gut kannte ich Jamie langsam, um zu ahnen, dass er noch irgendwas geplant hatte.

Er und sein Hang zu Überraschungen …

»Die Überraschung ist gelungen«, sagte ich. Mein Herz pochte und meine Hände waren zittrig.

Jamie schaute mich aus seinen warmen Augen erwartungsvoll an und mir stand die Verwirrung immer noch deutlich ins Gesicht geschrieben.

»Tay, meine kleine Träumerin …«, Jamie war sichtlich nervös, so kannte ich ihn überhaupt nicht. Sonst war er doch immer so cool und souverän.

»Ja?« Meine Gefühle spielten verrückt. »Warum bist du so nervös?«

»Ist das nicht offensichtlich?«, antwortete er verlegen.

Ich schüttelte bloß den Kopf.

Er musste grinsen und schüttelte ebenfalls den Kopf.

»Ich weiß, es ist noch früh, aber ich war mir bei noch keiner Sache in meinem Leben so sicher wie mit dir«, begann Jamie schließlich. Ich verlor noch den Verstand. Würde er wirklich …?

»Ich liebe dich und ich will den Rest meines Lebens mit dir verbringen, auch wenn das heißt, dass wir manchmal vielleicht auf anderen Kontinenten sein werden. Doch egal wie weit die Entfernung sein mag, ich weiß, dass unsere Liebe größer ist und das überstehen wird.«

Ich kämpfte gegen die Tränen an, mein Herz überschlug sich und meine Knie waren weich. Er tat es wirklich!

»Du bist das größte Glück in meinem Leben und es bedeutet mir unglaublich viel, meinen Traum mit dir gemeinsam zu leben«, fuhr Jamie fort. »Taylor, mein wunderbarer Schatz, willst du meine Frau werden?«

Ich schaute ihn unter Tränen der Rührung an und nickte, ohne auch nur eine Sekunde zu zögern.

»Ja. Ja. Ja! Und wie ich das will.« Er war mein bester Freund und gleichzeitig meine große Liebe und obwohl ich ihn damals sehr verletzt hatte, ist er für mich dagewesen, als ich am Ende war. Mehr hätte er gar nicht beweisen können, was ich ihm bedeutete.

Er zog nervös eine Ringbox aus seiner Hosentasche und öffnete sie. Zum Vorschein kam ein unfassbar schöner roségoldener Ring, in den etliche funkelnde kleine Diamanten eingefasst waren. Als Hauptstein zierte ihn ein großer Diamant im Baguetteschliff, der gerahmt war von weiteren kleinen Diamanten.

»Du bist verrückt!«, rief ich überwältigt. »Der ist ja wunderschön!«

Jamie nahm meine zitternde Hand und steckte mir den Ring an den Ringfinger. Ich bestaunte ihn einen Moment, ehe ich Jamie fest in die Arme schloss und »Ich liebe dich« flüsterte.

Kapitel 24

Wie nicht anders zu erwarten gewesen war, war April völlig aus dem Häuschen, als ich ihr von den Neuigkeiten berichtete und ihr voller Stolz meinen unfassbar schönen Verlobungsring zeigte.

»Ich kann es noch immer nicht fassen!«, rief sie ungläubig und ließ sich den Ring noch einmal über FaceTime zeigen. »Der Wahnsinn. Wie schön er ist. Du hast es dir so sehr verdient.«

»Danke sehr«, erwiderte ich überglücklich und bestaunte noch immer meinen Ring.

»Wann ist es denn so weit?«, fragte April neugierig.

»Wir haben uns noch keine Gedanken darum gemacht«, antwortete ich ihr ehrlich.

»Wehe, du heiratest ohne mich«, mahnte sie mich.

»Das würde mir niemals in den Sinn kommen!«

Wir quatschten noch eine Weile, ehe ich auflegte und zu Jamie auf die Terrasse ging.

»Da kommt meine Verlobte ja endlich«, lachte Jamie. So lange hatte ich gar nicht mit April telefoniert. Er musste aber auch immer übertreiben.

»Daran muss ich mich erst noch gewöhnen. Verlobt zu sein, meine ich«, gab ich zu.

»Dann werde ich dich da wohl noch ein paar Mal dran erinnern. Meine Verlobte.« , grinste Jamie.

Ich ging lachend und kopfschüttelnd auf ihn zu und gab ihm einen Kuss.

»Lass uns heute Abend ausgehen und über die Hochzeit sprechen«, schlug Jamie vor, während er seinen Mac zuklappte.

»Gerne«, antwortete ich. »Woran arbeitest du gerade?«

»Wir planen eine Fortsetzung. Ich sammle neue Ideen dafür, also gerne her damit, wenn du welche hast.«

»Wenn mir etwas einfällt, sage ich es dir«, meinte ich und lächelte glücklich.

Am frühen Abend machte ich mich frisch, bevor wir essen gingen. Ich tauschte meine gemütlichen Shorts und das Shirt gegen ein hübsches Kleid und frischte mein Make-up auf.

Jamie erwartete mich bereits in lässigen Jeans und einem Hemd im Flur.

»Wohin gehen wir?«, erkundigte ich mich, während ich meine Tasche packte.

»Ich habe einen Tisch im Steakhouse reserviert.«

Nach einer kurzen Fahrt kamen wir an und suchten eine Weile nach einem Parkplatz.

Es war ein wirklich schönes Restaurant, das Jamie ausgesucht hatte.

Wir wurden zu unserem Tisch gebracht. Jamie zog mir den Stuhl wie ein Gentleman zurück, sodass ich mich setzen konnte. Im Anschluss reichte uns die Kellnerin die Speisekarte und nahm unsere Getränkebestellungen auf. Ich bestellte mir einen lecker klingenden Cocktail und Jamie bestellte sich ebenfalls einen.

Wir bedankten uns, als sie uns gebracht wurden, und stöberten in den Speisekarten. Nach langem Überlegen entschied ich mich für ein Entrecôte mit kleiner Ofenkartoffel und einer Salatbeilage. Jamie bestellte ein saftiges Hüftsteak mit Steakhouse-Pommes.

»Hast du es deinen Eltern schon gesagt?«, fragte ich neugierig, denn bisher hatte ich es nur April erzählt.

»Ich dachte, wir könnten sie über das Wochenende besuchen und es ihnen persönlich sagen«, erwiderte Jamie.

»Wir waren eine Weile nicht bei ihnen, ich würde mich freuen, wenn wir sie wiedersehen«, sagte ich, denn Rose und Dan waren meine zweite Familie geworden. Wann immer es ging, meldete ich mich bei Rose. Sie war wie eine zweite Mom und eine gute Freundin für mich geworden.

»Hast du schon an ein Datum gedacht?«, fragte ich weiter.

Jamie schüttelte den Kopf und kaute seinen Bissen auf. »Ich hatte überlegt, dass wir nur unsere engste Familie und Freunde einladen und an einem deiner Lieblingsorte eine intime Trauung vollziehen könnten«, schlug er vor.

Es war so surreal, plötzlich meine eigene Hochzeit zu planen und viele würden fragen, ob es nicht zu früh sei. Aber nach allem, was wir zusammen erlebt hatten, war ich mir mehr als sicher, dass das Schicksal uns zusammengeführt hatte und wir füreinander bestimmt waren.

»Was hältst du vom Griffith Observatory?«, fragte Jamie mich.

»Geht das denn?«, fragte ich überrascht nach.

»Wir sind in LA, hier geht alles.«

Wir unterhielten uns noch eine Weile und teilten unsere Wünsche und Vorstellungen miteinander. Am Ende war es beschlossene Sache, dass wir am Griffith Observatory mit unserer engsten Familie und Freunden heiraten wollten. Ich würde Kyle fragen, ob er mir mein Kleid entwerfen konnte. April und er würden selbstverständlich unsere Trauzeugen werden.

Den restlichen Abend genossen wir ganz ohne Planung. Nach einem köstlichen Schokokuchen zum Nachtisch fuhren wir zurück in unser Haus, wo Jamie mich huckepack nahm und in unser Schlafzimmer trug. Dort angekommen, legte er seine Arme um mich und küsste mich innig.

»Ich kann es gar nicht erwarten, dich zu heiraten«, sagte er, bevor er mich weiter mit Küssen bedeckte. Während er mir das Kleid über den Kopf zog, blitze sein Tattoo unter seinem hochgekrempelten Hemd hervor, dass wir uns hatten stechen lassen, als wir aus Hamburg zurück waren. Und tatsächlich war dies mein Kompass, der mich immer nach Hause zu ihm brachte. Während wir uns weiter immer leidenschaftlicher küssten, knöpfte ich die Knöpfe seines Hemdes auf und zog es ihm schließlich aus. Ich setzte mich auf die Bettkante und zog ihn zu mir herunter. Er schob sein Knie zwischen meine Beine und stützte sich neben mir auf seinen Armen ab. Meine Hände glitten über seinen trainierten Rücken, während er meinen Hals mit Küssen bedeckte. Sein Mund wanderte hinab zu meinem Dekolleté, dann weiter herunter zu meinem Bauch. Ich konnte ein erregtes Seufzen nicht unterdrücken, mein Rücken bog sich ihm entgegen, während er fortfuhr. Gekonnt befreite er mich von dem Hauch aus Spitze, den ich trug. Ich spürte, wie ein Schauer über meinen Körper lief. Jamie berührte mich zärtlich und doch leidenschaftlich. Seine Lippen fanden ihren Weg zurück zu meinem Hals, den er erneut mit Küssen bedeckte.

»Du bist so sexy«, raunte er mir ins Ohr.

Ich schlang meine Beine um seine Hüfte und zog ihn dichter zu mir.

»Ich will dich«, fuhr er fort. Seine Hände glitten weiter über meinen Körper und ich konnte nicht anders, als mich ihm hinzugeben.

Am nächsten Tag hatte Jamie noch einen Termin und ich entschied mich, an den Strand zu fahren und von dort aus meine Mom anzurufen und ihr die Neuigkeiten mitzuteilen. Nervös ließ ich es klingeln. Endlich nahm sie den Anruf entgegen.

»Hi Mom! Wie gehts euch?«, erkundigte ich mich zuerst.

»Gut und euch? Ich bin gerade von der Arbeit zurück. Daniel war mit Ella im Zoo.«

»Sehr gut, danke«, antwortete ich und hielt meine Hand in die Kamera. »Überraschung!«

»Taylor! Ist es das, wonach es aussieht?«, fragte meine Mom ungläubig.

»Wenn es nach einem unfassbar tollen Verlobungsring aussieht, dann ja«, erwiderte ich bis über beide Ohren grinsend.

»Du überraschst mich immer wieder«, sagte sie kopfschüttelnd. »Zeig mal genauer her. Der sieht ja wunderschön aus.«

Ich hielt den Ring dichter in die Kamera. Er glänzte im Sonnenlicht unfassbar schön.

»Wow, da hat Jamie sich aber selbst übertroffen«, staunte sie. »Ich kann es gar nicht glauben.« Meine Mutter war noch immer am Verarbeiten der Neuigkeiten, als Daniel zu ihr in die Küche kam.

»Da komme ich nichts ahnend von der Arbeit nach Hause und meine Tochter ist verlobt«, sagte sie zu ihm. »Kannst du das glauben?«

»Herzlichen Glückwunsch. Das freut mich für euch beide«, beglückwünschte Daniel mich.

»Vielen Dank. Werdet ihr bei der Hochzeit dabei sein?«

»Das will ich ja wohl stark hoffen«, meldete sich meine Mom wieder zu Wort.

»Super! Ich werde euch eine Einladung schicken, sobald wir so weit sind«, sagte ich. »Ich muss jetzt aber auch zurück und meine Tasche packen. Wir wollen Jamies Eltern besuchen und ihnen ebenfalls von den Neuigkeiten erzählen.«

»Richte ihnen liebe Grüße aus – und herzlichen Glückwunsch, mein Schatz«, verabschiedete meine Mom sich.

Ich ließ meine Hand mit dem Handy neben mich sinken und genoss noch ein wenig die Zeit am Strand, ehe ich tatsächlich zurückfuhr und unser Gepäck für den Wochenendtrip packte. Im Anschluss schaute ich, dass ich noch zwei Flugtickets nach San Francisco bekam. Ich hatte nicht wirklich Lust, schon wieder so einen langen Roadtrip zu unternehmen. Ich hatte Glück und bekam zwei Flüge für den nächsten Morgen. Die Infos schickte ich Jamie per Messenger, ehe ich mich ans Aufräumen und Saubermachen machte. Anschließend ging ich joggen und kühlte mich im Pool ab. Danach meldete ich mich auch bei Georg, Liam und Lola und berichtete ihnen von der Verlobung mit Jamie. Auch sie freuten sich riesig für uns und schickten ihre Glückwünsche. Wir schrieben noch eine Weile hin und her, doch als Jamie zurückkam, legte ich das Handy beiseite.

Aufgeregt kamen wir in San Francisco an und fuhren vom Flughafen zu Jamies Eltern. Er hatte uns für die paar Tage einen Mietwagen besorgt und gerade abgeholt. Während ich auf ihn gewartet hatte, hatte ich für Rose ein paar schöne Blumen am Flughafen besorgt. Ich war nervös, was sie sagen würden. Die Fahrt zu seinem Elternhaus kam mir wie eine Ewigkeit vor. Nervös trommelte ich mit meinen Fingern auf der Verkleidung der Autotür herum.

»Meine Eltern werden sich riesig freuen, keine Sorge«, sagte Jamie, der meine Nervosität bemerkt hatte. Kurz darauf fuhr er in die Einfahrt und parkte das Auto vor der Garage. Er kam ums Auto herum und hielt mir galant die Tür auf. Gemeinsam gingen wir zur Haustür, wo er klingelte.

Kurz darauf öffnete uns eine völlig verdattert dreinblickende Rose die Tür.

»Was macht ihr denn hier?«, fragte sie überrascht und glücklich zugleich.

»Wir dachten, dass wir das Wochenende bei euch verbringen«, antwortete Jamie, der seine Mutter zur Begrüßung in den Arm genommen hatte.

»Kommt rein. Damit hab ich ja gar nicht gerechnet.«

»Tut mir leid, dass wir euch so überrumpeln«, entschuldigte ich mich und reichte ihr die Blumen.

Rose bedankte sich und brachte sie in eine Vase in der Küche. Wir folgten ihr und setzten uns an den Küchentisch.

»Wo ist Dad?«, erkundigte sich Jamie.

»Der ist noch einkaufen. Wir haben ja gar nicht mit euch gerechnet. So spontan von Los Angeles angereist …«

»Wenn wir unpassend kommen …«, sagte ich, doch Rose unterbrach mich sofort: »Ihr seid immer herzlich willkommen bei uns. Was gibt es Neues? Wie läuft die Arbeit? Habt ihr euch mittlerweile in eurem Haus eingelebt?«

»Die Arbeit läuft bestens, danke. Wir lieben das Haus, auch wenn wir noch gar nicht so viel Zeit dort verbringen konnten«, antwortete ich und versteckte meine Hand in meinem Schoß. Ich wollte warten, bis Dan zurück war, ehe wir die Neuigkeiten verkündeten.

»Ich wollte Essen machen, wenn Dan zurück ist. Habt ihr Hunger mitgebracht?«

»Du weißt, dass ich bei deinem köstlichen Essen nicht nein sagen kann«, meinte ich lachend, denn Rose war eine begnadete Köchin. »Kann ich dir bei den Vorbereitungen helfen?«

»Nein, macht ihr es euch mal gemütlich. Dan wird sich freuen, euch zu sehen, wenn er zurück ist.«

Etwas nervös machte ich es mir mit Jamie auf dem Sofa bequem und versuchte, meine Hand so unauffällig wie möglich zu verstecken. Jamie, dem es nicht entgangen war, grinste und zwinkerte mir zu.

»Bis dein Dad da ist«, flüsterte ich ihm zu.

Er streckte sich auf dem Sofa aus und nahm meine Hand.

Es kam mir wie eine Ewigkeit vor, bis Dan vom Einkaufen zurückkam. Nervös saß ich neben Jamie und konnte mich überhaupt nicht auf das TV-Programm konzentrieren.

Endlich ging die Haustür auf und sein Dad kam mit einigen Tüten an Einkäufen herein.

»Wem gehört denn der Wagen da draußen, der meine Garage zuparkt?«, wollte er empört wissen.

»Deinem Sohn und Taylor«, antwortete Rose ihm, als er die Tüten in der Küche abstellte. Sie trocknete sich ihre Hände an einem Küchenhandtuch ab und begrüßte ihren Mann, der sie irritiert anschaute. Sie deutete zu uns herüber. Wir waren inzwischen aufgestanden und begrüßten ihn.

»Das gibts ja nicht!«, freute sich Dan und nahm uns herzlich in den Arm. Mein Herz raste, denn ich hatte Sorge, dass Rose den Ring nun entdecken würde, denn unauffällig war dieser ja nun nicht gerade.

»Womit haben wir euren Besuch denn so spontan verdient?«

Jamie nahm meine Hand und sagte: »Wir haben Neuigkeiten zu verkünden.« Er hielt meine Hand hoch und zeigte seinen Eltern stolz den Ring.

»Oh mein Gott! Herzlichen Glückwunsch ihr zwei«, freute sich Rose riesig und drückte uns nacheinander herzlich.

»Gratulation ihr zwei«, meinte Dan und drückte uns ebenfalls. »Das sind ja tolle Neuigkeiten!«

»Zeig mal deinen Ring«, sagte Rose und betrachtete ihn ausgiebig. »Der ist wunderschön!«

»Danke«, erwiderte ich mit Tränen der Rührung in meinen Augen. Ich war erleichtert, dass sie es so gut aufgenommen hatten.

Beim Essen brachten wir seine Eltern auf den neuesten Stand. Anschließend zogen wir uns auf Jamies altes Zimmer zurück. Ich legte mich in seinen Arm und ließ mir von ihm sanft durch die Haare streicheln. Schließlich schlief ich ein und wachte erst am nächsten Morgen wieder auf. Die letzten Tage steckten mir wohl ordentlich in den Knochen. Die ganze Aufregung. Und kaum waren wir zu Hause, waren wir schon wieder in den nächsten Flieger gestiegen, um herzufliegen.

»Guten Morgen, du Schlafmütze«, weckte Jamie mich lächelnd.

Ich rieb mir noch nicht ganz anwesend die Augen und gähnte. Es dauerte einen Moment, bis ich beim Blick auf die Uhr realisierte, dass schon der nächste Morgen war und ich offenbar über fünfzehn Stunden geschlafen hatte.

»Sorry«, meinte ich gähnend und streckte mich.

Jamie lächelte sein umwerfendes Lächeln und küsste mich. »Bist du nun ausgeschlafen?«

»Ich denke.« Erneut gähnte ich und setzte mich auf. Nach einem Moment des Wachwerdens nahm ich mir meine Kulturtasche und frische Kleidung, um duschen zu gehen.

Das heiße Wasser tat gut und ließ mich allmählich wach werden. Als ich aus dem Bad kam, war Jamie bereits aufgestanden und ich fand ihn in der Küche, wo er schon mit einem Kaffee auf mich wartete.

»Meine Eltern wollen uns zum Brunchen einladen, hast du Lust?«, fragte er, während er mir meinen Latte Macchiato herüberschob.

»Das klingt gut. Gerne«, antwortete ich, setzte mich zu ihm und nahm einen großen Schluck. »Kann ich den vorher noch in Ruhe austrinken?«

»Natürlich, wir fahren danach mit ihnen los.«

So saßen wir also wenig später in einem gemütlichen Café. Warme Pancakes mit Sahne und Obst türmten sich vor mir. Daneben standen ein weiterer Kaffee sowie ein Glas Orangensaft.

»Habt ihr schon Pläne für eure Hochzeit?«, erkundigte sich Rose, nachdem sie einen Schluck von ihrem Kaffee getrunken hatte.

»Noch nicht viele. Es ist ja noch ganz frisch«, antwortete ich ihr und nahm einen Bissen von meinem Pancake.

»Wir hatten an das Griffith Observatory gedacht«, meinte Jamie. »Nur mit dem engsten Kreis.«

»Ich hoffe, das schließt uns ein«, sagte Dan lachend.

»Natürlich.«

»Ich freue mich ja so für euch«, sagte Rose liebevoll. Sie war wirklich eine wundervolle Frau und ich freute mich schon, sie am Tag meiner Hochzeit dabeizuhaben und hoffentlich auch meine Mom. »Wie aufregend. Was sagt deine Mom dazu?«, fragte sie.

»Sie hat sich ebenfalls gefreut, aber ich glaube, sie war auch ein wenig überrumpelt. Ich konnte es ihr ja nur über FaceTime erzählen.«

Wir plauderten noch eine Weile, bevor wir nach einiger Zeit zurückfuhren.

Das Wochenende bei seinen Eltern verflog im Nu und ehe wir uns versahen, standen wir am Montagnachmittag auch schon wieder am Flughafen und traten unseren Rückflug an. Ich hatte versprochen, Rose über unsere Pläne auf dem Laufenden zu halten.

Am Abend machte ich es mir mit Jamie auf unserem Sofa bequem und wir besprachen, wann wir die Location und das Catering anfragen und die Einladungen aussuchen wollten.

Er rief am nächsten Morgen bei einer Hochzeitsagentur an und teilte ihnen unsere Vorstellungen mit. Und so machten sie einen Termin für Ende der Woche aus, wo sie uns ein Konzept präsentieren wollten.

Ich rief Kyle an und fragte, ob er mir die Ehre erweisen und mir mein Hochzeitskleid designen würde. Er war sehr gerührt davon und sofort einverstanden. Er stellte mir etliche Fragen zum Kleid, die ich ihm nicht beantworten konnte, denn ich hatte bisher ja selbst noch keine genauen Vorstellungen.

»Ich schicke dir verschiedene Entwürfe, dann kannst du entscheiden«, meinte er. »Ich mache mich gleich an die Arbeit!«

Ich bedankte mich bei ihm und ließ Grüße an April ausrichten.

Ende der Woche kam die Hochzeitsplanerin dann wie versprochen zu uns nach Hause und präsentierte uns ihre Ideen. Erst jetzt begann ich zu realisieren, dass Jamie und ich tatsächlich bald heiraten würden.

Ich war sprachlos von all ihren Vorschlägen und wusste gar nicht, wofür ich mich entscheiden sollte. Einerseits wollte ich etwas Klassisches, aber es sollte auch nicht langweilig sein. Sie zeigte uns Unmengen an Blumenarrangements und Torten, notierte sich unsere weiteren Wünsche und was wir besprochen hatten.

Am Ende entschieden wir uns für weiße Orchideen und Eukalyptus sowie einen Blumenbogen für die Trauung. Die Torte sollte der Deko angepasst werden. Wir entschieden uns beim Geschmack für eine leichte fruchtige Füllung.

Ein paar Tage später suchten Jamie und ich die Einladungskarten aus und ließen sie versenden.

Während all der Vorbereitungen hielt ich Mom, Rose und April auf dem Laufenden. April reiste ein paar Tage vor der Trauung an und hatte uns einen Termin im Spa gebucht, da ich keinen großen Junggesellinnenabschied feiern wollte. Wir genossen die Zeit und ich berichtete ihr alles, während auch sie mich auf den neusten Stand brachte.

Nach dem Spa trafen wir uns noch mit Kyle, der mir mein Kleid präsentieren würde. Seine Entwürfe hatte er mir bereits zukommen lassen und ich hatte ihm meine Meinung dazu gesagt. Ich versuchte, aus April Infos herauszubekommen, aber sie hatte den finalen Entwurf selbst noch nicht gesehen. Nicht zu wissen, wie es aussah, stresste mich gehörig.

Wir hatten Jamie aus dem Haus geschmissen und kurz darauf kam Kyle mit einem großen Brautkleidersack zur Tür herein.

»Bist du bereit?«, erkundigte er sich und legte ihn ab.

»Ich bin unfassbar aufgeregt«, antwortete ich, während ich vor Aufregung fast platzte.

»Nun spann uns mal nicht länger auf die Folter, du Geheimniskrämer«, drängte April ihren Freund, der das Kleid nun vorsichtig hervorholte.

Mir stockte der Atem. Es war atemberaubend schön. Ich konnte es gar nicht abwarten, das Kleid anzuprobieren.

April half mir in das Kleid herein, ehe ich es Kyle präsentierte und es selbst in unserem großen Spiegel bewundern konnte.

Das Kleid war unglaublich! Es lag hauteng an und hatte einen tiefen Ausschnitt, sowohl vorne als auch hinten im Rücken. Es war mit zahlreichen Perlen verziert und hatte zarte Träger, die über die Schultern fielen. Unter den Knien fing es an, in eine lange, atemberaubende Schleppe zu fließen, die sicherlich zwei Meter lang war.

April war gerade dabei, diese zurechtzulegen. Hinten wurde es mit einem Reißverschluss geschlossen, der unter einer Zierknopfleiste versteckt lag.

»Du siehst wunderschön aus!«, rief April mit Freudentränen in den Augen.

»Unglaublich!«, meinte Kyle, während er sein Werk bewunderte. »Aber der Schleier fehlt noch!«

Er holte einen ebenso langen Schleier aus der Brautkleidhülle und steckte ihn mir in die Haare. An seinem Ende war das Wort *Forever* aus etlichen winzigen Perlen aufgestickt.

Ich ruinierte mein Make-up, weil mir Unmengen Freudentränen über die Wangen kullerten. April reichte mir ein Taschentuch, während ich mich im Spiegel betrachtete. Das Kleid saß wie eine zweite Haut. In meinem gesamten Leben hatte ich noch kein so wunderschönes Kleid gesehen und das, obwohl das erste Kleid von Kyle schon traumhaft gewesen war.

»Du wirst Jamie die Sprache verschlagen«, sagte Kyle.

»Du siehst unglaublich aus!«, rief April.

»Ich kann dir gar nicht genug danken! Es ist so unfassbar schön«, sagte ich überwältigt zu Kyle. »Du hast dich mal wieder selbst übertroffen.«

Natürlich bezahlte ich ihm seine Arbeit, aber ich vermochte gar nicht zu sagen, wie viel Zeit und Mühe er in dieses atemberaubende Kleid investiert hatte.

»Willst du nun das Kleid für April sehen?«, fragte Kyle.

Ich nickte gespannt.

Er holte ein eukalyptusgrünes Kleid hervor, das in einem fließenden Stoff vom Bügel fiel. Es hatte schmale Träger und ein elegantes Oberteil.

»Zieh es an«, forderte ich April auf.

Kurz darauf stand sie in ihrem Brautjungfernkleid neben mir und sah unfassbar hübsch aus.

»Wow, unglaublich«, staunte ich. Kyle hatte wirklich ein unglaubliches Talent. Es passte April wie angegossen. Das Kleid fiel wie ein sanfter Wasserfall an ihr herunter und hörte erst auf dem Boden auf.

Um die Taille hatte es einen zarten Gürtel, der mit Perlen bestickt war.

Die Zeit verflog und schließlich war unser großer Tag gekommen. Jamie hatte mit Kyle in Downtown in einem Hotel übernachtet, wo auch unsere Freunde und Familie untergebracht waren. April hatte mit mir in unserem Haus geschlafen. Gemeinsam fuhren wir nun zur Location, wo Jamies und meine Hochzeitsplanerin uns schon erwartete. Sie kontrollierte alles und begrüßte uns.

Ich konnte es noch immer nicht fassen. Sie hatte unglaubliche Arbeit geleistet. Auf der Grünfläche vor dem Griffith Observatory standen hübsche Holzstühle und Unmengen an Orchideen und Eukalyptus schmückten den Gang zum Traubogen, der ebenfalls über und über mit Blumen geschmückt war. Ein leichter heller Stoff war an ihm befestigt und wehte in der lauen Brise.

»Ich bringe euch in die Garderobe«, sagte sie und brachte uns weiter hinten zu einem weißen Festzelt. Innen standen Schminktische und ein kleines Sofa sowie eine kleine Bar mit Getränken und Snacks. Blumen schmückten das Zelt und unsere Kleider hingen bereit. Auf einem Tisch standen die Blumensträuße bis zu ihrem großen Auftritt in Vasen.

»Wow!«, staunte ich, während ich alles auf mich wirken ließ. Ich hatte gar keine Zeit, das Ganze richtig auf mich wirken zu lassen, denn da kamen schon Mom, Rose und Ella herein.Gefolgt von Lola und Natalie. Sie kamen aus dem Staunen gar nicht mehr heraus.

»Unfassbar schön«, sagte meine Mom und begrüßte mich mit Tränen in den Augen. Ich drückte sie fest an mich und dann Rose. Ella hatte es sich bereits auf dem Sofa mit Snacks gemütlich gemacht.

»Danke, dass ihr gekommen seid«, sagte ich gerührt.

»Euren großen Tag verpassen wir doch nicht!«, sagte Mom, als sie weitere Freudentränen wegtupfte.

»Ist das dein Kleid?«, fragte Rose ungläubig, als sie es sah.

Ich nickte nur, da ich mit den Tränen kämpfte.

»Es ist wunderschön.«

Die Hochzeitsplanerin reichte allen einen Cocktail und Ella eine Brause.

»Auf die Braut und eine wunderschöne Hochzeit!«, sprach April den Toast aus.

Danach saßen wir auch schon an den Schminktischen und wurden zurechtgemacht. Ich bekam golden schimmernden Lidschatten und dunklen Eyeliner sowie einen natürlichen Lippenstiftton und pinken Rouge. Meine Haare wurden in einem flachen Knoten zusammengesteckt, einige Strähnen fielen mir locker ins Gesicht. Am Ende kam noch ein großer Orchideenblütenkopf hinein. Der Schleier würde hinzukommen, wenn ich das Kleid anhatte.

April war bereits fertig angezogen und zurechtgemacht, sodass sie mir beim Anziehen helfen konnte. Mir zitterten die Hände und ich war unglaublich aufgeregt. Als das Kleid schließlich so saß, wie es sollte, steckte sie mir den Schleier ins Haar und betrachtete zufrieden das Gesamtbild.

»Perfekt!«, verkündete sie.

»Was sagt ihr?«, fragte ich an die anderen gewandt.

Mom und Rose tupften sich erneut die Freudentränen weg.

»Wunderschön. Du siehst atemberaubend aus«, rief Mom gerührt.

»Es steht dir unglaublich gut«, meinte Rose.

»Unfassbar schön!«, staunte Lola.

»Ja. Du siehst umwerfend aus!«, sagte auch Natalie.

Ich legte noch ein paar schlichte goldene Ohrringe mit Perlen an und versuchte inständig, weitere Tränen zurückzuhalten, um mein Make-up nicht zu ruinieren.

»Seid ihr so weit?«, fragte Amber.

»Ja und wie«, sagte ich mit rasendem Herzen.

Wir folgten ihr nach draußen, wo Dad, Georg, Paul, Liam und Kyle sich unterhielten. Als sie uns entdeckten, verschlug es ihnen den Atem. Dad, der mich hineinführen würde, kam auf mich zu und hatte Tränen in den Augen.

»Du siehst wunderschön aus.«

Ich bedankte mich bei ihm und hatte ebenfalls wieder Tränen in den Augen.

»Wenn dann jetzt alle so weit sind, können wir starten«, unterbrach Amber uns.

Rose umarmte mich noch ein letztes Mal, ebenso meine Mom, ehe sie zu ihren Plätzen verschwanden.

Ich hörte, wie die Musik einsetzte. Wir hatten uns für den Song *I Guess I'm In Love* von Clinton Kane entschieden. Ich liebte den Song unendlich doll und die Lyrics waren so unglaublich ehrlich und gefühlvoll. Amber schickte Ella als unser Blumenmädchen los. Ihr folgten April und Kyle. Danach gingen mein Dad und ich los. Ich hatte mich bei ihm untergehakt und war so unfassbar aufgeregt.

»Ich wünsche euch alles Glück der Welt«, flüsterte er mir zu, während wir uns auf dem Weg zu den anderen Gästen befanden.

»Bitte erheben Sie sich nun für die Braut«, sagte der Traubeamte. Die Gäste erhoben sich und ich stand mit zittrigen Knien am Anfang des Ganges neben meinem Dad.

Jamie, der bereits vorne stand, schaute zu uns herüber. Er strahlte über das ganze Gesicht. Ich konnte Freudentränen in seinen Augen erkennen, während ich gegen meine eigenen ankämpfte.

Er sah unfassbar gut in seinem maßgeschneiderten beigen Smoking und der eukalyptusgrünen Fliege aus. Als Ansteckblume hatte er eine Orchidee mit einem kleinen Zweig Eukalyptus, die vor einem zur Fliege passendem Einstecktuch befestigt war. Dazu trug er dunkelbraune Anzugsschuhe.

Kyle klopfte ihm auf die Schulter und April blickte mir glücklich entgegen. Ich musste einmal tief durchatmen, ehe ich an der Seite meines Dads weiterging, bis er mich an Jamie übergab.

»Pass gut auf sie auf«, sagte Dad zu Jamie, der sein Glück nicht fassen konnte. April nahm meinen Brautstrauß ab, drapierte meine Schleppe sowie den Schleier und stellte sich anschließend neben mich.

»Das werde ich«, antwortete Jamie. Er nahm meine Hände und flüsterte: »Du siehst unglaublich aus!«

»Du auch«, raunte ich ihm mit klopfendem Herzen und zittrigen Händen zu.

Unsere Gäste hatten sich wieder gesetzt und ich war unendlich dankbar, dass unsere Familien und Freunde es geschafft hatten.

Ich hatte das Gefühl, gleich meine Nerven zu verlieren. Da stand ich nun mit Jamie vor all unseren Gästen, oben vor dem Griffith

Observatory. Unter uns lag Los Angeles. Die Sonne schien warm, doch ein leichter Nebel lag noch über der Stadt, was der Schönheit der Aussicht aber nichts nahm.

»Tay, wow, du siehst unglaublich aus«, begann Jamie überwältigt sein Eheversprechen. Unsere Gäste lachten. »Ich kann mein Glück gar nicht in Worte fassen, dass ich heute hier mit dir stehen darf.« Er atmete einmal tief durch. »Du bist für mich das größte Glück der Welt und ich bin unfassbar dankbar für alles, was wir bereits erreicht haben und noch erreichen werden. Ich verspreche dir, dich an jedem Tag zu lieben und zu respektieren. Ich werde dich bei allem unterstützen und für dich da sein, egal was kommt.« Meine Hände zitterten in den seinen, Tränen der Rührung kullerten mir über die Wangen. Ich versuchte, ruhig zu atmen. Nun war ich dran. Ich atmete noch einmal tief ein und wieder aus.

»Danke, dass du mich nicht aufgegeben hast und für mich da warst, als alles zerbrochen schien. Ohne dich hätte ich es nicht geschafft. Ich weiß nicht, womit ich all deine Liebe verdient habe«, sagte ich unter Tränen. »Ich kann dir nicht oft genug sagen, wie dankbar ich dir dafür bin. Ich verspreche dir, immer für dich da zu sein und an deiner Seite zu stehen. Mit jedem Tag liebe ich dich noch ein wenig mehr.«

Ich konnte dem, was der Traubeamte anschließend sagte, gar nicht folgen, so überwältigt war ich von all meinen Gefühlen.

»Sie dürfen die Braut nun küssen«, hörte ich schließlich – und als ob Jamie auf nichts anderes gewartet hätte, küsste er mich endlich.

»Somit sind Sie nun offiziell Mr. und Mrs. Wright!«, rief der Traubeamte.

Unsere Familien und Freunde applaudierten, während wir den Gang entlangschritten und sie uns von allen Seiten beglückwünschten.

Nach einem kleinen Empfang mit Fingerfood und Getränken begannen wir mit dem Fotoshooting. Das würden sicher unglaubliche Bilder werden bei dieser atemberaubenden Location.

Während des Fotoshootings wurde die Location noch einmal umgebaut. Überall wurden Tische aufgestellt, an denen später die Gäste Platz finden würden.

Die Cateringfirma deckte das Buffet mit all den Speisen und Getränken ein, die wir uns ausgesucht hatten. Das Buffet würde hoffentlich keine Wünsche offen lassen. Es gab zartes Hähnchen in einer leichten Sahnesoße, sowie saftiges Rinderfilet an einer Rotweinsoße. Als Beilagen gab es Kartoffeln, Pommes und verschiedenes Gemüse, sowie frische Salate mit einer kleinen Dressingauswahl. Dazu gab es frisches Baguette, Dips und reichlich Obst. Wir hatten eine große Getränkeauswahl , die von Softdrinks, über Wasser und Säfte bis hin zu alkoholischen Getränken reichte. Zusätzlich gab es einen leichten, erfrischenden Cocktail mit Minze und Zitrone. Ich war überwältigt von der ganzen Auswahl.

Amber bat unsere Gäste schließlich zu Tisch, als wir vom Fotoshooting nur zu zweit zurückkehrten.

»Begrüßen Sie noch einmal mit mir das frisch vermählte Paar!«, rief sie aus. Familie und Freunde applaudierten, als wir herein kamen und am Brautpaar-Tisch Platz nahmen. Mit an unserem Tisch saßen meine Eltern, Ella und Daniel, sowie Jamies Eltern Rose und Dan. Direkt vor uns saßen unsere besten Freunde mit ihren Partnern. Der Rest verteilte sich auf zwei weitere Tische.

Jamie erhob sein Glas und tippte es mit einem Messer an. Die Gäste verstummten und schauten zu ihm herüber.

»Ich möchte mich bei allen von ganzem Herzen bedanken, dass ihr so zahlreich an diesem besonderen Tag erschienen seid und ihn gemeinsam mit uns feiert! Ich möchte jetzt auch gar keine lange Rede halten, sondern direkt das herrliche Buffet eröffnen.«

Alle applaudierten erneut. Wir hatten die Ehre, als erstes am Buffet zu sein und uns die Teller füllen zu können. Ich entschied mich für ein kleines Stück von dem Hähnchen und den Kartoffeln. Außerdem füllte ich mir ein bisschen was von den Salaten auf. Jamie hatte sich für das Rind mit Pommes entschieden und ebenfalls etwas vom Salat.

»Was magst du trinken?«, erkundigte er sich.

»Ich würde ein Glas von dem Cocktail nehmen, der sieht klasse aus.«

»Kommt sofort.«

Ich ging schon einmal zu meinem Platz, wo ich den Teller vor mir abstellte. Dank Moms Hilfe mit der Schleppe und dem Schleier konnte ich mich dann schließlich hinsetzen. Ich lächelte sie dankbar an.

Kurz darauf reichte Jamie mir meinen Cocktail und ich bedankte mich auch bei ihm.

Als ich aufgegessen hatte, ging ich ein paar Plätze weiter zu Ella.

»Hey, na. Hast du was leckeres gefunden?«, erkundigte ich mich.

»Ja, die Pommes sind super.« Ich musste lachen.

»Ich hab da gleich noch eine Überraschung für dich, hast du Lust mit mir mitzukommen?«, fragte ich sie.

»Na klar, ich esse nur noch auf.«

»Vorbildlich«, lachte ich. »Ich bin solange bei meinen Freunden da vorne.« Ich zeigte zu dem Tisch vor uns. Ella nickte und ich ging hinüber an den anderen Tisch, wo April mit Kyle, Lola und Liam, sowie Paul, Georg und Natalie saßen.

Ich begrüßte sie alle nochmal und erkundigte mich, ob alles in Ordnung war. Außerdem bedankte ich mich für ihr Kommen.

»Du siehst wirklich atemberaubend aus«, machte Natalie mir ein erneutes Kompliment, bei dem ich errötete.

»Vielen Dank. Ihr seht auch alle unfassbar gut aus.«

Aprils Kleid hatte ich ja bei der Anprobe schon gesehen, aber so zurecht gemacht, hatte ich sie heute auch zum ersten Mal gesehen. Ich war unfassbar glücklich, sie heute an meiner Seite haben zu können. Das Kleid stand ihr wirklich unfassbar gut und dazu ihre halb zurückgesteckten roten Haare mit einer goldenen Haarspange. Die Stylisten hatten nicht nur bei ihren Haaren ganze Arbeit geleistet, sondern auch bei ihrem Make-up. Ihre grünen Augen wurden durch das zarte grüne Augenmake-up noch mehr betont. Kyle trug einen farblich passenden karierten slimfit Anzug mit einigen Orchideen am Revers. Um seinen Hals trug er eine helle Perlenkette und einige seiner Tattoos blitzen unter dem Anzug hervor. Seine Haare waren verwuschelt wie immer. Sein Look war speziell wie so oft, aber irgendwie stand es ihm immer.

Liam trug einen klassischen dunkelblauen Anzug mit weißem Hemd, dessen obere Knöpfe offen waren, dazu weiße Sneaker. Lola sah wie immer top aus. Sie trug ein fließendes, fliederfarbenes knielanges Kleid mit goldenen Sandalen und einer kleinen dazu passenden Umhängetasche. Georg war in einem schlichten schwarzen Anzug gekommen, dessen Jacket bereits über seiner Stuhllehne hing. Darunter trug er ein weißes Hemd wie Liam. Natalie saß in einem femininen hellblauen Tüllkleid und silbernen Sandalen neben ihm. Sie sah bezaubernd aus.

»Ich hab noch eine kleine Überraschung, habt ihr Lust gleich mitzukommen?«, fragte ich in die Runde.

»Klar«, sagte Lola.

»Ich warte nur noch auf Ella«, sagte ich.

Kurz darauf kam sie auch schon mit Jamie an der Hand zu uns.

»Bist du bereit?«

»Ja, was ist es für eine Überraschung?«, wollte Ella wissen.

»Wirst du gleich sehen«, sagte ich und nahm sie an der anderen Hand. Unsere Freunde folgten uns ebenfalls neugierig.

»Wie cool!«, rief Ella, als sie um die Ecke bog und die große Hüpfburg und den Photo Booth entdeckte.

»Damit es nicht so langweilig wird«, grinste Jamie, bevor er mit ihr auf der Hüpfburg verschwand. Ich hoffte, dass sich keiner übergeben würde. Natalie zog ihre Sandalen aus und folgte den beiden. Ich nutzte den Moment, um ein paar lustige Erinnerungsfotos mit meinen restlichen Freunden zu machen.

Im Anschluss gingen wir wieder herein, wo das Dessert-Buffet bereits auf seine Eröffnung wartete. Es gab verschiedene kleine Törtchen zur Auswahl, die mit Erdbeer-, Karamell- oder Schokocreme gefüllt waren, sowie frisches Obst und natürlich die Hochzeitstorte. Sie wurde vor dem Buffet auf einem goldenen Servierwagen präsentiert. Der Konditor hatte eine wirklich wunderschöne dreistöckige Torte gezaubert. Jede Etage wurde von einem eukalyptusfarbenen Satinband geziert, sowie von weißen Orchideen und kleinen Eukalyptuszweigen. Auf der obersten Etage standen aus Fondant zwei Regiestühle, eine Kamera und eine Filmrolle, auf der die Hochzeitsdaten standen. Auf den Regiestühlen standen unsere Namen. Die Torte war unglaublich schön und detailverliebt.

»Ich hoffe, dass alle noch genügend Platz für den Nachtisch haben«, sagte ich, dann schnitt ich gemeinsam mit Jamie, der seine Hand oben hatte, die wunderschöne Hochzeitstorte an. Er nahm eine Gabel und reichte mir damit einen Bissen der Torte, die herrlich nach Erdbeeren schmeckte. Ich fütterte ihn ebenfalls mit einem kleinen Stück, ehe wir die restliche Torte vom Personal schneiden und an die Gäste verteilen ließen.

Der Geschmack der Torte war wirklich himmlisch und ich genoss den Tag sehr. Die Hochzeit war mehr als perfekt, es war einfach unbeschreiblich schön. Ich hatte den perfekten Mann an meiner Seite und sah unsere Freunde und Familien endlich wieder, was wollte ich mehr?

»So, wo alle gerade die Münder voll haben, möchte ich die Gelegenheit nutzen, um meiner wundervollen Tochter und ihrem tollen Mann meine Glückwünsche auszusprechen«, rissen die Stimme meines Dads und das Gelächter der Gäste mich aus meinen Gedanken.

»Ich weiß, dass ich nicht immer genug Zeit für euch hatte und dafür möchte ich mich aufrichtig entschuldigen.« Ich wischte mir eine Träne aus dem Auge. »Aber ich möchte, dass du weißt, wie stolz ich auf mein kleines Mädchen bin, das mittlerweile eine wundervolle erwachsene Frau geworden ist. Du hast nie aufgehört für deine Träume einzustehen und nun sieh an, was du alles erreicht hast.«

Tränen kullerten mir über die Wangen, da Dads Worte mich sehr berührten.

An Jamie gewandt fuhr er fort: »Danke, Jamie, dass du für meine Tochter da warst und ihr geholfen hast, als ich es nicht konnte.«

Jamie griff mit seiner einen Hand nach der meinen, mit der anderen wischte er mir einige der Tränen aus dem Gesicht, während er meinem Dad aufrichtig zu nickte.

»Ich wünsche euch beiden alles Glück der Welt.«

Nach der Rede stand ich auf und ging zu meinem Dad herüber, um ihn in den Arm zu nehmen.

»Danke, Dad. Ich hab dich lieb.«

»Ich dich auch, meine Große.«

»Den Worten können wir uns nur anschließen«, sagte meine

Mom, die nun ebenfalls aufgestanden war. »Ich stand nicht immer hinter deinen Entscheidungen, aber ich habe gelernt, dir mehr zu vertrauen und wärst du nicht so stur gewesen, hätten wir jetzt nicht so einen wundervollen Schwiegersohn. Auch wir wünschen euch alles Glück der Welt und ihr seid jeder Zeit herzlich willkommen bei uns.«

Ich schloss nun auch meine Mom, Ella und Daniel nacheinander in den Arm.

»Danke«, bedankte ich mich, während ich weitere Tränen der Rührung wegwischte. Es bedeutete mir unendlich viel, diese Worte zu hören.

»Liebe Taylor, lieber Jamie«, begann nun auch Dan »Wir sind wohl bei dem Teil mit den Reden angekommen …«

Gelächter brach aus und auch ich musste schmunzeln.

»Wir hätten uns wirklich keine liebevollere, fürsorglichere und bessere Frau für unseren Sohn wünschen können. Rose und ich sind unfassbar dankbar, dass du in unser Leben getreten bist und unseren Sohn so glücklich machst.« Dan hielt einen Moment inne, um sich zu räuspern, ich konnte jedoch die feuchten Augen erkennen. »An dem Tag, als er dich das erste Mal mit nach Hause gebracht hat, wussten wir, dass du die Richtige für ihn bist!«

Ich musste bei all den liebevollen Worten unserer Eltern schluchzen und Tränen wegwischen. Ich entschuldigte mich bei meiner Familie, bevor ich gemeinsam mit Jamie zu seinen Eltern ging, wo wir uns für ihre lieben Worte bedankten und sie ebenfalls in die Arme schlossen.

»Als deine beste Freundin wünsche ich euch natürlich auch alles Glück der Welt, doch statt einer Rede habe ich zusammen mit unseren Freunden ein Video für euch vorbereitet, so wie du damals zu unserem Uniabschluss«, sagte April, während sie zu unseren Freunden zeigte.

Ein Laptop und eine Leinwand wurden aufgebaut. Gespannt schaute ich, in Jamies Umarmung stehend, auf die Leinwand.

Das Video begann mit unserem ersten Abend am Pier, die Fotos und Videoausschnitte zeigten uns, wie wir all die neuen Eindrücke überwältigt in uns aufnahmen. Gefolgt von Aufnahmen im Riesenrad und am Essen. Dankbar und glücklich dachte ich an diesen tollen Abend zurück. Nun wurden ein paar Fotos vom Unialltag gezeigt und natürlich hatte sie es nicht sein lassen können und hat das Foto eingefügt, dass mich zeigte, wie ich in Pauls und Jamies Zimmer beim Lernen eingeschlafen war. Alle mussten lachen.

»Ja, ja. Danke«, lachte ich.

Es folgten Aufnahmen von Ausflügen zu den Stränden, vom Walk of Fame und den Hollywood Hills. Das waren wirklich klasse Ausflüge. Dem folgten Aufnahmen von Jamies super Überraschung - der Disneyland Trip. Ein Lächeln breitete sich auf meinen Lippen aus. Ich drehte mich zu ihm, um ihm einen liebevollen Kuss geben zu können, den er erwiderte. Jamies Augen strahlten vor Glück. Bilder aus Hamburg folgten. Nur wir zwei oder zusammen mit Georg und Natalie. Das Video zeigte noch eine ganze Reihe weiterer wunderschöner Erinnerungen, für die wir uns bei unseren wirklich tollen Freunden bedankten.

Nachdem alle Reden gehalten und Geschenke übergeben wurden waren, eröffneten Jamie und ich die Tanzfläche. Der DJ spielte unseren Song, den wir bereits für den Gang zum Altar gewählt hatten. Eng umschlungen und überglücklich tanzten wir zwei zu diesem Song und vergaßen alles andere um uns herum. Ich hatte meine Arme um Jamies Hals gelegt, während Jamie seine auf meiner Hüfte ruhen ließ.

»Danke für diesen unvergesslichen Tag«, sagte ich an ihn geschmiegt. »Du machst mich unfassbar glücklich.«

»Und du mich erst«, antwortete Jamie grinsend. »Ich kann es gar nicht abwarten, bis wir zwei endlich alleine sind.«

Ich lachte kopfschüttelnd und genoss den Tanz. Als der Song vorbei war, übergab Jamie mich für einen Tanz an meine Eltern. Danach tanze ich mit Ella.

»Ich hab dir noch gar nicht gesagt, wie wunderschön du in deinem Prinzessinenkleid aussiehst«, sagte ich ihr.

»Danke, du siehst auch so hübsch aus.«

Ich drückte sie an mich.

»Sieh nur an, wie groß du schon geworden bist!« Ich drehte sie einmal um ihre eigene Achse. Ich konnte es gar nicht fassen, dass sie vor kurzem die Grundschule beendet hatte. »Und so schöne, lange Haare. Die Locken sehen toll aus.«

Sichtlich stolz schaute sie mich an.

»Ich will noch eine Runde hüpfen gehen. Mom und Daniel haben es mir versprochen.«

»Mach das, viel Spaß.«

»Na, genießt du den Tag?«, fragte Lola, als ich mir ein Glas Wasser nahm.

»Ja, vielen Dank nochmal, dass ihr gekommen seid. Es ist schön, euch mal wieder zu sehen.«

»Das finde ich auch. Es ist irgendwie nie genug Zeit, um sich oft genug zu sehen.«

»Da hast du Recht, umso schöner, dass es jetzt geklappt hat«, freute ich mich.

»Darf ich dir Taylor entführen?«, fragte Georg auf Englisch.

»Klar, nur zu.«

Ich folgte Georg auf die Tanzfläche. Gemeinsam mit meinen Freunden tanzte ich, bis Jamie kam und mich um einen weiteren Tanz bat. Es herrschte eine ausgelassene Stimmung.

Einige der Gäste zogen sich mittlerweile auf ihre Sitzplätze zurück, um sich zu unterhalten oder um sich mit ein paar Snacks zu stärken.

Ich ließ meinen Blick über die Gäste schweifen und sah wie April und Paul gerade gemeinsam tanzten und Georg und Natalie hatten sich mit Kyle noch einmal Nachtisch nachgeholt. Ich war unfassbar dankbar, solche Freunde gefunden zu haben.

Unser Tanz wurde schließlich von Amber unterbrochen, als sie alle Gäste bat, ihr nach draußen zu folgen.

»Wem es zu frisch sein sollte, der findet dünne Decken beim Hinausgehen.«, sagte sie.

Die gesamte Hochzeitsgesellschaft folgte ihr gespannt auf die Grünfläche.

Ich schaute Jamie fragend an. »Was kommt jetzt?«

»Ich wollte dir an diesem besonderen Tag eine noch schönere Aussicht bieten«, antwortete Jamie, während er in die Richtung der Stadt zeigte.

Mittlerweile stand der Mond über der Stadt und schien auf sie hinab. Die Lichter der Häuser und Autos glitzerten klein in der Ferne. Die Nacht breitete sich immer mehr über der Stadt aus und gab ihr etwas magisches. Ein Zischen ertönte und wenig später erleuchtete die erste Rakete mit einem lauten Knall am Himmel. Sie rieselte glitzernd herunter, gefolgt von weiteren Raketen. Das Feuerwerk erstrahlte wunderschön in all seinen Farben am Himmel. Eine goldene Rakete explodierte gerade hoch oben, gefolgt von einer blauen und roten Rakete. Mit jeder Rakete ging ein andächtiges Raunen durch unsere Gäste.

»Du hast auch immer eine Überraschung parat«, lachte ich in seinen Armen, während ich das Feuerwerk bestaunte. »Es ist wirklich wunderschön. Danke.«

Jamie drehte sich daraufhin zu mir, um mich zu küssen.

Danksagung

Ich hatte es kaum noch für möglich gehalten, dass ich diesen Roman eines Tages noch fertig stellen würde, da ich ihn gefühlt millionenfach und seit Jahren immer wieder neu geschrieben habe und nie zufrieden war. Aber es ist nun einfach an der Zeit ihn zu veröffentlichen und zwar genau so, wie er jetzt ist, ansonsten werde ich ihn noch ein weiteres dutzend Mal neu schreiben.

Der Traum der Hauptprotagonistin basiert auf meinem damals eigenen Traum, an der UCLA Film zu studieren, doch ich hatte mit nichtmal achtzehn Jahren damals weder den Mut noch die finanziellen Mittel diesen Traum zu leben und so entstand schon vor etlichen Jahren die Idee zu diesem Roman.

Auch wenn es im wahren Leben natürlich nicht immer alles rund läuft und man auch viele Rückschläge einstecken muss, möchte ich mit dem Roman meinen Leserinnen und eventuell auch Lesern den Mut geben, an ihre Träume im Leben zu glauben und diese nicht aufzugeben, weil sie nicht in die Normvorstellung anderer Menschen passen oder weil sie euch unerreichbar scheinen. Träume, die seit je her in unseren Herzen ihre Wurzeln schlagen und wachsen, verdienen es, gelebt zu werden!

Der Weg mag nicht immer leicht sein, manchmal braucht es auch einen oder mehrere Umwege, um ans Ziel zu gelangen.

Ich habe letztlich mein Filmstudium in Deutschland begonnen, aber nicht beendet und das ist in Ordnung so, denn mein Umweg hat mir meine zwei wunderbaren Kinder geschenkt und die Ehe mit meinem Mann und nun diesen fertigen Roman, der hoffentlich dazu führt den Traum als erfolgreiche Autorin leben zu können. Außerdem ist eine gute Freundschaft aus der Unizeit entstanden, die ich nicht missen möchte.

Ich möchte mich von Herzen bei meinem Mann bedanken, der

immer an meiner Seite steht und mich unterstützt, wo er nur kann und der immer versucht mir meine Träume zu erfüllen, egal wie verrückt oder groß sie sein mögen. Außerdem möchte ich mich bei ihm dafür bedanken, dass er immer zu uns steht, egal wie viele Höhen und Tiefen wir bereits durchlebt haben und er ist der beste Dad, den sich unsere Kinder wünschen können! DANKE! Wir lieben dich über alles!

Ich möchte mich auch bei allen anderen bedanken, die mir die Kraft und den Mut gegeben haben weiter zu machen und an meine Träume zu glauben, auch wenn viele gar nicht wissen, was sie für einen Einfluss hatten, wie zum Beispiel meine Lieblingsautorinnen, Schauspielerinnen und Schauspieler, sowie Musiker.

Danke auch an meine Familie und Freunde, dass ihr mich unterstützt, diesen Schritt zu gehen.

Ich möchte mich auch bei EUCH bedanken, diejenigen, die dieses Buch kaufen und damit meinen Traum unterstützen! Ihr habt keine Ahnung, was mir das bedeutet und ich möchte euch wirklich von Herzen dafür danken!

Gemeinsam mit euch möchte ich es schaffen, dass mehr Leute an ihre Träume glauben, egal wie klein oder groß sie sein mögen.